国家出版基金项目
NATIONAL PUBLICATION FOUNDATION

"十二五"国家重点图书出版规划项目
林业应对气候变化与低碳经济系列丛书

◆

总主编：宋维明

碳关税理论机制及对中国的影响

◎ 田明华　陈永超　刘　诚　编著

中国林业出版社

图书在版编目（CIP）数据

碳关税理论机制及对中国的影响／田明华，陈永超，刘诚编著．－北京：中国林业出版社，2015.5

林业应对气候变化与低碳经济系列丛书／宋维明总主编

"十二五"国家重点图书出版规划项目

ISBN 978-7-5038-7932-6

Ⅰ.①碳… Ⅱ.①田…②陈…③刘… Ⅲ.①二氧化碳－排气－关税－影响－研究－中国 Ⅳ.① F12

中国版本图书馆 CIP 数据核字（2015）第 060327 号

出 版 人：金 旻

丛书策划：徐小英 何 鹏 沈登峰

责任编辑：杨长峰 刘香瑞

美术编辑：赵 芳

出版发行 中国林业出版社（100009 北京西城区刘海胡同 7 号）

http://lycb.forestry.gov.cn

E-mail:forestbook@163.com 电话：(010)83143515、83143543

设计制作 北京天放自动化技术开发公司

印刷装订 北京中科印刷有限公司

版 次 2015 年 5 月第 1 版

印 次 2015 年 5 月第 1 次

开 本 787mm×1092mm 1/16

字 数 322 千字

印 张 16

定 价 56.00 元

林业应对气候变化与低碳经济系列丛书

编审委员会

总主编　宋维明

总策划　金　旻

主　编　陈建成　　陈秋华　　廖福霖　　徐小英

委　员（按姓氏笔画排序）

出版说明

郑明

气候变化是全球面临的重大危机和严峻挑战，事关人类生存和经济社会全面协调可持续发展，已成为世界各国共同关注的热点和焦点。党的十八大以来，习近平总书记发表了一系列重要讲话强调，要以高度负责态度应对气候变化，加快经济发展方式转变和经济结构调整，抓紧研发和推广低碳技术，深入开展节能减排全民行动，努力实现"十一五"节能减排目标，践行国家承诺。要正确处理好经济发展同生态环境保护的关系，牢固树立保护生态环境就是保护生产力、改善生态环境就是发展生产力的理念，更加自觉地推动绿色发展、循环发展、低碳发展，决不以牺牲环境为代价去换取一时的经济增长。这为进一步做好新形势下林业应对气候变化工作指明了方向。

林业是减缓和适应气候变化的有效途径和重要手段，在应对气候变化中的特殊地位得到了国际社会的充分肯定。以坎昆气候大会通过的关于"减少毁林和森林退化以及加强造林和森林管理"（REDD+）和"土地利用、土地利用变化和林业"（LULUCF）两个林业议题决定为契机，紧紧围绕《中华人民共和国国民经济和社会发展第十二个五年规划纲要》和《"十二五"控制温室气体排放工作方案》赋予林业的重大使命，采取更加积极有效措施，加强林业应对气候变化工作，对于建设现代林业、推动低碳发展、缓解减排压力、促进绿色增长、拓展发展空间具有重要意义。按照党中央、国务院决策部署，国家林业局扎实有力推进林业应对气候变化工作并取得新的进展，为实现林业"双增"目标、增加林业碳汇、服务国家气候变化内政外交工作大局做出了积极贡献。

本系列丛书由中国林业出版社组织编写，北京林业大学校长宋维明教授担任总主编，北京林业大学、福建农林大学、福建师范大学的二十多位学者参与著述；国家林业局副局长刘东生研究员撰写总序；著名林学家、中国工程院院士沈国舫，北京大学中国持续发展研究中心主任叶文虎教授给予了指导。写作团队根据近年来对气候变化以及低碳经济的前瞻性研究，围绕林业与气候变化、森林碳汇与气候变化、低碳经济与生态文明、低碳经济与林木生物质能源发展、低碳经济与林产工业发展等专题展开科学研究，系统介绍了低碳经济的理论与实践和林业及其相关产业在低碳经济中的作用等内容，阐释了我国林业应对气候变化的中长期战略，是各级决策者、研究人员以及管理工作者重要的学习和参考读物。

2014 年 7 月 16 日

总　序

刘华生

　　随着中国——世界第二大经济体崛起于东方大地，资源约束趋紧、环境污染严重、生态系统退化等问题已成为困扰中国可持续发展的瓶颈，人们的环境焦虑、生态期盼随着经济指数的攀升而日益凸显，清新空气、洁净水源、宜居环境已成为幸福生活的必备元素。为了顺应中国经济转型发展的大趋势，满足人民过上更美好生活的心愿，党的十八大报告首次单篇论述生态文明，首次把"美丽中国"作为未来生态文明建设的宏伟目标，把生态文明建设摆在总体布局的高度来论述。生态文明的提出表明我们党对中国特色社会主义总体布局认识的深化，把生态文明建设摆在五位一体的高度来论述，也彰显出中华民族对子孙、对世界负责任的精神。生态文明是实现中华民族永续发展的战略方向，低碳经济是生态文明的重要表现形式之一，贯穿于生态文明建设的全过程。生态文明建设依赖于生态化、低能耗化的低碳经济模式。低碳经济反映了环境气候变化顺应人类社会发展的必然要求，是生态文明的本质属性之一。低碳经济是为了降低和控制温室气体排放，构造低能耗、低污染为基础的经济发展体系，通过人类经济活动低碳化和能源消费生态化所实现的经济社会发展与生态环境保护双赢的经济形态。低碳经济不仅体现了生态文明自然系统观的实质，还蕴含着生态文明伦理观的责任伦理，并遵循生态文明可持续发展观的理念。发展低碳经济，对于解决和摆脱工业文明日益显现的生态危机和能源危机，推动人与自然、社会和谐发展具有重要作用，是推动人类由工业文明向生态文明变革的重要途径。

　　林业承担着发挥低碳效益和应对气候变化的重大任务，在发展低碳经济当中有其独特优势，具体表现在：第一，木材与钢铁、水泥、塑料是经济建设不可或缺的世界公认的四大传统原材料；第二，森林作为开发林业生物质能源的载体，是仅次于煤炭、石油、天然气的第四大战略性能源资源，而且具有可再生、可降解的特点；第三，发展造林绿化、湿地建设不仅能增加碳汇，也是维护国家生态安全的重要途径。因此，林业作为低碳经济的主要承担者，必须肩负起低碳经济发展的历史使命，使命光荣，任务艰巨，功在当代，利在千秋。

党的十八大报告将林业发展战略方向定位为"生态林业"，突出强调了林业在生态文明建设中的重要作用。进入 21 世纪以来，中国林业进入跨越式发展阶段，先后实施多项大型林业生态项目，林业建设成就举世瞩目。大规模的生态投资加速了中国从森林赤字走向森林盈余，着力改善了林区民生，充分调动了林农群众保护生态的积极性，为生态文明建设提供不竭的动力源泉。不仅如此，习近平总书记还进一步指出了林业在自然生态系中的重要地位，他指出：山水林田湖是一个生命共同体，人的命脉在田，田的命脉在水，水的命脉在山，山的命脉在土，土的命脉在树。中国林业所取得的业绩为改善生态环境、应对气候变化做出了重大贡献，也为推动低碳经济发展提供了有利条件。实践证明：林业是低碳经济不可或缺的重要部分，具有维护生态安全和应对气候变化的主体功能，发挥着工业减排不可比拟的独特作用。大力加强林业建设，合理利用森林资源，充分发挥森林固碳减排的综合作用，具有投资少、成本低、见效快的优势，是维护区域和全球生态安全的捷径。

本套丛书以林业与低碳经济的关系为主线，从两个层面展开：一是基于低碳经济理论与实践展开研究，主要分析低碳经济概况、低碳经济运行机制、世界低碳经济政策与实践以及碳关税的理论机制及对中国的影响等方面。二是研究低碳经济与生态环境、林业资源、气候变化等问题的相关关系，探讨两者之间的作用机制，研究内容包括低碳经济与生态文明、低碳经济与林产品贸易、低碳经济与森林旅游、低碳经济与林产工业、低碳经济与林木生物质能源、森林碳汇与气候变化等。丛书研究视角独特、研究内容丰富、论证科学准确，涵盖了林业在低碳经济发展中的前沿问题，在林业与低碳经济关系这个问题上展开了系统而深入的探讨，提出了许多新的观点。相信丛书对从事林业与低碳经济相关工作的学者、政府管理者和企业经营者等会有所启示。

2014 年 7 月 9 日

前　　言

　　全球气候变化深刻影响着人类生存和发展，已经成为全球公共风险。研究表明，大气中二氧化碳浓度的增加是导致全球气候变暖的主要原因，而人类建立在煤、石油等传统化石能源基础上的经济活动排放的二氧化碳极大幅度地提高了大气中温室气体的浓度，是导致气候变暖的温室气体的最主要来源。减少二氧化碳的排放，发展低碳经济，保护人类生存发展的地球已是新世纪最大的挑战。但是发达国家和发展中国家在减排责任的承担上仍然存在较大分歧，导致国际上至今没有达成具有强制约束力的全球性减排协议，发展低碳经济任重而道远。2006年法国为达成全球性减排协议，首先提出碳关税问题，引发争议，其后多次重申碳关税提议，由于欧盟各国立场不统一与美国的反对，碳关税的出台一直被搁浅。为了保护国内产业的国际竞争力、防止碳泄漏，并迫使发展中国家做出具有强制约束力的减排承诺，2009年美国众议院通过《美国清洁能源与安全法案》，拟在2020年实行碳关税政策，对包括中国在内的不实施碳减排限额的国家的出口产品征收碳关税，使得碳关税制度成为了学术研究领域的前沿问题。2012年欧盟又将航空业正式纳入欧盟碳排放交易体系（ETS），这意味着欧盟将向所有在欧盟境内起降的飞机征收国际航空碳排放费，再一次引起全球热议。目前，碳关税的征收问题已经日渐成为世界各国争论和博弈的焦点。中国作为全球制造业大国与出口贸易大国，经济发展具有显著的高能耗、高排放特征，按照目前的经济发展格局，如果欧美国家一旦开征碳关税，很可能对中国出口贸易和国民经济产生较为严重的影响，有必要对碳关税展开深入的研究。

　　碳关税问题在国际社会极具争议性。碳关税作为一种气候环境治理的制度工具，能够防止碳泄露现象发生，有一定的合理性，在公正实施的情况下，可以产生积极的生态效应、经济效应和社会效应。但由于发展中国家目前并没有承担碳减排的义务，因此对从发展中国家进口的高碳产品征收惩罚性的碳关税无疑成为发达国家压迫发展中国家与其实施同标准减排措施、制衡和打压发展中国家的强有力的手段，为发达国家在政治、经济等各领域带来诸多利益，而对发展中国家而言，碳关税的征收却具有很大的不公平性、不合理性及不合法性。单边碳关税因其对 WTO 规则和联合国气候公约的公然违反，受到发展中国家的一致谴责，它的推行将会使全球气候治理由合作走向分裂，气候治理措施演化成贸易保护壁垒，既不利于全球温室气体排放的减低，也会危机到全球经济的健康发展。

本书共分 8 章。第 1 章主要介绍了碳关税的产生背景、基本概念，阐述了征收碳关税的理论基础，分析了碳关税的性质和特点，介绍了碳关税计征方法和税率。第 2 章介绍了美国与欧盟的碳关税提案，并进行了比较分析。第 3 章分析了发达国家推出碳关税的原因及其本质，讨论了碳关税的实施可能性、碳关税给发展中国家带来的挑战。第 4 章分别对碳关税在世界贸易组织规则下的合法性和在气候公约下的合法性进行了分析。第 5 章介绍和评述了二氧化碳减排的技术方法、二氧化碳减排的政策工具以及其他工具，并对国际性碳税方案进行了归纳和比较分析。第 6 章在对中国经济发展的特点和碳排放现状分析的基础上就碳关税对中国的影响进行了系统的定性分析。第 7 章主要进行了碳关税对中国国民经济影响的实证分析，利用投入产出法测算了中国国民经济能耗强度，测算了各个出口部门出口的隐含碳的数量，分析了不同的碳关税税率下对各个出口行业经济利润的影响和各个出口部门所能承受的最大的碳关税，为我国政府在应对碳关税的谈判过程中提供更多的有效数据支撑。第 8 章主要从国际、国内两个层次指出了我国面对碳关税时可选择的措施。

本书比较系统地分析、阐述了碳关税的理论机制与对中国的影响，在编写过程中，参阅、引用了大量中外专家学者的著述，在此谨致以由衷的敬意和感谢。碳关税问题在未来很长一段时期内仍然会是国际上的热点问题，而且与中国的国家利益密切攸关，谨希望本书能够使读者比较全面地了解碳关税问题，全民共同努力，未雨绸缪，迎接碳关税的挑战。

编著者

2014 年 5 月 20 日

目　　录

第1章　碳关税的基本概念及理论基础

1.1　碳关税的产生背景

1.1.1　碳关税产生的国际背景

1.1.1.1　全球气候变暖

碳关税提出的背景还要追溯到全球气候变暖问题。随着人类社会经济的发展，人类过量焚烧化石矿物(煤、石油等)而产生的大量二氧化碳大幅度提高了地球大气中温室气体的浓度，导致地球的气候整体变暖，并由此引发了一系列的连锁反应，比如人类生存环境的恶化，极端恶劣灾害的频繁发生，物种多样性受到严重威胁，人类健康也受到了严峻的挑战，而南北极冰川融化进而海平面上升，还将会导致一些岛国彻底从地球上消失。总之，全球变暖严重危害到人类的生存和居住环境。在此背景下，节能减排、发展低碳经济无疑是各国需要关注的重要战略目标。

联合国政府间气候变化专门委员会(IPCC)发布的第四次评估报告是当前气候领域最权威的报告，其核心观点是：1970～2004 年间全球温室气体的年排放总量与工业化前相比增长了 70%；人为排放使现今大气中的氧化亚氮的浓度明显超出根据冰芯显示出的工业化前几千年中的浓度值，而甲烷及二氧化碳浓度甚至远远超出过去 65 万年的自然变化的范围；过去 50 年间全球平均变暖的大部分原因很可能是人为排放温室气体的增加；过去 30 年来，人为变暖可能已对全球范围内的许多自然及生物系统的可观测变化产生了可辨别的影响……2010 年英国气象办公室(Met Office)及其美国分部发布了一份通过运用多种不同方法测量的世界各地区的气候变化情况的报告，该报告最新采集到的一些有关地球温度数据，较充分地证明了全球气候的确正在变暖，且与人类的活动相关。同时，我国气象专家研究结果表明，虽然地球地表平均气温呈波动式变化，但总体呈升温趋势，因此全球气候变暖停止或逆转的论调缺乏根据。

以上研究都说明，人类的活动影响了气候的变化。伴随着社会和经济的发展，人类的生产生活活动极大幅度地提高了大气中温室气体的浓度，其中煤、石油等传统化石能源释放的二氧化碳是温室气体的最主要来源，而大气中二氧化碳浓度的增加又是导致全球气候变暖的主要根源。国际能源机构（International Energy Agency）的一项调查结果表明，美国、中国、俄罗斯和日本的二氧化碳排放量几乎占全球总量的一半。国际能源机构最近的《2009 世界能源主要统计》（2009 *World Energy Statistics*）资料数据显示，2006 年一年中国在能源消费部门排放的二氧化碳量为 60.18 亿 t，首次超过美国 59.03 亿 t 的二氧化碳排放量，成为世界最大的二氧化碳排放国，但中国人均二氧化碳排放量约为 4.57t/年，仅为美国人均排放量（19.1t/年）的 24%（李欣，2012）。减少温室气体的排放，控制全球变暖，保护人类生存发展的地球已是 21 世纪最大的挑战。为保护人类唯一的地球，保护全球气候环境，减少二氧化碳的排放，发展低碳经济，实现可持续发展已是世界各国共同的目标。

1.1.1.2 全球能源危机

世界经济在某种意义上说是一种构建在化石能源基础上的经济，因为它依赖于煤炭、石油、天然气等化石能源的广泛投入和使用。随着经济的发展，全球对石油、煤等传统能源的需求迅速增长，而地球上石油、煤等传统化石能源的蕴藏量是有限的且不可再生的，能源供需矛盾空前紧张并逐步加深。目前地球上蕴藏的有限的化石能源中容易开采和利用的储量已不多，开发难度较大的由于巨额开发成本及技术限制而失去继续开采的价值。但在当前以化石能源为主导的经济发展模式下，人类对化石能源的需求是无限的。在传统能源资源可能枯竭带来的危机面前，人类社会的发展正面临着能源危机的严重挑战。世界经济社会发展单纯依赖传统能源的高碳经济发展模式已经不能再继续维持。发展低碳经济、开发新能源、开辟新型经济发展模式已是当前世界各国的共识。全球经济发展将进入一个新的时代——低碳时代，将成为一种不可逆转的潮流。发展低碳经济，一方面要限制化石能源的使用数量，提高化石能源的利用效率，另一方面要积极地开发和利用可替代能源和可再生能源。然而受开发成本、开发技术等多方面的限制，目前能代替煤炭等化石能源的其他能源资源并能够大规模利用的还较少，太阳能、风能等可再生能源虽然用之不竭，但由于技术的限制，还未到产业化大规模应用阶段。可替代能源和可再生能源的使用在短期内还不能形成规模，因此目前发展低碳经济还要先从限制传统能源的使用、节约能源和提高能源利用率方面着手。碳税和碳关税的征收无疑能发挥有效的作用。首先可以对化石能源使用者开征类似于资源税性质的碳税，从而提高碳排放产品的生产成本，促使企业提高能源利用率或减少能源的使用；其次可以对进口的在其国内未被征收过碳税的产品开征碳关税，从而提高碳排放产品的贸易成本，迫使企业改进生产技术、提高环保水平，从而促进新能源的开发，缓解能源危机（张倩，2012）。以上方式都能有效地提高含碳产品的成本，从而限制化石能源的使用，提高化石能源的利用率，减少碳排放。碳关税是人们在气候变化和能源危机的挑战下提出的，想通过提高碳产品的成本来减少碳排放，因而从节约能源和保护气候环境的角度出发，它具有一定的合理性和积极性。但由于世界各国经济发展的不平衡，特别是发达国家和发展中国家所处的经济发展阶段不同、国际贸易产品结构不同、利用能源技术水平不同以及所面临的二氧化碳排放压力也不同，简单地在贸易环节对进口产品征收碳关税将对世界自由贸易环境产生严重的影响，这也是美国通过征收碳关税立法后，引起广大发展中国家强烈反应的重要原因之一。

1.1.1.3　金融危机的影响

2008 年始于美国的次贷危机逐步演化为全球金融危机席卷了全球经济。在金融危机的冲击下，全球经济陷入衰退，各国在解救全球经济危机的同时都在寻找下一个引领世界经济走出困境的领头行业。面临全球气候变暖以及能源枯竭的威胁，世界各国开始逐步加大绿色投资、倡导绿色消费、促进绿色增长，其中包括可替代性能源和节能、创新材料、气候变化和环境保护、健康和老年医学、生物基因等。低碳经济正在发展成为世界经济新的增长点，发展低碳经济成为各国抢占未来经济制高点的重要战略选择。

随着国家经济的复苏和消费市场的变化，欧美等发达国家经济正逐步过渡到低碳经济时代。新能源、新环保技术的使用可使欧美日益衰退的服务业和制造业重新复活，为金融危机后陷入贬值绝境的欧元、美元注入新的价值。同时，为了摆脱金融危机带来的负面冲击，重振衰退的实体经济，保持本国企业强劲的国际竞争力，美国迫切需要挖掘出新的经济增长点，发展新能源产业和低碳经济无疑是帮助美国走出危机阴影的一种有效手段，并将对环境问题和经济问题的应对起到一箭双雕的作用，是美国为迅速摆脱经济低迷的困境，缓解国内矛盾的一剂良药。由此，美国提出对国外高能耗产品进口征收碳关税。按照《2009 年美国清洁能源安全法案》，从 2020 年起，美国将对不接受污染物减排标准的国家进行贸易制裁，对从这些国家的进口产品开征一项新税种即碳关税，使这些国家的产品在美国市场上丧失竞争力，达到保护本国产业的目的。美国声称碳关税的提出是以保护环境以及公平竞争为前提的，而事实是美国借环境保护的名义设置贸易壁垒保护本国产业，期望以此巩固美国在金融危机后受创的经济霸权地位(张倩，2012)。

从以上背景可以看出，碳关税的出台从某种意义上来说是顺应了国际经济发展、环境保护的大趋势，符合低碳环保的战略要求，有一定的必然性和时代性。但是，当碳关税这一环保领域的名词将触角延伸至国际政治经济领域，与贸易挂钩时，其立法初衷就不仅仅是单纯的环境保护，而是夹杂了更多的利益考量和贸易纠葛。碳关税的征收将在不同国家之间构成差别待遇和歧视，剥夺发展中国家的发展权，从而形成绿色贸易壁垒，阻碍国际贸易的健康发展。

1.1.2　推出碳关税的国际法制背景

1.1.2.1　《联合国气候变化框架公约》

作为世界上第一个意图降低环境问题给经济与社会带来的不利影响的国际性条约,《联合国气候变化框架公约》(以下简称《公约》)的诞生,使其成为今后世界各国之间共同应对温室气体排放与气候问题的合作基础。《公约》于1992年6月4日,在巴西里约热内卢举办的联合国环境与发展大会上正式签署,并于1994年3月正式生效,是一部具有权威性、普遍性、全面性的国际框架公约。目前,已有192个同盟国签署了《公约》。

《公约》由序言与正文(共26条)组成。从内容上剖析,《公约》中不仅明确了缔约国之间合作的三条原则(即公平原则、预防原则及可持续发展原则),也对缔约国之间的承诺做出了明确的规定。从内涵上解读,《公约》要求发达国家缔约方不仅应当率先应对由气候变化所带来的不利影响,而且也应充分考虑到发展中国家缔约方,尤其是特别易受气候变化影响的那些发展中国家缔约方的具体情况与那些承担了过度减排责任的缔约方,特别是发展中国家缔约方的具体情况(黄蓓佳等,2010)。同时,发达国家不仅要执行所签署的,为应对气候变化所采取的具体措施,而且要向发展中国家提供资金与技术上的支持。

在碳关税的背景下,世界贸易组织(WTO)中的第一条、第三条与第二十条成为了各国学者广泛争论的焦点,而大部分学者认为,碳关税的提出与上述法规相抵触,更与建立WTO的初衷相矛盾。

1.1.2.2　《京都议定书》

《京都议定书》(以下简称《议定书》)旨在限制发达国家温室气体排放量以及抑制全球变暖问题。《议定书》作为《公约》的补充条款于1997年12月在日本京都举行的第三次缔约方大会出现。其本质不仅量化了发达国家应减少的温室气体排放量,而且具体化了《公约》中对发达国家的减排责任(龚韵秋等,2010)。在《议定书》的附件一中,明确了6种应减排的温室气体:二氧化碳、甲烷、氧化亚氮、氢氟碳化物、全氟化碳和六氟化硫(黄晓凤,2010)。

若按照《议定书》的相关要求去执行,2008~2012年期间,全球温室气体排放量与1990年相比可至少减少5%。文件中虽然没有强制要求发展中国家进行减排承诺,但对于制定、执行应对气候变化的方案和措施等其他条款却做出了明确的规定。与《公约》不同的是,《议定书》建立了三个合作机制:国际排放贸易机制、联合履行机制和清洁发展机制。其中,对广大发展中国家来讲,清洁发展机制为其带来了巨大的机遇与挑战——它允许工业化国家的投资者,从其在发展中国家实施的并有利于发展中国家可持续发展的减排项目中,获取经证明的减少排放量(蹇彪,2010)。

中国与欧盟分别于 1998 年 5 月与 2002 年 5 月正式签署了《议定书》。而美国于 2001 年 3 月拒绝签署《议定书》。最终，在俄罗斯的影响下，《议定书》最终于 2005 年 1 月 16 日正式生效。共有 184 个《公约》缔约国签署《议定书》。

对于《京都议定书》中所明确规定的共同而有区别的责任原则，其实质说明了发展中国家可暂时不承担减排责任。但发达国家有意向发展中国家的出口商品征收碳关税这一事实，使发达国家在增加自身国际贸易收入的同时，又使得发展中国家背负了环境污染的恶名，遭到了发展中国家学者们的一致反对。

1.1.2.3　巴厘岛路线图

《公约》第十三次缔约方会议暨《议定书》第三次缔约方会议于 2007 年 12 月在印度尼西亚的巴厘岛举行。会议以应对 2012 年后的气候变化为目的，并于 15 日通过了巴厘岛路线图。会议结果明确了缔约国之间须于 2009 年前，就应对气候变化问题进行新一轮的谈判，同时确定了谈判所涉及的关键问题。其中包括了适应气候变化所应做出的行动，减少温室气体排放的具体方法，以及如何使用气候友好型技术和减缓气候变化措施的方法(江峰等，2009)。然而，巴厘岛路线图并未就 2010 年后的温室气体减排设定任何具体措施。并将这一问题留待 2008 年和 2009 年的联合国气候变化大会解决。2008 年，落实巴厘岛路线图的谈判在曼谷、波恩、阿克拉和波兹南全面展开(焦芳，2011)。此次主要讨论的是发达国家实现减排的目标和方法，并未涉及减排指标问题。并就减缓、适应、资金和技术四大问题展开了初步的讨论。

巴厘岛路线图成为了世界低碳变革的开端，不论在人们的生活、生产方式上，还是在各国政治与经济格局上，巴厘岛路线图都预示着低碳发展的浪潮正在逐步向全球扩散。在各国寻求低碳发展的道路上，一些发达国家已逐渐显现出制度与技术的低碳化。而对于那些发展中国家来讲，如何避免这场低碳冲击与如何快速发展低碳经济无疑成为了其巨大挑战。

1.1.2.4　《哥本哈根协议》

2009 年 12 月 7 日，第 15 届联合国气候变化大会在丹麦首都哥本哈根召开。此次会议受到的关注可称为气候会议的历史之最。然而令人失望的是，大会最终并没有取得令人满意的效果。会中的《哥本哈根协议》虽然维护了《公约》与《议定书》中确立的共同但有区别的责任原则，并对发达国家和发展中国家分别采取强制减排与自主减排措施，但各缔约国并未就 2012 年后的减排目标、资金、技术等具体方面达成共识(杜枭，2012)。

更值得关注的是，法国等少数发达国家提出了征收碳关税的提议，日后在全球引发了广泛争议。各国学者与官员担心，这种贸易保护主义的复苏可能带来更多贸易摩擦，不利于世界经济复苏，也会阻碍下届气候大会取得实质性的结果。

1.2 碳关税的提出和概念

1.2.1 碳关税的提出

碳关税问题可以说是全球应对气候变化谈判的衍生品，碳关税的形成经历了长期的历史演变，与该问题相关或类似的建议及呼声在发达国家中可谓此起彼伏，从未停止。

2002 年美国退出《京都议定书》，其理由，一是认为议定书规定的要求太高，会损害美国的经济；二是以行动对区别对待表示不满。美国退出《京都议定书》的举动使得欧盟、加拿大、日本等发达经济体缔约方认为其本国利益有可能因此而遭受损害，担忧未承诺执行减排计划的国家会对全球节能减排计划造成不利影响，因而希望对这些国家进行附加关税的征收。于是 2006 年 11 月 6 日至 17 日在肯尼亚内罗毕召开的第 12 届联合国气候变化大会上，法国总理多米尼克·德维尔潘就提议："应对没有签署后 2012 气候变化国际公约（即所谓的后《京都议定书》）的国家的工业产品出口征收额外关税（extra tariff）。"但在当时，该提议由于被欧盟委员会认为与 WTO 规则存在潜在冲突而遭到反对，中国、印度等发展中国家对于碳关税的征收发出了反对的呼声，并认为此举是贸易保护主义的一种表现，会增加国家之间的贸易摩擦，另一方面，学术界对此专门展开研究，结果显示征收碳关税会对国家关系产生负面影响，可能无法达到预想的目标。也正因如此，社会公众并未对这个所谓的"额外关税"予以太多关注。

2007 年 1 月，法国总统希拉克在要求美国签署《京都议定书》及后《京都议定书》的同时发出警告：如果美国不签署该协议，进口自美国的产品在法国将会被征收碳关税。该举动使得碳关税的征收从学术界发展到政治领域，对高碳贸易产品征收碳关税成为国家对外经济贸易手段中的一种措施，为本国国内相关行业的发展谋求更大福利。随后，法国总统萨科奇在 2007 年 11 月，再次重申了碳关税的提议，旨在保护在欧盟碳排放交易体制下（EU ETS）面临沉重执行成本的欧盟企业。由此可见，法国最早提出征收碳关税的用意尽管有着督促美国承担应尽的环境义务的希冀在内，但更重要的一面在于希望欧盟国家能够针对未遵守《京都协定书》的国家课征商品进口税，以避免在欧盟碳排放交易机制运行后，欧盟国家生产的商品遭受不公平竞争的可能性出现。2009 年 6 月，法国总统萨科奇再一次升级有关碳关税问题的讨论，他建议：若各国在哥本哈根气候变化大会上无法达成一致，或可考虑将碳关税作为一种机制应用推广开来，以控制温室气体排放，为欧洲各国企业与来自尚未进行二氧化碳减排的国家的企业之间的竞争建立一个"公平的环境"。德国环境部长马蒂阿斯·马奇戈，瑞典环境大臣安德烈亚斯·卡尔格林与英国能源与气候变化大臣埃德·米利班德对此都持反对意见(杜枭,2012)。由于欧盟各国立场不统一与美国的反对,碳关税的出台一直被搁浅。

自奥巴马当选美国总统以来,美国转变了在《京都议定书》上的消极态度,并试图建立在后《京都议定书》时代应对气候变化和环境保护的新形象(何娟,2010)。奥巴马表示:美国亦将此作为技术升级和产业结构调整的绝好机会。在法国频频提议开征碳关税的情形下,美国也不甘示弱,2009 年 3 月 17 日,美国能源部长朱棣文在众议院科学小组会上公开声称,如果其他国家未实施温室气体减排措施,那么美国在保护本国制造业前提下,不排除以征收碳关税为相应的措施。同年 6 月,美国众议院通过了《美国清洁能源与安全法案》(ACESA),该法案第四部分(Title IV: Tran-sitioning To A Clean Energy Economy)第 768 节规定了"国际储备配额项目"。基于在实施"温室气体排放总量限制和交易制度"后可能出现对本国产业的不公平竞争情况,美国要求将高能耗产品出口到美国的国家,如果没有设定排放总量限制的国家或没有可比性的能源强度减少标准,则需要提交与产品制造相关的、专门的碳排放配额,以反映产品的碳排放,而没有配额的外国产品向美国出口时必须经由碳交易购买"国际储备配额"(in-ternational reserve allowance)(袁晨玲,2012)。规定在美国未加入任何多边协议的前提下,2020 年开始,美国有权对未采取节能减排措施或拒绝执行减排的进口国家的高二氧化碳排放量的产品,如铝、钢铁、水泥和一些化工产品采取"边境调节"政策(李娜,2012)。虽然该法案全文都未使用"碳关税"这一名词,但该法案所蕴含的深意却无不使得这种针对外国产品施加的额外成本被理解为增加了的关税。因此,该条款也成为"碳关税"名称的法律文本渊源。基于对现实与国家利益的综合考量,美国重新返回国际气候谈判框架,并与以法国为代表的西方发达国家达成共识,将碳关税问题的矛头转向中国、印度等主要发展中国家(王谋等,2010)。2009 年 7 月法国国民议会提出自 2010 年起对国内产品征收每吨二氧化碳 17 欧元的碳税标准,并考虑将征税范围扩大到欧盟以外的国家,尤其是发展中国家(李娜,2012)。除此以外,加拿大、欧盟各成员国均在积极筹备碳关税政策的提出。至此,碳关税已不仅仅是解决由全球气候变暖引发的环境问题的手段,更成为一种在新形势下被各国用以维护各自的政治经济利益的博弈手段,日益受到世界各个国家的高度重视。

1.2.2　碳关税及其替代名称[①]

从欧盟与美国有关碳关税的讨论与立法动议可以看出,没有任何正式法律文件使用"碳关税"这一术语。在这些讨论和法案中使用的是"额外关税""碳税""排放配额"

---

① 本部分内容主要编引自黄文旭的研究。

和"国际储备配额"等词语。"碳关税"只是一些官员、媒体和学者所使用的一个新术语，因此造成了相关概念的混乱，并引起了碳关税这一术语是否合适的争论（黄文旭，2011）。

由于碳关税这一名称容易引起歧义，因此一些文献中使用了其他的表述来代替碳关税表述相同的含义，如京都税、边境调节税、边境调节措施、边境碳调节措施等。通过中国知网检索，截至 2012 年 12 月 31 日，标题中包含"碳关税"的文章有 509 篇，标题中包含"边境调节税""边境税收调节"或"边境税调整"的文章有 12 篇，标题中包含"边境碳调节措施"的文章有 5 篇，相比截至 2011 年 12 月 31 日，标题中包含"碳关税"的文章增加 103 篇，而其他没有变化。检索的结果表明，"碳关税"的使用频率远远高于"边境调节税"等其他替代名称，而且呈现使用越来越普遍的趋势。

在英文文献中，使用的词汇包括"border tax adjustments"（边境税调节）、"border adjustments"（边境调节）、"border adjustments measures"（边境调节措施）、"carbon-related border adjustments"（与碳有关的边境调节）、"border carbon adjustment"（边境碳调节）、"carbon border tax adjustment"（碳边境税调节）、"carbon tariffs"（碳关税）等。通过 Google 学术搜索，截至 2012 年 12 月 31 日，使用"carbon tariffs"的学术文献有 61 篇，使用"border tax adjustments"并与"carbon"相关的学术文献有 23 篇，使用"border carbon adjustment"的学术文献有 44 篇，对比截至 2011 年 12 月 31 日的 46、15、31 篇及 2010 年的 33、10、20 篇，可以发现在英文学术文献中，这些词汇均有广泛应用，但使用"carbon tariffs"的越来越多（黄文旭，2011）。

综合国内外"碳关税"与替代名称的使用情况，可以发现，"碳关税"一词在国内外已得到普遍使用。当然，上述数据只能表明"碳关税"已得到了普遍使用，但普遍使用并不能证明"碳关税"这一名称是合理的。"碳关税"这一名称是应该坚持使用还是废弃，需要分析碳关税与关税、边境调节税等名称之间的关系，以及这些名称在表达所需含义上的优劣。

1.2.3 碳关税与关税的关系[①]

要确定碳关税的法律性质并判断碳关税这一术语的使用是否恰当，首先需要解决的问题是碳关税是不是关税。

第一，从关税定义的角度分析。关税是国家税收的一种，是海关代表国家按照国家制定、公布、实施的税法，对进出境的货物、物品征收的一种流转税（张红，2002）。从这一定义来看，由进口商根据进口产品生产过程中排放的二氧化碳在进入关境时缴纳的"额外关税"符合关税的定义，因此称为"碳关税"应该不存在什么问题。

---

① 本部分内容主要编引自黄文旭的研究。

而由进口商根据进口产品生产过程中排放的二氧化碳在进入关境时缴纳的与国内碳税相等的税费则不是关税，而是在边境缴纳的国内税。如果是进口商根据进口产品生产过程中排放的二氧化碳在进入关境时购买的"排放配额"或"国际储备配额"，则不符合关税的定义。

第二，从关税税则的角度分析。在海关征收关税的过程中，需要把具体的进出口商品在关税税则的商品分类目录中找到其商品分类，以便确定关税税率。而碳关税不可能作为一个商品归入关税税则。因此，从关税税则的角度来看，将碳关税视为关税存在着操作上的困难。一种极端的做法是将"碳"作为一种商品，确定一个关税税率，在具体征税过程中再根据每一商品内含"碳"的多少来征收碳关税。但这种做法不具可行性，目前也没有任何一个国家提出采用这种方式征收碳关税。

第三，从关税分类的角度分析。关税可分为进口税、出口税和过境税，进口税又可分为进口正税和进口附加税，进口附加税是基于某种原因在税则规定的正税以外额外加征的关税(张红，2002)。从"额外关税"或"碳税"的表述来看，碳关税似乎可以归入进口附加税。

第四，从关税征收的时间与地点分析。国内税通常是在进入边境后的时间与地点征收，关税通常是在出入境的时间与地点征收。但是这并不是绝对的，有些在出入境时间和地点征收的税实际上可能是国内税，有些在入境以后的时间、地点征收的税实际上可能会是关税(龙英锋，2010)。因此，不能因为碳关税的征收时间为进入关境之时就认为碳关税的性质是关税。

第五，从 WTO 规则的角度分析。关税及贸易总协定(GATT)第 2.1 条规定，除了反倾销和反补贴外，WTO 成员不得对进口产品征收超过该成员减让表中约束水平的关税。由此可见，某 WTO 成员若以其他成员未采取适当的碳减排措施为由对其产品征税，是不能采取关税这一形式的。那么，对从未采取适当的碳减排措施的国家进口的产品所征的税是否为 GATT 第 2.2(a)条中的税费呢？该款规定，不得阻止任何缔约方对任何进口产品随时征收与某项国内税相等的税费。也就是说，如果某世贸组织成员在国内对本国产品征收了碳税，那么，该成员就具备了在不超过国内碳税限度的范围内对进口产品征收与碳排放有关的税费的最基本前提。这种对进口产品征收的与碳排放有关的税费究竟是一种什么性质的税呢？显然，它不是关税。首先，GATT 第2.2 条中的用词是"charge"(税费)，而不是 WTO 规则中关税的固定用语 tariff 或 custom 或 duty；其次，GATT 第 2.2 条规定了这种税费要以与 GATT 第 3.2 条规定相一致的方式征收，而 GATT 第 3 条的标题是"国内税和国内法规的国民待遇"。由此可以看出，GATT 第 2.2 条中的税费实质上是一种在进口环节征收的国内税，并不属于世贸组织法律中关税的范畴。"碳关税"的另一种表现形式，即要求出口商购买碳排放许可，就更谈不上是关税了。这种措施是否能等同于 GATT 第 2.2 条(a)款中的"税费"

在国际学术界仍存在争议（万怡挺，2010）。

通过以上分析，可以得出结论认为，如果是购买"排放配额"或"国际储备配额"的形式，则肯定不是关税；如果是"额外关税"或其他类似的形式，则有可能是关税。因此，如果对碳关税进行严格的关税意义内的解释，则只能包括"额外关税"或其他类似的形式，而不能将要求进口商购买的"排放配额"或"国际储备配额"称为碳关税。但目前媒体及学者所称的碳关税实际上包括"排放配额"或"国际储备配额"。对于碳关税与关税之间的关系，有一种观点认为，法国和美国所提议的都是一种在边境采取的贸易限制措施，通过对进口产品征收税费，用以平衡国内生产者因排放二氧化碳而承担的费用，因此并非传统意义上的关税（高静，2010）。也有观点认为，碳关税虽名为"关税"，但不一定是传统意义上的关税，还可能是国内税费、配额、许可证等（李晓玲等，2010）。上述两种观点强调的是碳关税不是"传统意义上的关税"，也就是说碳关税可能是关税的新的表现形式（黄文旭，2011）。

既然碳关税可以解释为关税的新的表现形式，那么碳关税这一名称就不一定必须具备传统关税的所有特征。而且，碳关税尽管是一种特殊的关税，但同样具备一般关税的作用（胡国珠等，2010）。即使碳关税不是关税，也不能禁止"碳关税"的使用，就如同"风车"不是车，但仍然可以使用"风车"这一词语一样（黄文旭，2011）。

1.2.4　碳关税与边境调节税的关系[①]

与碳关税最接近的概念就是边境调节税（border tax adjustments，BTA），以至于很多文献将碳关税与边境调节税混用，或者认为碳关税这一表述是不准确的，应该用边境调节税这一表述代替碳关税。事实上，碳关税并不当然等同于边境调节税。除了边境调节税之外，很多文献中使用的术语还包括边境调节措施、边境税调整等。

1970 年 GATT《边境税调节工作组报告》采用了经济合作与发展组织（OECD）对边境调节税的定义，将边境调节税定义为全部或部分根据目的地原则实行的任何财政措施，即出口国将出口产品相对于在其本国市场上销售给消费者的国内同类产品，免除其承担的部分或全部税收，或进口国家参照其国内同类产品，对进口产品征收部分或全部税收（黄文旭，2011）。

根据上述定义，边境调节税包括进口环节边境调节税和出口环节边境调节税。由于这里所讨论的碳关税主要指的是进口国要求进口商缴纳或承担的与进口产品碳排放有关的税费，因此此处只分析进口环节边境调节税。

WTO 规则中与进口环节边境调节税有关的规定为 GATT 第 2 条第 2 款（a）项[以下简称第 2.2（a）条]。GATT 第 2.2（a）条的原文为："本条的任何规定不得阻止任何

---

①　本部分内容主要编引自黄文旭的研究。

缔约方对任何产品的进口随时征收下列关税或费用：（a）对于同类国产品或对于用于制造或生产进口产品的全部或部分的产品所征收的、与第 3 条第 2 款的规定相一致且等于一国内税的费用……"这种等于国内税的费用就是边境调节税。关税以及费用与国内税的区别并不是基于税在何时何地被征收，通过对进口产品征收与同类国内产品相等的国内税，使国内外相同产品的税负相等，其既可以在边境征收也可以在销售环节中的任何地方征收（梁咏，2010）。因此，边境调节税从本质上看是一种国内税，而不是关税。

如果把碳关税定性为关税，则违反了 GATT 第 2 条第 1 款关税减让的规定。如果把碳关税定性为一种等于同类国产品国内税的费用，则有可能是符合 WTO 规则的边境调节税。碳关税是不是边境调节税需要具体分析。

目前讨论的碳关税包括两种形式，一种是进口产品承担的与国内碳税相对应的费用，另一种是要求进口商为进口产品购买的排放配额。由于边境调节税是"等于一国内税"的费用，因此，要求进口商为进口产品购买的排放配额不能视为边境调节税，因为没有对应的国内税存在。与国内碳税相对应的费用才可称为边境调节税。

综上所述，碳关税与边境调节税有重合的部分，但并不完全等同。当碳关税表现为要求进口商为进口产品缴纳的与同类国产品承担的碳税或类似税费相对应的费用时，碳关税可视为边境调节税。当碳关税表现为要求进口商为进口产品购买的排放配额时，碳关税不是边境调节税。因此，认为碳关税的实质是边境调节税的说法值得商榷——既然排放配额并非"税"，该说法也就不甚周延了（唐启宁，2010）。国外也有学者认为，"要求进口商购买配额的做法在性质上属于行政管理措施而非税收，将其归之为边境调节税的一种并不恰当"，"边境碳调节"（border carbon adjustment，BCA）才是对此类措施的准确表述（黄文旭，2011）。同时，并非所有的边境调节税都能称为碳关税，只有基于碳排放的边境调节税才能称为碳关税。在边境调节这个角度，如果使用"基于碳的边境调节措施"或"边境碳调节措施"，则能准确反映碳关税的实质，并能与"碳关税"替换使用。

1.2.5　碳关税的定义[①]

一些文献将碳关税定义为对高能耗的进口产品征收的二氧化碳排放关税（李平等，2010）。这一定义实际上是对碳关税的误解。目前主流的观点认为碳关税并不是关税，而是边境调节税。但认为碳关税是边境调节税的观点也不一定正确。我国商务部世贸司的万怡挺认为，"碳关税"并不是关税。它不仅包括在边境收税这一形式，还包括要求进口商购买碳排放配额等措施。因此，"边境碳调节措施"这一名称比"碳关税"更准

---

① 本部分内容主要编引自黄文旭的研究。

确。在贸易与气候变化领域处于研究前沿地位的国际可持续发展研究院(IISD)和瑞典国家贸易委员会(Swedish National Board of Trade)的研究中，均没有使用"碳关税"这一名称，而是使用"边境碳调节措施"(border carbon adjustments)来表述相关概念。在世界贸易组织与联合国环境规划署 2009 年联合发布的《贸易与气候变化》报告中，整篇报告也没有使用"碳关税"一词，涉及相应概念时，该报告使用了"碳税或能源税的边境调节税"和"与排放贸易体系相关的边境调节措施"两个专业术语，并用"边境调节措施"来进行概括。可见，该报告也认为应该使用"边境碳调节措施"来代替"碳关税"(万怡挺，2010)。上述权威机构使用的"碳排放边境调节措施"确实比"碳关税"更为严谨。如果必须用一个表述来取代"碳关税"这一表述，则"边境碳调节措施"是最佳选择。但是，很少有论文在标题中使用"边境碳调节措施"，而较多地使用"边境调节税"，这可能是因为"边境碳调节措施"由 7 个汉字组成，而"边境调节税"由 5 个汉字组成。人们的表达习惯决定了专有名词或术语不能太长，因此"边境碳调节措施"这一表述在简洁性上不如"碳关税"。美国与欧盟的立法提案中也没有使用"边境碳调节措施"这一表述。

此外，存在缺陷的术语仍然得到使用的情况存在着先例，"边境税调节"就是一例。1970 年 GATT《边境税调节工作组报告》指出，"边境税调节"这一词语容易引起混淆，因为它使人们以为税收调节必然在边境发生，而事实并不是这样。在某些国家的税收制度下，出口产品从来就没有缴过税，因此在边境没有进行任何调节；此外，在某些税收制度下，进口产品和国内产品一样，由有资格的销售者出售时，才缴纳某种国内税，所以调节也是在进口之后进行的。因此，工作组建议"边境税调节"应由"对进入国际贸易的货物适用的税收调节"(tax adjustments applied to goods entering into international trade)代替(黄文旭，2011)。可见，"边境税调节"这一表述也是存在问题的。然而，虽然"边境税调节"的表述不甚严谨，但仍然一直在使用，没有被新的词语代替。

"碳关税"这一表述也存在着让人误以为是关税的不足之处，但由于"碳关税"已被普遍使用，不少国内外文献(包括正式的官方发言)均使用该名称，为了使学术研究基于共同的语言系统，避免同一概念不同表述造成的混乱，本书将沿袭"碳关税"这一使用习惯(刘勇等，2010)。

由于碳关税是一个新名词，因此在对其定义时不应太过于保守与局限，而应在不违反基本逻辑的前提下，尽可能赋予其更宽广的含义。碳关税表达了与边境碳调节措施同样的含义。一些外国学者将边境碳调节措施定义为进口国在出口国没有履行国际排放规则下的义务或在排放制度方面对进口国同类产品的生产商的竞争力产生不公平的影响时，对进口产品实施的惩罚措施(Holmes et al，2011)。我国有学者认为，边境碳调节措施本质上是排放权交易制度等国内碳减排措施的拓展和延伸，其目的是使进口产品承受与国内产品相当的碳排放成本，以抵消进口产品由于没有承担相应的碳减排成本而享有的竞争优势，具体形式和名称则不一而足（黄志雄，2010）。碳关税表达的就是边境碳调节措施的含义。

　　碳关税指的是与碳排放有关的边境调节措施，表现为要求进口商对进口自未采取碳减排措施的国家的产品缴税或购买排放配额的形式。因此，碳关税不一定是关税，而是在边境采取的贸易措施，其目的是给进口自未采取碳减排措施的国家的产品增加一层成本，从而防止碳泄漏，同时使其国内的同类产品在与这些进口产品竞争时不会处于劣势地位。根据这一定义，碳关税具有以下特征：第一，碳关税是实施碳减排制度的国家对进口自未实施碳减排制度国家的产品采取的边境调节措施；第二，当进口国的碳减排制度为碳税时，碳关税表现为税收的形式，当进口国的碳减排制度为限额与交易制度时，碳关税表现为配额的形式；第三，凡是进口国基于进口产品的碳排放要求进口商承担的税费，都可称为碳关税，不管其采取何种形式。如果要用另一个术语来代替碳关税，最正确的应该是"边境碳调节措施"（黄文旭，2011）。但由于这种基于碳排放的边境调节措施的效果类似于关税，"碳关税"能够形象地描述这一概念的特征，而且碳关税这一概念已被普遍接受，因此这里使用"碳关税"这一表述。

1.3　征收碳关税的理论基础

　　从目前的研究成果与各国的立法提案来看，碳关税主要有两种类型：一种是与碳税相对应的碳关税，即将国内碳税适用于进口产品；另一种是与排放权交易制度相对应的碳关税，即将排放权交易制度适用于进口产品。

1.3.1　将碳税适用于进口产品[①]

　　碳关税的表现形式之一是将碳税适用于进口产品。法国前总统希拉克曾有对进口产品征收碳税的表述，这就容易造成人们对碳关税与碳税概念的混淆。因此，有必要对碳关税与碳税的关系进行澄清。韩利琳认为，碳关税和碳税是不同的概念，主要区别在于征税范围的对象不同，碳关税是在国际贸易中的征收，而碳税则是在国家范围内的征收（韩利琳，2010）。然而，碳关税与碳税并非是完全不同的概念。

1.3.1.1　碳税的定义与实施情况

　　碳税（carbon tax）是二氧化碳税的简称，指的是对化石燃料排放的二氧化碳所征的税。碳税是一个已经得到广泛讨论并被一些国家实施的温室气体减排措施。

――――――――――――

　　① 本部分内容主要编引自黄文旭、李欣的研究。

碳税的税基是化石燃料燃烧过程中排放的二氧化碳。碳税的税额一般是通过测量化石燃料中的碳含量来计算的，与它们燃烧过程中排放的二氧化碳量成正比。一般来说，碳税的纳税人可分为消费者和生产者两类。无论对消费者征税还是对生产者征税，碳税都会通过价格杠杆，刺激他们转移燃料需求，从而达到碳税所追求的环境效果（Baron，1997）。实施碳税的大多数国家一般在消费者消费燃料之时征收碳税，即在消费环节征税。

芬兰从1990年开始征收碳税，是最早实行碳税的国家，征税范围包括所有的矿物燃料。挪威从1991年开始对汽油、矿物油和天然气征收碳税，1992年对煤和焦炭征收碳税。瑞典从1991年开始在硫税和氮税基础上征收碳税，碳税适用于所有种类的燃料油，并根据燃料的含碳量不同税率有所区别。丹麦从1992年开始，对煤炭、天然气和电力征收碳税。意大利从1999年开始，对煤炭、石油焦炭和燃烧设备使用的奥利乳化油，以及用于发电的煤炭和矿物石油征收碳税。2000年，爱沙尼亚开始对大型燃烧设备（热量超过50MW）排放的气体征收碳税，并且基于测量到的排放量征税。2008年，瑞士开始对进口的供热化石燃料排放的二氧化碳征税。目前，征收碳税的国家主要是欧盟国家（杨杨等，2010）。

通常，政府会将二氧化碳排放税与能源税结合起来使用。二氧化碳税和能源税二者的税基不同：能源税是基于能源资源中的能源含量，而碳税则是基于它们的二氧化碳含量。因此，能源税既可以对化石燃料征收，也可以对不含碳的能源资源征收。因为能源税适用于化石燃料，因此，能源税对减少二氧化碳排放是有实际效果的，可以被视为"隐性碳税"（OECD，2001）。能源税与碳税相比，更多的适用于石油和天然气上，因为二者相对于煤炭有更多的能源含量。另一方面，碳税则更多的适用于煤炭上，因为与天然气和石油相比，煤炭在燃烧过程中排放的二氧化碳更多（Zhongxiang Zhang等，2004）。例如，芬兰和瑞典将碳税和能源税结合起来使用。其他没有采用明确的碳税国家则适用普通的能源税，目的在于提高能源利用率，节约能源，从而减少温室气体排放。例如，英国和德国的气候变化税，都是在对环境税进行改革的大环境下实施的，目的在于提高能源利用率，节约能源。虽然能源税的主要目的并不是减少碳排放，而是节约能源，但实际上却起到了减少碳排放的作用。当然，能源税减少碳排放的效果不如碳税。

碳税可以通过价格杠杆，刺激生产者转移燃料需求，从而影响税收的环境效果。实施碳税的大多数国家都将其直接征收于消费者消费燃料之时，即在消费环节征税。在一些学者与研究机构看来，碳税比限额与交易制度更有利于控制二氧化碳排放，这种观点也得到了很多国家的认同，因此将来开征碳税的国家会逐渐增多。

1.3.1.2 碳关税与碳税的关系

虽然碳税是一个能有效减少碳排放的制度，但由于仅有部分国家开征了碳税，而更多的国家没有开征碳税，这就给开征碳税的国家造成了两个方面的困扰：一方面，碳税的开征使得本国企业的生产成本上升，继而影响到相关行业和产品在国际市场上的竞争力；另一方面，碳税的开征会导致本国能源密集型产业迁移到未开征此类税种的国家，从而导致本国就业机会的流失，同时也减损了本国开征此类税种所要达到的减排效果，也就是所谓的"碳泄漏"（carbon leakage）问题（宋俊荣，2010）。在这种背景之下，征收碳税的国家纷纷考虑对进口产品开征碳关税。

　　碳关税的表现形式之一是将碳税适用于进口产品。但碳关税与碳税还是有很大区别的。①内容不同：碳税是以环保为目的，通过对燃煤和石油下游的天然气、航空燃油、汽油等化石燃料产品按其碳含量比例征税的方式，来缓解全球气候变暖和化石燃料消耗而对二氧化碳排放所征收的税。碳关税是指对高耗能产品进口征收特别的二氧化碳排放关税。②实质不同：二氧化碳排放税是各国针对国内企业的一种主要的减排手段；而碳关税实际上是一种贸易保护手段。③范围不同：碳税是针对一个国家内部的企业所进行的；而碳关税是运用于国际贸易范畴的。④实现途径不同：碳税可以从两个方面实现减排目标：一种是利用需求效应，以提高能源价格为手段，降低单位产出能耗或压缩高能耗产出，达到降低能源需求的目标；另一种是利用替代效应，降低清洁燃料以低碳燃料的成本，推动低碳经济发展。而碳关税则是通过对发展中国家产品征收碳关税，以税收方式让发展中国家承担减排义务，来增强本国产品竞争力。⑤获益主体不同：碳税最终归各国所得，可以再补贴给本国企业，通过减征其应缴的职工社会保障金等方式，压低劳动成本，缓解碳税带来的通货膨胀压力。而碳关税最终归进口国所有，降低了出口国的利益和产品的国际竞争力，造成贸易转移效应。⑥效果不同：根据实践经验，碳税的征收可以降低能源消费，减少二氧化碳排放量；有利于提升竞争力，促进经济增长；征碳税会抬高能源价格，但对企业实际税负影响不大。而碳关税的征收会使以生产资金、技术密集型产品为主的发达国家和以生产劳动力、能源密集型产品为主的发展中国家的贸易不平等加剧，使国际贸易中的利益及主动权不断地由发展中国家向发达国家转移（李欣，2012）。

　　正因为碳关税的表现形式之一是将碳税适用于进口产品，因此碳关税与碳税的关系又十分密切（黄文旭，2011）。第一，碳税与碳关税都是应对气候变化的措施；第二，碳税是向国内生产商征收的，碳关税是向进口商征收的；第三，从本质上来说，这种类型的碳关税属于广义的碳税，是扩大适用于进口产品的碳税（如果碳关税表现为将排放权交易制度扩展适用于进口产品的形式，则此种类型的碳关税不属于碳税的范畴）（何代欣，2010）；第四，碳税是进口国征收碳关税的原因之一，碳关税则用来解决碳税引起的碳泄漏与竞争问题；第五，如果出口国开征与进口国相当的碳税，则进口国不能再征收碳关税（黄文旭，2011）。

1.3.2 将排放权交易制度适用于进口产品[①]

另一种类型的碳关税是将排放权交易制度适用于进口产品，使进口产品和国内产品一样，为其生产过程中排放的二氧化碳购买排放配额。有学者认为，碳关税的实质就是进口国基于国内的碳排放交易制度而要求进口产品购买与国内产品同样的排放配额(刘勇等，2010)。

1.3.2.1 温室气体排放权交易制度的定义

温室气体排放权交易是指排放者在环境保护部门指导和监督下，依据有关法律法规，通过市场交易机制，平等、自愿、有偿地转让温室气体减排后的富余指标，以实现温室气体排放总量的削减，取得较低成本的减排效果，从而保护和改善气候环境质量的民事法律行为。因此，有关排放权指标转让的程序、方式、法律效力、监测监督等法律规定的总称便是排放权交易制度(韩良，2009)。排放权交易的原理是"限额与交易"(cap-and-trade)或"基准与信用"(baseline-and-credit)体制(曾冠，2009)。

在"限额与交易"体制下，一般由政府主管机构设定一个强制性的碳排放总量限额，再由政府主管机构在某个固定期限之初通过免费发放或拍卖的方式向具体的排放实体分配排放配额，一定期限内分配的配额总量等于该期限内总的排放限额。每个排放实体必须在固定期限结束后的规定时间内向政府主管机构提交与其实际排放量相当的排放配额。排放配额可以自由交易，当某排放实体的二氧化碳排放量超过其持有的排放配额时，可以从市场上购买相应的排放配额来抵消其多排放的部分；如果某排放实体通过节能减排后，实际排放的二氧化碳量低于其持有的排放配额时，则可以在市场上出售多余的排放配额，或者将多余的排放配额储存起来给下一个减排期使用。

以"基准与信用"为基础的碳排放交易制度没有强制性的碳排放总量限额，排放实体的参与一般是自愿性的。因此，以"基准与信用"为基础的碳排放交易制度也被称作自愿排放交易制度。在这种制度下，首先由政府主管机构为自愿参与排放交易制度的排放实体设定一个具体的排放基准，当某一排放实体的实际排放量低于该基准时，由政府主管机构核证后向该排放实体颁发减排信用，减排信用的数额为基准与实际排放量之间的差额，减排信用可以在市场上自由交易。当某一排放实体的实际排放量高于该基准时，则需要购买相应的减排信用。

1.3.2.2 温室气体排放权交易制度的实施情况

温室气体排放权交易的国际法依据是 1997 年制定 2005 年生效的《京都议定书》。《京都议定书》明确要求工业化国家在 2008~2012 年的承诺期内将其二氧化碳等温室气体排放量在 1990 年的水平上平均减少 5.2%，并就减排途径提出了三种灵活机制，

---

① 本部分内容主要编引自黄文旭的研究。

即排放贸易机制（emmission trading，ET）、联合履约机制（joint implementation，JI）和清洁发展机制（clean development mechanism，CDM）。为了应对即将到来的全球碳排放贸易，一些发达国家及其区域性组织在《京都议定书》生效前就制定相关立法和政策，建立了内部碳排放贸易体系，积极开展碳排放贸易。比如，英国温室气体排放权交易体系于 2002 年 4 月开始运行，澳大利亚新南威尔士温室气体减排体系于 2003 年 1 月开始启动，芝加哥气候交易所于 2003 年在美国建立，欧盟排放交易机制于 2005 年开始实施，日本自愿排放权交易制度于 2006 年开始运行。《京都议定书》于 2005 年生效之后，欧盟和日本等发达国家为了履行其在《京都议定书》中所做出的承诺，纷纷向发展中国家和其他经济转型国家购买碳排放信用，全球碳排放市场也随之形成。目前，碳排放贸易已经成为促进温室气体减排的一种重要手段（曾冠，2009）。我国也正在积极探索建立碳排放权交易制度。

1.3.2.3 碳关税与温室气体排放权交易制度的关系

碳关税与温室气体排放权交易制度的关系类似于碳关税与碳税的关系。排放权交易制度与碳税一样，同为温室气体减排的国内法机制。由于只有部分国家实施了排放权交易制度，而更多的国家没有实施排放权交易制度，从而产生了碳泄漏问题和竞争问题。实施了排放权交易制度的国家以此为理由提议将进口自没有采取排放权交易制度的国家的产品纳入国内排放权交易制度，即对进口产品征收碳关税。

碳关税与排放权交易制度的关系可归纳为以下几点：第一，碳关税与排放权交易制度都是应对气候变化的措施；第二，排放权交易制度原本是面向国内生产商的，如果将进口商纳入排放权交易制度，则进口商所增加的相应成本就称为碳关税；第三，排放权交易制度是进口国征收碳关税的原因之一，碳关税则用来解决排放权交易制度引起的碳泄漏与竞争问题；第四，如果出口国实施了具有可比性的碳税或排放权交易制度，则进口国不能再征收碳关税（黄文旭，2011）。

1.3.3 碳关税的理论基础来源

碳关税主要以碳税和碳排放权交易制度的形式在关境进行碳调节，因此它的本质仍是碳税或者碳排放交易制度。碳税和碳排权放交易制度的理论根源可以追溯到外部性理论。同时，碳关税又有别于国内的碳税或碳排放权交易制度，它涉及国家间碳排放的调整，超越了国家层面，它的合理性可以用国际外部性理论来解释。

1.3.3.1 国际外部性理论

（1）外部性。外部性最早由马歇尔提出，之后庇古接受和发展了外部性思想，并系统地论述了外部性理论，形成了现在外部性研究的理论基础。根据萨缪尔森和诺德豪斯的定义，外部性是指那些生产或消费对其他团体强征了不可补偿的成本或给予了无需补偿的收益的情形。通俗地讲，外部性就是微观经济主体的活动对另一经济主体所产生的外部影响，但这种外部影响并没有通过市场价格机制反映出来，不能通过市场进行买卖。

外部性包括正的外部性和负的外部性，前者即对其他团体给予了无需补偿的收益，后者即对其他团体强征了不可补偿的成本。

（2）国际外部性。"国际外部性"是对外部性理论外延的扩展。俞海山、杨嵩利（2005）对"国际外部性"的内涵进行了阐述，内容是：一国经济主体的生产和消费行为影响其他国家的经济主体而没有进行相应的补偿或没有取得相应的报酬。如果这种影响是有利的，但行为主体没有取得相应报酬，则为国际正外部性；反之，如果这种影响是不利的，但行为主体没有进行相应补偿，则为国际负外部性。

无论是国际正外部性还是国际负外部性，都不利于资源在世界范围内的有效配置，不利于整个国际社会的福利最大化。

1.3.3.2 国际外部性理论的运用

1.3.3.2.1 外部性的处理

处理负外部性的理论主要有庇古税理论和科斯定理。

（1）庇古税理论：庇古税理论主要是福利经济学家庇古（Pigou）1920年在他的《福利经济学》一书中所提出的庇古税（Pigouivain tax）思路。庇古分析了边际私人净产值与边际社会净产值背离的原因，他认为这一现象的出现悉源于"外部经济"或"外部不经济"。他建议，政府应根据污染所造成的危害对排污者收税，以税收形式弥补私人成本和社会成本之间的差距，将污染的成本加到产品的价格中去，这种税被称为"庇古税"。庇古税是解决环境问题的古典方式，属于直接环境税。它按照污染物的排放量或经济活动的危害度来确定纳税义务，所以是一种从量税。庇古税的单位税额是根据一项经济活动的边际社会成本等于边际效益的均衡点来确定的，也是污染排放的最佳税率水平。按照庇古的观点，由于经济活动存在外部性，导致私人边际成本与社会边际成本不一致，从而私人的最优导致社会的非最优，进而导致市场配置资源失效。因此，纠正外部性的方案是政府通过征税或者补贴来纠正经济中的私人成本。只要政府采取措施使私人成本和私人利益与相应的社会成本和社会利益相等，则资源配置就可以达到帕累托最优状态。这种纠正外部性的方法也称为"庇古税"方案（许士春，2012）。庇古税是外部性效应内部化的重要手段，它通过向排污者征收等同于其产生的负外部性的税收，使边际私人成本与实际的社会边际成本等同，从而实现纳入了环境因素的最优产出，起到控制污染，保护环境的作用。

碳税直接的理论依据即是庇古税理论。图1-1描述了碳税发挥作用的经济原理。

如图1-1所示，如果不考虑排放的外部性成本，只反映该企业边际生产成本的供给曲线是 MPC。该供给曲线与既定的需求曲线 MPB 相交，其价格和产量分别为 P_1 和

Q_1。假设排放的边际成本是 AB，若要该企业承担排放的外部性成本，政府就需依据企业的产量对其征收碳税 AB，由此企业的生产成本提高了 AB，新的供给曲线为 MSC，这样企业的边际成本曲线与社会的边际成本曲线一致，企业按照社会最优的产量进行生产，从而达到限制二氧化碳排放的目的。

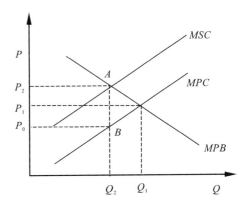

图 1-1 碳税的庇古税理论分析

庇古税可以达到资源有效配置，能够使污染减少到帕累托最优水平。污染者权衡保持污染水平所支付的税收和减少污染而少交税所获的收益，控制成本小于税率，则污染减少，直到二者相等时，达到污染最优水平。这主要有静态和动态两方面的优势：首先在静态条件下，因为只要有污染就会被征税，企业出于少交税的目的会控制污染；其次在动态方面，若税率不变，企业通过技术进步可以减少对未来税收的支付。庇古税的静态效率与动态效率使企业认识到社会层面上的成本，很好地避免了税收的扭曲性效应。由此可见，庇古税的意义在于：首先，通过对污染产品征税，使污染环境的外部成本转化为生产污染产品的内在税收成本，从而降低私人的边际净收益并由此来决定其最终产量；其次，由于征税提高污染产品成本，降低了私人净收益预期，会减少产量，进而会减少污染；再次，庇古税作为一种污染税，虽然是以调节为目的，但毕竟能提供一部分税收收入，可专项用于环保事业，也可以相应减轻全国范围内的税收压力；最后，庇古税会引导生产者不断寻求清洁技术，具有一定的技术创新效应。

庇古税的难题往往集中在如何选择适合的课税标准和水平，必须以税收等于社会边际外部成本为前提，这就意味着我们必须了解污染损失的准确货币值，这是很困难的。庇古看到了市场机制在外部性下而导致环境领域中的失灵，造成环境资源配置的效率低下。然而，对于政府干预而言，也面临着政策失灵的问题，政府对于庇古税的征收也不是没有成本的，另外政府对于企业的征收庇古税等活动还面临着"寻租"等问题，现实中庇古税的征收往往伴随着复杂的政治博弈。庇古理论为市场型环境政策工具中的环境税及环境收费提供了基本的理论依据，现实中的污染税在一定程度上反映了这一思路。事实上，只要对污染行为征税，就能在一定程度上产生庇古税的作用，虽然税负不能完全等同于理论上的理想水平，但若实际税负与之越接近，其作用越明显。

（2）科斯定理：科斯定理是由诺贝尔经济学奖得主罗纳德·哈里·科斯（Ronald H. Coase）命名。他于 1937 年和 1960 年分别发表了《厂商的性质》和《社会成本问题》两篇论文，这两篇文章中的论点后来被人们命名为"科斯定理"。科斯定理是产权经济学研究的基础，其核心内容是关于交易费用的论断。科斯定理的基本含义是科斯在 1960 年《社会成本问题》一文中表达的，而"科斯定理"这个术语是乔治·史提格勒（George Stigler）1966 年首次使用的。科斯定理较为通俗的解释是"在交易费用为零和对产权充分界定并加以实施的条件下，外部性因素不会引起资源的不当配置"。因为在此场合，当事人（外部性因素的生产者和消费者）将受市场驱使而对互惠互利的交易进行谈判，进而外部性因素可以内部化。

科斯定理由三组定理构成。科斯第一定理的内容是："如果交易费用为零，不管产权初始如何安排，当事人之间的谈判都会导致那些财富最大化的安排，即市场机制会自动达到帕累托最优。"如果科斯第一定理成立，那么它所揭示的经济现象就是：在大千世界中，任何经济管理活动的效益总是最好的，任何原始形成的产权制度安排总是最有效的，因为任何交易的费用都是零，人们自然会在内在利益的驱动下，自动实现经济资源的最优配置，产权制度没有必要存在，更谈不上产权制度的优劣。然而，这种情况在现实生活中几乎是不存在的，在经济社会一切领域和一切活动中，交易费用总是以各种各样的方式存在，所以科斯第一定理是建立在绝对虚构的世界中，但它的出现为科斯第二定理作了重要的铺垫。

科斯第二定理通常被称为科斯定理的反定理，其基本含义是："在交易费用大于零的世界里，不同的权利界定，会带来不同效率的资源配置。也就是说，交易是有成本的，在不同的产权制度下，交易成本可能是不同的，因而，资源配置的效率可能也不同，所以为了优化资源配置，产权制度的选择是必要的。"科斯第二定理中的交易成本是指在不同的产权制度下的交易费用。在交易费用至上的科斯定理中，它必然成为选择或衡量产权制度效率高低的唯一标准。那么，如何根据交易费用选择产权制度呢？进而出现了科斯第三定理。

科斯第三定理描述了产权制度的选择方法。第三定理主要包括四个方面："第一，如果不同产权制度下的交易成本相等，那么产权制度的选择就取决于制度本身成本的高低；第二，某一种产权制度如果非建不可，而对这种制度不同的设计和实施方式及方法有着不同的成本，则这种成本也应该考虑；第三，如果设计和实施某项制度所花费的成本比实施该制度所获得的收益还大，则这项制度没有必要建立；第四，即便现存的制度不合理，然而，如果建立一项新制度的成本无穷大或新制度的建立所带来的收益小于其成本，则该项制度的变革是没有必要的。"

在科斯定理中，解决外部性问题的主要思路是明确产权。在科斯看来，出现市场失灵，其根源在于产权界定不够清晰，产权不明确导致资源配置的无效率和产生外部性行为。因此科斯提供解决问题的思路是从市场入手来解决市场失灵问题，而不是简单的求助政府干预。在环境领域中，解决环境污染问题，主要的难题在于环境与自然资源的"公共物品"属性，没有把对环境影响的成本纳入私人生产成本中，因此科斯的解决办法是明晰环境与自然资源的产权。

通过比较庇古理论与科斯定理可以发现，庇古理论与科斯定理主要区别是：其一，庇古理论更加注重公平问题，谁造成外部性谁交税或者谁受污染谁应得到补偿，而科斯定理则更加注重效率问题，追求的是社会总体效益最大化，而不顾利益分配问题；其二，庇古理论注重政府的力量，由政府通过税收的方式进行纠正，而科斯定理注重市场的力量，界定产权后通过市场进行纠正；其三，庇古理论是从新古典框架，利用均衡来分析税收问题，而科斯定理是从制度经济学的角度来分析问题。庇古理论与科斯定理在某种程度上有互补之处。在经济学中，市场和政府总是相互弥补的关系，双方无法相互取代，有时必须通过市场和政府的组合才能达到帕累托最优状态（许士春，2012）。

综上所述，科斯定理的主要内容是：如果交易费用为零，无论权利如何界定，都可以通过市场交易和自愿协商达到资源的最优配置；如果交易费用不为零，制度安排选择是重要的。这就是说，解决外部性问题可以用市场交易形式，即用自愿协商替代庇古税手段。虽然在现实世界中，科斯定理所要求的前提往往不存在，产权的明确十分困难，交易成本也不可能为零，但是，科斯定理提供了一种通过产权界定来解决外部性问题的新的思路和方法，这就是排放权交易制度。排放权交易制度是指在实施排放许可证管理及污染物排放总量控制的前提下，激励企业通过技术进步和污染治理控制污染排放指标，并使该指标作为一种资源进行储存，供企业目前或将来使用，也可在企业之间进行有偿转让。排放许可交易制度允许将排污权像商品那样买卖，通过市场竞争实现环境容量资源优化配置。碳排放权交易就是根据这一思路来解决二氧化碳排放问题的。目前世界上主要存在硫排放交易和碳排放交易两种排放交易方式。为解决日益严重的酸雨问题，20 世纪 80 年代美国率先建立了二氧化硫排放贸易制度，其后不断探索，到 90 年代逐步得到完善，在经济效益和环境效益方面均取得明显效果，只用了 20 亿美元 SO_2 排放控制费用（酸雨计划以前每年需花费 50 亿美元），污染总排放量降低了 45%（蔡立杰，1999），充分显示了硫排放贸易的有效性。国际碳排放交易是国家间将二氧化碳等温室气体排放配额作为一种商品进行交易。1997 年在《联合国气候变化框架公约》缔约方第三次会议上通过的《京都议定书》规定的有效减排温室体的清洁发展机制、联合履约机制、碳排放贸易减排机制三种履约机制，在本质上都属于排污交易范畴。尽管三种机制仍存在这样或那样的缺陷，但大大推动了国际碳排放贸易的发展，国际化碳排放交易所纷纷成立，碳交易成交量和成交额迅猛增长（田明华等，2011）。

1.3.3.2.2　国际外部性的处理

国际外部性的本质仍是外部性问题，因此，处理国际外部性仍以庇古税理论和科斯定理为指导。最理想的状态是，世界各国就一生产活动的负外部性达成一致，由唯一的世界政府征收庇古税，或者，存在统一的且交易成本为零的世界产权交易市场。但是，由于与国内外部性相比，国际外部性不存在任何超国家政府或世界政府利用其能力和职权来干预或缓和这种外部性的可能，从而导致国际外部性更为复杂而难以克服(Siqueira，2003)。

处理国际外部性的次优选择是各国在国际层面实行协调合作，共同行动，使各国处理国际外部性问题的政策跨越一国或少数国家的范畴。因为，各国纠正外部性的政策不协调，往往导致政策失效或低效。

以全球气候问题为例，鉴于大气层是全球性公共资源，一国在征收碳税以减少本国碳排放的同时，要求其他国家也实行碳税，否则就会减排失效。因为碳税的征收会提高本国产品的价格进而影响本国产品的竞争力，其他未征收碳税的国家的产品的竞争力就会相对提升，导致这些国家的生产和碳排放增加，这就形成"碳泄漏"。泄漏率越高，则碳税的效果越差；如果泄漏率超过100%，则表示全球温室效应问题反而越来越严重。

因此，对于全球碳减排问题，一国或少数国家实行碳减排政策难以实现全球减排的目标，只有在国际层面实行碳减排才能起到抑制全球碳排放的作用。

如果说外部性理论更多地支撑国内碳减排措施，那么"国际外部性"就为碳关税和其他国际性碳税提供了更直接的理论支撑(王珲，2012)。

1.3.4 碳关税的贸易效应经济学分析

碳关税和其他的关税的作用机理大致相同，总的来看，碳关税对出口贸易的影响主要表现在对被征收碳关税的发展中国家出口减少、产业的价格竞争力影响、行业的就业影响、生产规模、国民福利转移等方面。

在贸易大国假设情景下，美国为某种产品进口国在世界市场上进口该产品，巴西、中国等发展中国家作为出口大国出口该产品。中国由于生产环境的宽松及劳动力成本优势，生产的产品在世界市场上有价格优势，但是产品碳含量高于巴西、美国等国家的同种产品(详见本文第3章3.4小节的分析)，同时巴西由于劳动力等方面的优势生产成本要低于美国的生产成本。

由于美国等大国在世界贸易市场中都是进口大国，其需求的变化在世界范围内必定会造成价格的波动，价格波动的背后直接造成了各种贸易效应。由于中国高碳产品出口时美国会对中国高碳产品征收碳关税，而巴西等低碳产品的国家则不被征收碳关税。

在两国贸易情形中，以中国和美国贸易为例按照贸易大国理论分析如图1-2所示，具体分析碳关税给两国带来的贸易效应。

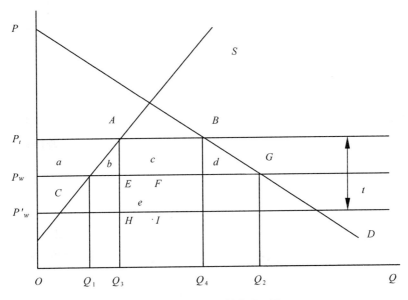

图 1-2　碳关税的贸易效应原理图

假定美国对中国征收碳关税，中国为该种产品的出口国而美国为该种产品的进口国，征收碳关税前世界市场上某种产品的价格为 P_w，美国国内的价格和世界价格一样为 P_w。

征收碳关税之前，在 P_w 的世界价格下，美国国内的生产为 Q_1，而需求为 Q_2，则美国需要从中国进口数量为 $Q_1 Q_2$ 的产品。

征收碳关税 t 后，世界市场的价格下降为 P'_w，而美国从中国进口该产品的价格变为 P_t，此时的 P_t 和世界价格 P'_w 相比已无优势。此时美国的国内需求量为 Q_4，国内的供给为 Q_3，现只需从中国进口 $Q_3 Q_4$ 的量就能满足国内市场的需求。

美国国内生产增加量为 $Q_1 Q_3$，即为碳关税给美国带来的生产效应；美国国内的消费量同时下降 $Q_4 Q_2$，即为碳关税给美国带来的消费效应。美国的进口由原来的 $Q_1 Q_2$ 缩减为现在 $Q_3 Q_4$，缩减部分即为碳关税的贸易效应，即贸易效应 = 生产效应 + 消费效应。在此过程中，美国国内的生产者剩余增加量为 a，直接为国内的生产商增加了利润和收入，同时产量的增加直接带动了美国国内的就业情况（李坤望等，2006）。

中国被征收碳关税后产品销售到美国的价格为 P_t，出口量减少 $Q_1 Q_3 + Q_4 Q_2$，而世界市场上价格为 P'_w 远远低于中国出口到美国的价格，造成中国出口产品的竞争力急剧下降。同时中国国内出口减少了 $Q_1 Q_3 + Q_4 Q_2$，直接带来国内的就业减少，影响国内的工人的收入；同时国内企业的生产规模受到了限制，表现为规模经济效益下降或者无法体现。

而对美国国内的福利来说，由于国内民众的消费较少 $Q_4 Q_2$，表现的消费效用减

少量为 d；同时美国因此而获得了面积为 e 的贸易条件改善而带来的贸易福利改善，即进口 Q_3Q_4 数量的产品能节省的成本，生产商获得面积为 a 的额外福利，同时政府因此而能获得面积为 c 的碳关税收入，而美国国内消费者的消费效应减少量为 $a+b+c+d$。因此美国的净福利效应为 $e-b-d$，影响该值大小的因素包括碳关税对世界价格的影响程度等(李坤望等，2006)。由此并不能说美国在征收碳关税中其国家的净福利增加，因此碳关税对美国经济条件的改善非常有限。

对全球来说，整个世界的贸易量会因此而减少，同时美国国内消费效用的减少导致了全球产量减少了 Q_4Q_2，并造成全球的就业减少，全球消费者的消费效用较少。因此，从分析征收碳关税后各方的利益分配情况看，碳关税只是新型的环境贸易壁垒，一定程度上降低了全球生产与消费的资源配置效率，违背了世界贸易的初衷。

当在三国及多国贸易中，碳关税还会产生贸易转移效应。以美国、巴西、中国为例，作为金砖四国的巴西其能源利用效率非常高，产品出口能耗强度明显低于其他发展中国家，其碳强度甚至低于美国的碳强度(可从本文第三章的研究可以看出)，其出口美国的产品可能被免征碳关税。若中国被征收碳关税后出口价格高于巴西的出口价格，这时美国会考虑从巴西进口该种产品而摒弃中国的高碳产品，原本从中国进口产量为 Q_3Q_4 的产品将会考虑从巴西进口，此时原来中美之间的贸易转为美巴之间的贸易，这就是碳关税带来的贸易转移效应。

1.4　碳关税的性质和特点分析

传统的关税可以按照其特点的不同而进行不同标准的划分，其详细的分类标准如图1-3所示。根据碳关税的定义和征收基础可以看出，碳关税可以同时隶属于进口关税，财政关税和保护关税，从量关税，加重关税。碳关税既是产品进口国对出口国高碳产品按照产品含碳量高低不同所征收的关税，在性质上属于进口关税和从量关税；同时征收碳关税能给征收国带来一定的财政收入并且能有效地起到保护本国产业的作用，从征收目的来分同时属于财政关税和保护关税；再者，碳关税是对出口国产品的报复性措施，因此其属于加重关税，但不属于反倾销关税和反补贴关税。所以碳关税的性质还比较复杂。但碳关税同其他关税一样，具有强制性、无偿性和固定性。强制性是指海关凭借其国家权力依法征收，纳税人必须无条件地履行纳税义务；无偿性是指征收关税后，其税款成为国家财政收入，不再直接归还纳税人，也无须给予纳税人任何补偿；固定性是指国家通过有关法律事先规定征税对象和税率，海关和纳税人均不得随意变动。

碳关税不仅同时具有传统关税的性质和特点，并且有其自身独特的性质和特点。

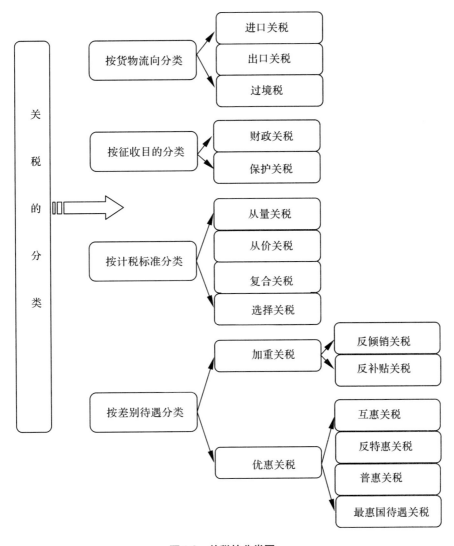

图 1-3　关税的分类图

与其他关税措施相比，碳关税具有以下特点：

（1）合理性和名义上的合法性。当环境问题与人们的健康、生活、生存等切身利益纠缠在一起时，当环境污染造成的危害已经从专家的预言变成了活生生的现实，人们不得不将视线转移到环保这一老生常谈的命题上来。人们开始关注环境保护，关注生态健康，因此一些打着环保旗号的措施就更容易引起人们的共鸣。碳关税以保护自然资源、生态环境、减少二氧化碳排放量、促进全球经济发展模式转型为理由，迎合了公众渴望绿色产品的共同心愿，并适应了保护环境、节约能源的大背景，因此赢得了舆论的支持。

碳关税征收的最终目的在于保护国内产业发展，从此角度出发，碳关税同许可证制度、配额制度和技术壁垒相同，都是对发展中国家设置的贸易壁垒。所不同的是，碳关税选取了一个很好的名义借口。征收碳关税的主要目的是：保护全球环境和自然资源、实现人类社会的健康长效发展。关贸总协定第二十条规定，成员方可以采用"为保障人民、动物、植物的生命或健康的措施"，各发达国家以此为依据，颁布为了减少碳排放而征收的碳关税政策，使得碳关税成为国际贸易往来中的合理应用措施（李娜，2012）。

（2）技术性和隐蔽性。碳关税作为关税的一种特殊的形式，其自身是一种明确的进口关税税收政策。但是碳关税同时又是一种特殊的环境壁垒，类似于技术性的环境贸易壁垒，其征收依据是发达国家国内先进的生产技术和能源使用方法，是新型的非关税壁垒形式，其要求的是产品生产技术的提高，即要实现产品生产的低排放。目前的国际公约和条款并没有类似的规定来具体明确碳关税的界定范围与标准，甚至连碳关税的合法性合理性目前都没有明确规定，碳关税打着保护环境的旗号，极易隐藏在一些特定的贸易法规、国际公约的具体条文和实施过程中，而且各种检验标准复杂而繁琐，往往使出口国难以应付和适应，成为进口国阻挡外国产品的绿色壁垒（高兴霞，2010）。由于发达国家之间环保技术水平较为先进和完善，所以发达国家之间形成贸易壁垒并进而引发环保纠纷的概率大大降低。但对于少数发达国家和广大发展中国家而言，由于其经济发展水平和环保技术相对落后，难以适应欧、美国家制定的较为严格的环境标准及检验手段，构成绿色贸易壁垒，进而危害相关国家的利益。现行很多发达国家的法规条款都是借环境保障之名行超保护环境的贸易政策，同时，在碳关税的执行中还有很大的可塑性和随意性（张倩，2012），因此碳关税在环境贸易壁垒中呈现出一定的隐蔽性特征。

（3）针对性和单边性。碳关税的征收对象主要是未实施碳减排措施的出口国的高能耗产品，当然也并不是出口国的所有产品，但由于目前发展中国家的能耗强度高，平均碳强度是发达国家的几倍甚至是十倍，发达国家所指的高能耗强度可能只是相对值概念，所以发展中国家的普通能耗产品都有可能被列为发达国家的征收对象。因此，发达国家征收碳关税具有比较明确的针对性，即未在国内实施碳减排措施的出口国的高碳产品，而普通关税则无这种特别的限制和规定。同时，由于各国制定的碳关税标准不一，势必会引起贸易秩序的混乱，碳关税作为贸易报复的手段就可能引发贸易大战，进而对国际贸易关系造成恶劣影响。

到目前为止，由于国际上没有统一的碳排放量标准，因此各国都是根据自身情况自主决定碳关税的征收标准。碳关税征收国针对的对象主要是进口的高碳产品，即产品进口国对出口国的高碳产品所征收的单边税种。由于在目前的国际贸易格局中，大部分的低碳产品都是发达国家生产的，发展中国家由于技术、经济等因素的限制，生产了国际贸易中绝大部分的高碳产品，很大程度上造成了碳关税主要由发达国家向发展中国家征收，其征收的理由无非是发展中国家碳排放强度远远高于发达国家，这种征收是发达国家单边向发展中国家征收的，而发展中国家不能向发达国家征收碳关税。从这一点来讲，碳关税违背了世界贸易组织的最基本的促进公平竞争原则，因此，碳关税具有明显的单边形式性质，即碳关税的单边性。西方发达国家往往凭借自身先进的技术手段提出过高的碳减排标准，从而把发展的不平衡性导入国际贸易领域，引发更大范围内的不平衡性(高兴霞，2010)。

(4)广泛性和强制性。碳关税的覆盖范围非常广泛，在贸易领域，无论产品种类、大小、质量如何，只要不符合碳减排标准，都将无一例外地被纳入到征收碳关税的框架内。此外，欧盟推出的航空碳关税和即将推出的航海碳关税还将碳关税适用的领域进一步延伸到了空中和海上，形成了"海陆空"的碳关税征收网，其适用的范围可谓是非常广泛。

欧盟形成了自身的环境保护法律法规，并将其推广到世界范围内，从欧盟 ETS 将航空碳排放纳入到其碳排放交易体系一案中可以看出，其对于环保法规的执行是在世界范围内强制实行的，即使是被征收国有诉讼的权力，但是裁决的权力仍然掌控在欧盟相关法院。同样，美国通过的《美国清洁能源安全法案》以法律形式确立了从 2012 年开始对未实施减排国家的高碳产品征收碳关税的合法性，其实施过程必定是强制性的。因此，碳关税具有一定的强制性。

(5)环保性和纠正负外部性。传统的关税的征收目的或是为了增加征收国的财政收入，或是为了保护征收国的本土工业，目的在于限制外国商品对本国同类产品的冲击；而现阶段碳关税征收国所倡导的征收碳关税的目的旨在限制商品出口国对二氧化碳的排放，一定程度上抑制全球气候变暖问题，从这个角度来讲碳关税是一个全球环境保护性质的税种和规则，而关税针对的只是单个国家或多个国家的商业性质的活动，因此碳关税具有一定的环保性。

高碳产品的生产无疑造成了温室气体的大量排放，造成了全球气候的变暖，这种生产的负外部性随着排放量的增加不断扩大；征收碳关税必定能给全球气候变暖带来一定的缓解作用，征收碳关税后全球社会的共同努力所能产生的负外部性不断降低，企业减排后产生的负外部性逐步减小，整个过程体现了碳关税对负外部性的不断纠正的过程，因此碳关税具有一定的纠正负外部性的作用。

(6)复杂性和时效性。传统关税征收基础是商品的数量、体积等物理特性或者商品的价值量，因此传统的关税按照其征收方法可以分为从量税、从价、选择税和混合税等，其征收的课税对象是商品(李坤望等，2006)。而碳关税则颠覆了传统的从量从价税的概念，其征收的基础是商品中的隐含碳。所谓隐含碳就是指产品在生产国整个生产过程中直接和间接所排放的碳，其征收的基础是商品在发生一系列物理或者化学变化过程中对碳的消耗量，其课税的基础是商品中碳排放量，在某种程度上属于从量性质的税种。产品生产国在现有技术水平和测算标准下很难估算具体某种产品的碳含量，同时目前国际上并没有成熟的征收体制来计量各种产品的碳关税征收标准，每个国家的碳强度不同造成的各种产品的碳含量不同，即使是同种产品由于生产技术的差异也会造成产品碳含量的差别，因此碳关税的征收国目前并没有形成统一的征收标准体系，而且要形成这样的征收标准体制是非常复杂的过程。从这个角度来讲，碳关税与传统的关税征收的对象和基础的差别导致了碳关税征收的复杂性。

碳关税不是一个永久的税种，当被征收碳关税的产品的碳含量达到了发达国家的标准后或者产品生产国国内开始实施了低碳减排措施后，这种碳关税税收就会自动失效。而普通关税税收一般不会随着产品特性改变而消失，因此发达国家向发展中国家征收碳关税具有一定的时效性。这种时效性需要发达国家与发展中国家的共同努力和合作，但哥本哈根世界气候大会的结果证明，目前发展中国家离低碳经济路线还有一定的差距，并且这个差距并不是发展中国家自身能解决的，发达国家直接对发展中国家出口产品征收碳关税，必定会来带世界贸易秩序的混乱，因此，发达国家有责任也有义务来帮助发展中国家来进行低碳技术的改进和创新，共同达到促进经济可持续发展状态下对全球气候变化影响程度最小化这个目标。

1.5 碳关税的计征方法和税率[①]

目前，碳关税尚未开征，参照各发达国家低碳政策的时间表，碳关税最早于2012年初展开征收，最迟不晚于2020年。因此，碳关税的征收已经成为不可逆转的趋势。

1.5.1 碳关税的计征方法

总结归纳发达国家对碳关税的拟征方案，征收方式同传统关税类似，可以分为从价税和从量税两种。

（1）从价税。从价税的征收办法是参照来自发展中国家的进口商品的完税价格，制定适应的税率，二者乘积即为碳关税，如公式所示：应纳碳关税税额＝应税进口商品（服务）数量×单位完税价标碳关税税率。

由于从价税的计征标准是单个商品（服务）的价格，忽略了相同价格基础的商品（服务）在生产和流转过程中所包含的不同的碳排放量，因而未充分体现出不同商品对碳排放量的贡献度的差别。另外，进口商品及服务的种类众多，在碳关税税率制定上

---

① 本部分内容主要编引自李娜的研究。

具有较大难度，并且未体现各商品在生产过程中二氧化碳的排放程度。因此，在具体的实践过程中，此种碳关税征收方法并不实用，目前采取此种方法的国家也不多。

（2）从量税。从量税与从价税不同，其征税基础是进口商品（服务）在生产和运输过程中所产生的二氧化碳排放量，所造成的温室气体排放量越大，要承担的税负就越大，如公式所示：应纳碳关税税额＝应税进口商品（服务）数量×碳关税单位税额。

按照从量税征收碳关税，计算方法比较简单，并能以进口商品（服务）中的碳含量为基础。因而，此方法受到多数发达国家的推崇。目前，已经在国内开征碳税的众多国家中，绝大多数均采用此种方法。该种征收方法不但能够直接反映出企业营运过程所造成的环境破坏程度，还能够公平对待不同技术水平的企业。因为国内众多行业中，企业所采用的技术手段不尽相同，同样一种产品的生产过程中的二氧化碳排放量差距较大。如果采用的是从价税，则会丧失公平性。

1.5.2　碳关税的税率

目前，碳关税的征收税率还处于研究阶段。迄今为止，一些发达国家已经在国内开征碳税，这对未来国家间的碳关税税率的制定有极大的参考价值，这些国家包括英国、丹麦、芬兰、荷兰、挪威、意大利、瑞典、美国、加拿大等（李娜，2012）。

各国在碳税的具体的征收方式和征收环节上有所不同，但税率标准大体相似。税率的制定主要跟燃料燃烧过程中碳排放量有关，排碳量越高，则对应的税率就越高。在众多征收国家中，美国对税率的制定较有权威性。决定燃料排碳量的是燃料本身碳含量，如烟煤和次烟煤的碳含量高于褐煤，燃料油碳含量低于汽油等。因此，为了保证碳税征收的公平性，以各燃料的碳含量单位——英热单位（BTU）为基础，制定合理的碳税税率。美国低碳组织 Carbon Tax Center 对此作出深入研究，假定每吨碳排放量税收 50 美元碳税，总结归纳出主要化石燃料每百万英热单位的理论税率，见表 1-1 所示。

表 1-1　美国低碳组织对主要燃料的研究税率（美元／百万 BTU）

燃料	原油	汽油	天然气	残余燃料油	烟煤	次烟煤	褐煤
税率	1.12	1.0	0.8	1.18	1.4	1.45	1.47

数据来源：根据美国碳税中心数据整理得来。

加拿大不列颠哥伦比亚省计划对生产中间商进行碳税征收，税率为每吨二氧化碳当量 17.1 欧元，相当于对每吨二氧化碳排放量征收 14.2 欧元（李娜，2012）。但是，此举遭到了加拿大国内极力反对，主要是因为征税者是能源供应组织，一旦碳税开征，生产成本会大幅提高，不利于加拿大产品竞争力的培养。

意大利和荷兰两国在碳税税率制定上有类似做法。碳税征收主要针对于供应链的终端——消费者，根据消费者类型不同，在税率设计上税率档次多样化。具体而言，私人用户税率最高，工业生产者降低一半，而公共事业单位采取全额免税政策。

芬兰、丹麦、荷兰等国也实施碳税政策，税率一般集中在 12~20 欧元。除了上述国家已经全面或计划展开碳税征收以外，很多国家也将碳税提上议程，如我国曾计划在 2012 年左右推出碳税政策。2012 年或 2013 年开始，试探性地对二氧化碳排放征税 10 元/t，到 2020 年提高至 40 元/t。也有学者提出按照不同的化学燃料区别征收碳税，如对每吨煤炭征收 11 元，每吨天然气征收 12 元，每吨石油征收 17 元等（李娜，2012）。

各国在节能减排上的目标不尽相同，国内政策和其他能源税费的设置也有所差异，因而在碳税税率制定上不尽相同。目前，多数国家在执行国内碳税征收的同时，欲将征税范围扩大到国际范畴上，美国、欧盟多数国家已通过议会投票决定对进口商品、服务征收碳关税，加大对此类高碳排量国家的监管力度，税率参照国内碳税税率，即每吨二氧化碳排放量 12~20 欧元，甚至更高。

1.6　小　结

本章主要介绍了碳关税的基本概念及理论基础。全球气候变暖、全球能源危机是碳关税产生的主要国际背景，《联合国气候变化框架公约》等国际公约、协定等为碳关税的出台奠定了国际法基础。碳关税顺应了国际经济发展、环境保护的大趋势，符合低碳环保的战略要求，有一定的必然性和时代性。自 2006 年第 12 届联合国气候变化大会上法国提议征收碳关税以来，逐渐得到国际认可，很多国家都在筹备出台碳关税政策。碳关税已不仅仅是解决由全球气候变暖引发的环境问题的手段，更成为一种在新形势下被各国用以维护各自的政治经济利益的博弈手段，日益受到世界各个国家的高度重视。综合国内外碳关税与替代名称的使用情况，可以发现，"碳关税"一词在国内外已得到普遍使用。碳关税是实施碳减排制度的国家对进口自未实施碳减排制度国家的产品采取的边境调节措施，当进口国的碳减排制度为碳税时，碳关税表现为税收的形式；当进口国的碳减排制度为限额与交易制度时，碳关税表现为配额的形式。不管其采取何种形式，凡是进口国基于进口产品的碳排放要求进口商承担的税费，都可称为碳关税。从目前的研究成果与各国的立法提案来看，碳关税主要有两种类型：一种是与碳税相对应的碳关税，即将国内碳税适用于进口产品；一种是与排放权交易制度相对应的碳关税，即将排放权交易制度适用于进口产品。它的本质仍是碳税或者碳排放交易制度。碳税和碳排权放交易制度的理论根源可以追溯到外部性理论。碳关税和其他的关税的作用机理大致相同。总的来看，碳关税对出口贸易的影响主要表现在对被征收碳关税的发展中国家出口减少、产业的价格竞争力影响、行业的就业影响、生产规模、国民福利转移等方面。碳关税同其他关税一样，具有强制性、无偿性和固定性，但还有其自身独特的性质和特点。碳关税具有合理性和名义上的合法性、技术性和隐蔽性、针对性和单边性、广泛性和强制性、环保性和纠正负外部性、复杂性和时效性。最后，本章总结归纳发达国家对碳关税的拟征方案，介绍了碳关税的计征方法和税率。

第 2 章　美国与欧盟的碳关税提案

碳关税在本质上是应对气候变化的单边贸易措施，是由国内政策制定的。在对碳关税是否符合国际法规则进行研究之前，必须先对各国提出的碳关税措施进行分析，这样才能明确研究对象，不至于无的放矢。然而，提出碳关税的国家并不多，只有美国在若干立法提案中规定了碳关税措施。欧盟虽然没有在正式的法律或立法提案中规定碳关税措施，但最早提出碳关税设想的是欧盟，欧盟内部也一直在讨论碳关税问题，并形成了一些文献可供研究。因此，选择美国与欧盟作为对象来分析碳关税的具体内容。

2.1　美国的碳关税提案[①]

2.1.1　美国提出碳关税的背景

美国在通过立法控制温室气体排放方面落后于欧盟（黄文旭，2011）。在国际层面，《京都议定书》为包括美国在内的发达国家规定了具体的减排目标。1998 年 12 月，美国副总统戈尔象征性地在《京都议定书》上签了字，但并没有提交参议院批准。2001年，布什政府正式宣布退出了《京都议定书》，理由是它没有对中国、印度等发展中国家规定温室气体减排的约束性要求。美国没有批准《京都议定书》是因为存在着国内法上的障碍，在 1997 年《京都议定书》谈判的关键时刻，美国参议院以 95 票赞成，0 票反对一致通过了《伯瑞德-海格尔决议》（Byrd-Hagel Resolution），表达了美国关于气候变化的基本立场。该决议规定，在下列情况下，美国不得签署任何与《联合国气候变化框架公约》有关的议定书或协定：①发展中国家不承诺限制或减排温室气体，却要求发达国家作出这样的承诺；②签署这类协议会严重危害美国的经济。美国退出《京都议定书》只是 1997 年《伯瑞德-海格尔决议》在国际法上的最终体现而已（赵绘宇，2008）。虽然美国退出了《京都议定书》，但应对气候变化的问题不可能因为退出一项公约而不复存在。在国内层面，美国目前还没有实施全国性的排放权交易制度或碳税

---

① 本部分内容主要编引自黄文旭、张倩的研究。

制度，但一些州已经在探索或实施排放权交易制度（Byrne et al，2007）。

为了缓解来自环境和资源方面的压力，美国提出了一系列包含碳关税条款的温室气体减排法案。比如早在 2003 年，美国参议院就讨论了旨在建立全国性排放权交易制度的《Lieberman-McCain 气候管理法案》，但以 43 票赞成 55 票反对的结果未获得通过。该法案经修改后于 2005 年和 2007 年两次重新提交至参议院，但两次都没有在参议院通过（黄文旭，2011）。2007 年，美国参议院议员乔瑟夫·利伯曼和约翰·沃纳提交的《2007 年利伯曼-沃纳气候安全法案》中包含了碳关税条款，2008 年参议院议员芭芭拉·鲍可瑟（Babara Boxer）提交的《2008 年利伯曼-沃纳气候安全法案》与 2009 年 6 月 22 美国众议院通过的《美国清洁能源安全法案》中的碳关税条款更为详细，2009 年 9 月 30 日美国参议院公布的《清洁能源工作与美国电力法案》与 2010 年 5 月 12 日美国参议员约翰·克里和乔·利伯曼（Joe Lieberman）公布的《美国电力法案》也包含了碳关税条款。

美国提出这些法案的原因之一是保护能源安全。工业发展对能源的大量需求与全球化石能源的紧张是一对各国都必须面对的矛盾。全球化石能源面临着用竭的威胁，严重影响着一个国家的经济安全。美国是一个能源需求大国，其生产与生活方式需要耗费大量的能源。在化石能源影响美国的能源安全乃至经济安全时，美国迫切需求发展新能源。美国的这些法案的主要目的就是促进与普及新能源的使用以保护美国的能源安全。

此外，美国经历了一场严重的经济危机，希望借新能源经济刺激美国的经济复苏。奥巴马当选总统时对选民们做出过承诺，要带领美国经济走向复苏（王琦栋，2009）。美希望通过相关立法推动新能源产业，为经济发展带来新的增长点，并提供更多的业岗位。这既能解决现阶段的经济萧条问题，又能为日后以新能源经济主导世界经济发展奠定基础。布什政府于 2001 年正式宣布退出《京都议定书》，在应对气候化问题上采取了消极的态度。奥巴马上台后，一改往届政府不参加《京都议定书》的消极态度，大力鼓吹低碳发展模式，并顺势推出碳关税，以振兴和提高美国在全球的竞争力和影响力，巩固其在未来以低碳化为核心的绿色经济主导地位（蓝庆新，2010 ）。美国这一政策转向与奥巴马团队的价值取向有一定的关系，但如果因此忽略美国过去 10 年间在新能源领域的技术储备以及由此引发的利益格局调整，可能会使我们在国际气候变化谈判中对美国试图以新能源技术优势谋求战略利益的策略性行为产生严重误判（黄媛虹等，2010）。因此，我们要认识到美国推出碳关税是其国内利益集团长期准备的结果，这一趋势不会发生倒退。

借新能源立法中的排放权交易制度及相应的碳关税制度来解决美国的贸易逆差也是美国推出一系列温室气体减排法案的原因之一。在国际贸易当中，美国具有成本优势的产品越来越少，因此希望借排放权交易制度与碳关税制度来增加外国生产商的成本。虽然国内的排放权交易制度与碳关税制度使国内生产商与外国生产商的成本都得到增加，但美国在减排技术方面比发展中国家占有优势，再加上在碳关税实施过程中可以通过各种隐性手段打击国外对美国的出口，因此美国的温室气体减排立法仍然可以使国内产业在国际贸易当中重新获得优势地位。

此外，美国推出碳关税的重要目的之一是推翻"共同但有区别的责任"原则，迫使发展中国家承担温室气体减排义务。美国一直认为，《联合国气候变化框架公约》与《京都议定书》确定的"共同但有区别的责任"原则不合理，因此退出了《京都议定书》，其理由是中国、印度等排放大国没有承担强制减排义务，少数发达国家的减排努力将由于碳泄漏等原因而无助于减缓全球气候变暖的趋势。发展中国家坚持拒绝承担减排义务的理由是担心增加本国的出口成本而影响本国的经济发展，如果美国等发达国家实施碳关税，发展中国家将面临两难处境，要么采取减排措施，要么被发达国家征收碳关税，两种选择都将对发展中国家的出口竞争力产生严重不利影响。美国一直将包括发展中国家在内的所有排放大国承担减排义务作为其承担减排义务的前提条件。因此，美国在国际层面上要求发展中排放大国承担减排义务的目的不能得逞之后，就希望借国内单边碳关税措施迫使其他发展中国家承担强制减排义务。在发展中国家承担强制减排义务之后，美国可以利用其在新能源领域的技术优势提升其对国际政治和经济格局的控制力(沈可挺，2010)。在这些背景下，美国近几年推出了一系列包含碳关税条款的立法提案。

2.1.2 《2008年利伯曼-沃纳气候安全法案》

美国参议院议员乔瑟夫·利伯曼和约翰·沃纳于2007年提交的《2007年利伯曼-沃纳气候安全法案》是美国有关碳关税的最早立法提案。2008年，参议院议员芭芭拉·鲍可瑟又提交了《2008年利伯曼-沃纳气候安全法案》。虽然此后2009年《美国清洁能源安全法案》中的碳关税条款引起了人们更多的关注，但《利伯曼-沃纳气候安全法案》是第一个详细规定了如何将进口产品纳入二氧化碳排放权交易项目的立法提案，为分析碳关税最终可能采取的形式提供了重要的参考，而且其对碳关税的规定比《清洁能源安全法案》更为详细，因此仍有进行分析的必要。需要注意的是，参议院讨论的《利伯曼-沃纳法气候安全法案》有2007年版和2008年版两个不同的版本。这两个版本的法案大部分内容是相似的，但也有一些重大区别。下文将主要以2008年版《利伯曼-沃纳法气候安全法案》为分析对象，并在必要时对2007年版《利伯曼-沃纳法气候安全法案》进行介绍。《2008年利伯曼-沃纳气候安全法案》中与碳关税有关的内容包括以下两个方面。

2.1.2.1 限额与交易制度

(1)涵盖实体。根据《2008年利伯曼-沃纳气候安全法案》规定，限额与交易制度适用于所有涵盖实体，所有涵盖实体都需要提交排放配额。该法案将涵盖实体定义为：①在美国境内 1 年使用的煤超过 5000t 的任何实体；②美国境内(阿拉斯加州除外)的天然气加工厂；③在阿拉斯加州境内或在阿拉斯加外大陆架的联邦水域从事天然气生产的任何实体；④在天然气(包括液化天然气)进口至美国境内时对其享有所有权的实体；⑤在美国境内生产石油基液体或气体燃料、煤基液体或气体燃料、石油焦炭以及这些物质混合物的任何实体，除非这些实体采取了碳捕获技术防止非氢氟烃温室气体排放；⑥在石油基液体或气体燃料、煤基液体或气体燃料、石油焦炭以及这些物质的混合物进口至美国之时，对其享有所有权的实体，除非这些实体采取了碳捕获技术防止非氢氟烃温室气体的排放；⑦在美国境内 1 年排放超过 1 万 t 二氧化碳当量非氢氟烃温室气体的任何实体；⑧在 1 年期间内，对进口至美国的总排放量超过 1 万 t 二氧化碳当量非氢氟烃温室气体的产品享有所有权的任何实体；⑨在美国境内排放氢氟烃气体的任何实体(黄文旭，2011)。与《2007 年利伯曼-沃纳法案》相比，《2008 年利伯曼-沃纳法案》所定义的涵盖实体范围更广。

(2)涵盖实体履行义务的方式。根据《2008 年利伯曼-沃纳气候安全法案》的规定，涵盖实体需要在排放配额年度核算结束后的 90 日内提交排放配额以抵消该年度的温室气体排放量。具体来说，涵盖实体履行义务的方式有多种：①通过初始分配、拍卖和交易等方式获得排放配额；一份国会研究报告比较了两个法案后认为，两个法案都将在 2012 年将大约 1/3 的配额分配给涵盖实体，1/3 分配给非涵盖实体(如各州)，1/3 用于拍卖，其中 2008 年法案分配给非涵盖实体的配额稍微多一些。②涵盖实体可以从管理机构那里借贷不超过其履行义务所需配额总量 15% 的排放配额，涵盖实体返还排放配额时必须支付利息。③涵盖实体可以使用不超过其履行义务所需配额总量 15% 的抵消配额，这些抵消配额可以通过实施其他温室气体减排项目而获得，也可以通过碳捕获项目而获得。④涵盖实体可以通过提交某些国际配额或信用来履行其义务。在 2007 年法案下，涵盖实体使用的国际配额不得超过其履行义务所需配额总量的 15%，2008 年法案删除了 15% 的限制。

可以看出，美国国内的涵盖实体履行义务的方式是灵活多样的，不仅能够获得免费分配的配额，而且可以借贷部分配额。

2.1.2.2　国际储备配额项目

《2008 年利伯曼-沃纳气候安全法案》引起众多关注与争议的规定是要求进口商为进口产品在生产国的生产过程中排放的二氧化碳购买国际储备配额。因为这些规定是将进口产品纳入国内排放权交易制度的首次具体的立法尝试。根据《2008 年利伯曼-沃纳气候安全法案》的规定，从 2014 年开始，从"涵盖清单"国家进口的"涵盖产品"必须提供足够数量的"国际储备配额"以履行其在该法案下的义务，涵盖实体还可以选择提供足以购买相应配额的现金或有价证券的方式来履行义务。《2008 年利伯曼-沃纳气候安全法案》下的国际储备配额项目包括以下四个方面的问题：第一，什么是"涵盖产品"？第二，哪些国家在"涵盖清单"中？第三，如何确定国际储备配额的价格？第四，如何确定特定产品所需的配额数量？下面将对这些问题依次进行分析。

2.1.2.2.1 关于涵盖产品的规定

根据《2008年利伯曼-沃纳气候安全法案》的规定，购买国际储备额的要求限于"涵盖产品"的进口。下列产品属于该法案所定义的涵盖产品：

(1)初级产品。初级产品具体包括：①铁、钢材、钢产品(包括钢管)、铝、水泥、玻璃(平面玻璃、玻璃容器、特殊玻璃和玻璃纤维)、纸浆、纸张、化学物品或工业陶器。②符合以下两种条件的其他制成品：批量销售的目的是为了继续生产或将其包含在最终的产品中；在生产过程中直接或间接排放了温室气体，而且相应的碳排放与该工业部门中涵盖实体在产品生产过程中的温室气体排放量相当(以每单位产品的排放量为基准)。

(2)供消耗的生产材料。供消耗的生产材料包括初级产品之外的下列产品：①产品在生产的过程中，直接或间接产生了大量的温室气体排放，包括将初级产品融入供消耗的生产材料中所排放的温室气体；②国际气候变化委员会在与管理机构协商之后认为，为达到本法的目的，适用本法第1306条规定的国际储备配额具有可行性和必要性的特定产品。

(3)在生产过程中直接或间接产生了大量的温室气体排放的产品。

(4)与在美国因该法案的规定而导致生产成本上升的产品密切相关的产品。

可以发现，符合涵盖产品规定的产品范围非常广泛。"初级产品"与"供消耗的生产材料"意味着没有任何产品被无条件地免除购买国际储备配额的要求。对"涵盖产品"范围的主要限制在于"相当"(comparable)和"大量"(substantial)的解释上(Veel，2009)。值得注意的是，根据《2008年利伯曼-沃纳气候安全法案》的规定，美国排放权交易制度在一个重要的方面对进口商的适用比对国内生产商的适用范围更广。年度二氧化碳排放当量未达到1万t的美国生产商不受排放权交易制度约束。然而，年度二氧化碳排放当量未达到1万t的一些规模较小的进口商仍然需要履行提交配额的义务。实际上，这一区分是明显不适当的，因为1万t二氧化碳排放当量是一个相当低的界限。显然，在《2008年利伯曼-沃纳气候安全法案》下，进口产品比国内产品处于更加不利的地位。

2.1.2.2.2 关于涵盖清单国家的规定

根据《2008年利伯曼-沃纳气候安全法案》的规定，只有"涵盖产品"的进口商有义务购买国际储备配额，而且该义务还进一步限于从"涵盖清单"中的国家进口的涵盖产品。因此，只有从涵盖清单国家进口的涵盖产品才需要购买国际储备配额，而从涵盖清单之外的国家所进口的产品无需购买国际储备配额。根据《2008 年利伯曼-沃纳气候安全法案》第 1306 条（b）款（3）项（B）段的规定，没有明确被该法案第 1306 条（b）款（2）项排除的国家都是涵盖清单中的国家。

根据《2008 年利伯曼-沃纳气候安全法案》第 1306 条（b）款（2）项（A）段的规定，有以下三类国家被排除在"涵盖清单"之外，无需购买国际储备配额：①根据《2008 年利伯曼-沃纳气候安全法案》第 1305 条（a）款的规定，国际气候变化委员会认定该国采取的温室气体减排措施与美国采取的减排措施相当；②联合国认定的最不发达国家；③二氧化碳排放量低于全球排放总量的 0.5% 的国家。

其中第二类和第三类国家的含义是非常确定的，没有多大的解释空间。但第一类国家的含义则需要解释，一个国家采取的减排措施是否与美国"相当"不是非常确定的。为了确定一国是否采取了与美国相当的减排措施，《2008 年利伯曼-沃纳气候安全法案》创设了国际气候变化委员会。根据该法案第 1305 条（a）款，国际气候变化委员会每年将基于最佳可得信息确认某一国家是否采取了与美国相当的温室气体减排措施，并对该国上一年度采取的减排措施与美国上一年度采取的减排措施进行比较。

该法案第 1301 条（4）款对"相当"进行了定义，即一个国家所采取的温室气体控制项目、要求和其他减排措施应该与美国联邦、州和地方政府所采取的减排措施效果相当，效果是否相当由国际气候变化委员基于最佳可得信息并根据以下标准来确定某外国在一个具体的历年内采取的减排措施是否与美国采取的减排措施相当：①如果国际气候变化委员会发现一国在特定期限内的温室气体减排量的百分比等于或高于同一期限内美国的温室气体减排量的百分比，则该国所采取的减排措施与美国相当。②如果不能根据第①项的规定认定一国采取了与美国相当的措施，则国际气候变化委员会在确定一国的减排措施是否与美国相当时应该考虑同一期限内该国实施下列措施的程度：该国在相应期限内工业生产、设备制造、发电和其他能源生产以及消费产品（如汽车和家用电器）生产过程中采用了最新的技术，或者实施了其他技术或行动，从而达到了限制该国温室气体排放的效果；该国在相应的期限内实施了限制温室气体排放的各种控制项目、要求和其他措施。

综上所述，一国实施的减排措施在下面两种情形下会被视为与美国相当。第一，如果一个国家所削减的温室气体排放量的百分比等于或高于美国的水平，则该国采取的行动与美国相当；第二，即使一个国家前一年度所削减的温室气体排放量的百分比没有达到美国的水平，国际气候变化委员会仍然拥有确定一个国家采取的措施是否与美国相当的自由裁量权，即通过评估该国所采取的限制温室气体排放的绿色技术、该国所实施的温室气体减排的规制项目，来判断该国是否采取了与美国相当的减排措施。

该定义有两个特点值得注意。第一，在判断减排措施是否相当时，对一个国家必须采取的温室气体减排行动并没有形式上的要求。例如，并没有要求一个国家实施特定类型的规制项目（如排放权交易制度），才能被视为采取了相当的行动。第二，从该规定的用语来看，国际气候变化委员会在判定一个国家是否采取了与美国相当的减排措施时不能考虑该国的经济发展程度。这是对《2007 年利伯曼-沃纳气候安全法案》的一个改变，在 2007 年法案中，判定一个国家是否采取了与美国相当的温室气体减排措施时，需要考虑该国的经济发展水平。这表明 2008 年法案没有给予发展中国家特殊待遇。

2.1.2.2.3 关于国际储备配额价格的规定

分析了哪些进口产品有义务提交国际储备配额后，需要解决的就是国际储备配额如何定价的问题。

根据《2008 年利伯曼-沃纳气候安全法案》的规定，国际储备配额的价格每日进行计算，该价格等于前一日国际储备配额的结算价格。而前一日国际储备配额的结算价格等于根据该法案第 201(a)条确定的排放配额的三个主要公开报告价格指数的算术平均数。

可见，国际储备配额的价格与美国国内排放配额的价格是大致相等的。虽然国内排放配额与国际储备配额的价格大致相等，但需要注意的是，国内生产商与进口商向国际气候变化委员会提交配额的时间并不相同。美国国内生产商可以在前一历年结束后的 90 天内提交前一年的排放所需的配额，而进口商必须在产品进口时交存国际储备配额。

此外，国内生产商可以向国际气候变化委员会借贷不超过其每一年履行义务所需配额总量 15% 的配额，而进口商不享有这种待遇。因此，国内生产商在购买排放配额的时间方面与进口商相比具有更大的灵活性。虽然配额的价格相同，但提交时间方面的要求使进口商的负担比国内生产商更重。

2.1.2.2.4 关于国际储备配额数量的规定

《2008 年利伯曼-沃纳气候安全法案》第 1306 条(d)款(2)项规定了计算国际储备配额数量的公式，即进口商每年应提交的国际储备配额的数量等于进口产品的数量乘以下列三个因数：①每个涵盖清单国家该年度所生产的涵盖产品的温室气体排放强度，该强度大小由美国行政人员确定；②生产涵盖产品的涵盖清单国家的工业部门的配额调整系数，该系数大小由管理人员确定；③由国际气候变化委员会确定的涵盖清单国家的经济调整比率。

其中第一个因素为国家温室气体排放强度。该因素的确定方法为：最近一年里某一涵盖清单国家的涵盖产品直接或间接排放的温室气体总量（对于如果在美国生产则不需提交配额的涵盖产品的排放量，要予以排除）除以该年度该国涵盖产品的总产量。

该因素值得注意的地方是，涵盖产品的进口商必须购买的国际储备配额数量不是基于生产商生产特定产品的温室气体实际排放量，而是基于该国所有生产商生产涵盖产品过程中的平均温室气体排放量。因此，美国国内生产商需要购买的排放配额与其自己的实际排放量是相当的，而进口产品所需的配额与该产品的生产商的温室气体实际排放量是不相当的。此外，该法案没有对"涵盖产品类别"进行定义，这意味着可能有更多的产品被归入特定的产品类别。因此，进口商需要购买的配额数量不仅与所有生产商生产该特定产品的温室气体平均排放量有关，而且与属于同一大类的其他产品生产过程中的温室气体排放量有关(Veel，2009)。

第二个因素是特定工业部门的配额调整系数。该系数的计算主要是一个技术性问题，对于本文的分析并不重要。值得注意的是，该系数意味着下调进口商需要购买的配额数量，以抵消国内企业获得的一定数量的免费配额。因此，该调整在某种程度上可以确保特定类别下的进口产品与国内产品为确定数量的温室气体排放承担的配额总成本是相同的。

第三个因素是经济调整比率。该因素的默认值为1，除非国际气候变化委员会基于某国采取了温室气体减排技术或规制措施而决定将其调低。该条款的用语表明，即使一个国家采取的温室气体减排行动不足以认定为与美国相当从而完全免除购买国际储备配额的义务，但基于该国采取的行动，其生产商仍然可以在需要购买的配额数量上获得一定的折扣。

2.1.3 《2009 年美国清洁能源安全法案》

《美国清洁能源安全法案》的草案是由民主党议员 Henry Waxman 和 Edward Markey 于 2009 年 3 月 31 日向美国众议院提出的。2009 年 6 月 26 日，《美国清洁能源安全法案》以 219 票对 212 票的微弱优势在众议院通过。奥巴马总统亲自上阵对该法案进行了游说。因此，该法案在众议院的通过可以说是奥巴马政府在温室气体政策上的一大进步。该法案由"清洁能源""能源效率""减少全球变暖污染""向清洁能源经济转型"和"农业和造林的排放抵消"五个部分组成。该法案的整体目的为创造与清洁能源有关的工作机会、达成能源自主、降低全球变暖的趋势，以及迈向清洁能源的经济社会。主要政策手段则是鼓励再生能源的开发使用、提高能源使用的效率标准，以及实施碳排放限额与交易制度(黄文旭，2011)。

2.1.3.1 限额与交易制度

该法案中的限额与交易制度事实上效仿了欧盟的排放权交易制度，即发放排放配额给受到规范的产业，这些产业必须拥有排放配额才能实施生产活动，并要求在规定的期限内缴回与其年度实际二氧化碳排放当量相当的排放配额，以达到总量控制的目标。在发放排放配额的同时，美国允许生产商在超额排放时，可以自国际市场购买美国政府依本法认可的排放权证。

在碳排放的总量控制方面，该法案授权政府限制工厂、炼油厂、发电厂等相关产业的温室气体排放量，其减排目标以 2005 年为基准，2020 年时温室气体排放量须减少 17%，2050 年时须减少 83%。具体来说，根据该法案的要求，确定一个审计年度内的温室气体排放总量限额，并将排放总量分为一定数量的等值排放配额。在确定配额的数量之后，再确定减排措施覆盖的企业。减排措施覆盖的企业主要是能源消耗和污染排放量大的能源密集产业，如发电厂、冶炼厂和制造业。最后，确定配额的分配方式。法案中规定了免费发放、政府拍卖、企业间交易、抵消、回扣等排放配额的分配方式。

根据该法案第三章规定的排放配额分配原则，大部分初始配额将免费分配给地方电力和天然气销售商，用于拍卖的配额数量比较少，但用于拍卖的配额数量会逐步提高，政府将排放配额免费分配给公共事业部门的目的是为了将限额与交易制度对消费者的影响降至最低。该法案所规定的具体分配方案是：2012～2025 年，55% 的排放配额用于保护因能源价格上涨而受到影响的消费者（其中 35% 用于分配给电力供应商），19% 的排放配额分配给易受贸易影响的行业（如水泥、钢铁等），13% 的排放配额用于支持清洁能源和能效投资；2026～2050 年，58% 的排放配额用于保护消费者，19% 的排放配额用于国内减缓气候变化的行动，12% 的排放配额用于支持清洁能源和能效投资，4% 的排放配额用于支持易受贸易影响的行业。

从以上分析来看，《美国清洁能源安全法案》中的限额与交易制度有以下特征：第一，实施限额与交易制度的主要目的是减少温室气体排放。《美国清洁能源安全法案》在标题下列出了该法案的目的："创造清洁能源的就业机会，达至能源独立的目标，减缓全球变暖，过渡到清洁能源经济。"第二，减排的对象是温室气体。《美国清洁能源安全法案》列出了该法案规定的温室气体种类，包括二氧化碳、甲烷、一氧化二氮、六氟化硫、在化学制造工艺过程中排放的工业污染源氢氟碳化合物、任何全氟化碳、三氟化氮以及美国环境保护局局长决定的任何由人类活动产生的温室气体。该法案规定的温室气体与《京都议定书》里规定的温室气体种类基本一致。有学者将温室气体减排措施简称为碳减排措施，因为二氧化碳是温室气体中最大的排放源，与工业生产的联系也最为紧密。第三，实施的手段是排放配额交易制度，即通过市场化的手段达到促使企业减排的目的。第四，易受贸易影响的行业在 2025 年之后，获得的免费配额将减少 15%，超额排放需要购买排放权。这意味着易受贸易影响的行业将要承担大量的二氧化碳减排成本。如果发展中国家没有承担减排义务，不采取相当的减排措施，则美国易受贸易影响的脆弱产业将面对外国产品的冲击。为了防止碳泄漏，保护国内产业的竞争力，该法案规定了"国际储备配额项目"。

2.1.3.2 国际储备配额项目

《美国清洁能源安全法案》的第五章为"向清洁能源经济转型"，其中第一节"确保工业排放真正减少"规定，在《清洁空气法》第七章中的 E 部分后增加一个新的 F 部分"确保工业排放真正减少"。相应增加的条款为第 761 条至第 769 条。其中，第 761 条"目的"、第 762 条"定义"、第一子部分"排放配额减免项目"包括第 763 条"合格工业部门"和第 764 条"排放配额减免的分配"，第二子部分"促进工业排放国际减少"包括第 765 条"国际谈判"、第 766 条"美国多边环境谈判的目标"、第 767 条"总统的报告和决定"、第 768 条为"国际储备配额项目"和第 769 条"钢铁部门"。在这些条款中，第 768 条"国际储备配额项目"被称为碳关税条款，此外，整个第二子部分"促进工业排放国际减少"都与碳关税密切相关。下面对该法案中的国际储备配额项目及相关条款进行分析。

（1）目的。《美国清洁能源安全法案》规定，碳关税条款的目的包括：①促使外国，尤其是经济高速增长的发展中国家，采取与《联合国气候变化框架公约》下的巴厘行动计划相符的与温室气体排放有关的实质行动；②确保国际储备配额项目的设计与实施符合美国参加的国际条约；③使遵守国内排放权交易制度与遵守其他国家的温室气体减排项目的直接或间接成本之间的不同造成的碳泄漏的可能性减至最小。从《美国清洁能源安全法案》的目的可以看出，该法案明确针对发展中国家，希望迫使发展中国家采取减排行动，这明显违反了"共同但有区别的责任"原则。但该法案同时将符合国际条约作为目的列出，体现了美国的立法技巧。

（2）定义。《美国清洁能源安全法案》第 762 条对"碳泄漏""涵盖产品""合格工业部门""工业部门"等进行了定义。

"碳泄漏"指因为本法的实施造成美国生产成本提高，从而导致其他国家的工业实体温室气体排放量的实质增加（是否增加由环境保护署署长确定）。

"涵盖产品"指的是合格工业部门的产品或供消耗的制成品。

"合格工业部门"指的是环境保护署署长根据第 763（b）条确定的能够获得排放配额减免的工业部门。第 763（b）条规定了确定合格工业部门的标准，即该工业部门属于 NAICS〔NAICS 指的是《2002 年北美工业分类系统》（*North American Industrial Classification System of* 2002）〕中的六位数分类，并满足以下两项标准之一：①根据环境保护署的认定，该工业部门的能源或温室气体密集度至少为 5%，且贸易密集度至少为 15%〔能源密集度的计算方法是：该部门购买电力和燃料的成本除以该部门产品的总产值；温室气体密度的计算方法是：该部门温室气体的排放吨数（包括燃料燃烧与产品生产过程中直接排放的温室气体以及生产该部门的产品所使用的电力的发电过程中间接排放的温室气体）乘以 20 后的得数除以该部门产品的总产值；贸易密集度的计算方法是：该部门的产品进出口总值除以该部门总产值与进口值之和〕。②该工业部门的能源或温室气体密集度非常高，根据环境保护署的认定，如果某一工业部门的能源或温室气体密集度达到至少 20% 时，则视为能源或温室气体密集度非常高。

（3）国际谈判。《美国清洁能源安全法案》规定，美国与其他国家进行谈判以达成协议是实现本部分目的的最有效的方式。美国的政策是在《联合国气候变化框架公约》及其他场合下积极行动，以达成有约束力的协议（包括部门协议），使所有主要的温室气体排放国为全球温室气体减排做出公平的贡献。本章内容成为法律之后，总统应尽快通知其产品不享有豁免的国家，通知内容包括：①美国的政策声明；②要求外国采取适当措施限制温室气体排放的声明；③指出将从 2020 年 1 月 1 日开始对涵盖产品适用国际储备配额项目。

美国多边环境谈判的目标是：①达成有约束力的国际性协议，使所有主要的温室气体排放国为全球温室气体减排做出公平的贡献。②在上述国际协议中包括承认并处理导致碳泄漏的竞争不平衡问题以及在协议的缔约方与非缔约方的国内市场与出口市场之间的竞争不平衡问题的条款；不能禁止上述协议的缔约方处理导致碳泄漏的竞争不平衡问题以及在协议的缔约方与非缔约方的国内市场与出口市场之间的竞争不平衡问题。③对于没有履行国际协议规定的减排义务的缔约方，规定相应的救济措施。

可以看出，《美国清洁能源安全法案》花了不少篇幅对国际谈判进行了规定，似乎表现出美国通过多边途径解决气候变化问题的善意。美国贸易代表 Ron Kirk 在一封对众议院能源与商业委员会的公开信中也表示，奥巴马政府不支持当前采取边境措施在内的具体措施，解决碳泄漏问题的最佳方式是通过在联合国框架内谈判达成一个新的国际气候变化协议，以确保所有排放大国采取温室气体减排的长期重要行动。该公开信还强调，行政机关在努力保证国内能源与气候变化政策的设计与实施符合国际贸易义务，并尽量减小导致贸易伙伴采取对美国出口产生负面影响的"反措施"的可能性。但是，仔细分析美国的谈判目标，发现并无善意，而是美国一贯气候变化立场的反应，如要求"所有主要的温室气体排放国为全球温室气体减排做出公平的贡献"，并且不能禁止缔约方采取碳关税措施。这种不区分发展中国家与发达国家的义务完全背离了"共同但有区别的责任"原则，是发展中国家不可能同意的，因此美国的谈判目标基本是不能实现的。

（4）实施国际储备配额项目的条件。如果到 2018 年 1 月 1 日，与美国多边环境谈判目标相一致的国际协议没有对美国生效，总统将为每个合格工业部门建立国际储备配额项目，除非总统确定并向国会证明，在某一合格工业部门适用国际储备配额项目不符合美国的国家经济利益或环境利益，而且总统将上述证明递交给国会后 90 天内，批准总统决定的联合决议成为法律。此处的联合决议仅指国会两院的联合决议，该联合决议的实质条款（resolving clause）之后应规定，"国会批准了总统根据《清洁空气法》第 768（b）（1）（A）条于_____提交给国会的决定"（空格中应填写适当的日期）。如果总统向国会提交一份国际协议，并指出该协议符合美国的多边环境谈判目标，则在参议院批准该协议或制定实施该协议的法律之前，该协议应视为与谈判目标相符，除非参议院或实施该协议的法律明确规定该条约不应视为与谈判目标相符。

此外，在 2017 年 1 月 1 日之前，总统应向国会提交一份关于排放配额减免对减轻合格工业部门碳泄漏的有效性的报告。该报告还应包括：①由于遵守第 722 条（禁止超额排放），每个获得排放配额减免的合格工业部门的单位生产成本是否增加以及增加多少，在评估时应考虑向该工业部门提供的排放配额减免以及该工业部门从提供给供电商的免费配额获得的利益；②对如何更好地实现全球减排提出建议，包括评估适用于合格工业部门的国际储备配额项目的可行性与有效性；③如果总统确定，由于合格工业部门遭到碳泄漏是其与没有实施相似的温室气体减排政策的国家生产的产品在出口市场竞争的结果，导致国际储备配额项目对合格工业部门无效，则应确定一种替代措施或项目，并确定总统将实施该措施或项目的适当程度（在这种情况下，总统可以决定不将国际储备配额项目适用于合格工业部门）；④评估其他发达国家为减少遵守国内温室气体减排项目的成本而提供给工业部门的补助（包括免费分配配额）的数量与持续时间。

如果总统建立了国际储备配额项目，那么在 2018 年 1 月 30 日之前，以及此后的每 4 年，在与美国环境保护署及其他有关部门协商后，总统必须为每一个合格工业部门做出决定，是否该部门 85% 以上进口到美国的涵盖产品是在至少满足以下条件之一的国家里生产或加工的：①该国与美国同为某国际协定的缔约国，且该国际协定含有可执行的国内减排承诺，该国所承担的减排义务必须与美国一样严格；②该国与美国同为某一合格工业部门的多边或双边温室气体减排协定的缔约国；③该国合格工业部门的年度能源或温室气体密集度不超过美国相同部门最近一个历年的能源密度或温室气体密度。如果总统确定，美国进口的某一合格工业部门的涵盖产品中，由至少符合上述条件之一的国家生产或加工的产品没有超过 85%，则总统应不迟于 2018 年 6 月 30 日，并在此之后每 4 年采取以下行动：①评估排放配额的减免程度和该工业部门从向供电商提供的免费配额中获得的利益是否减轻或解决了该部门的碳泄漏问题，或是否有可能减轻或解决该部门的碳泄漏问题；②评估国际储备配额项目是否减轻或解决了该部门的碳泄漏问题，或是否有可能减轻或解决该部门的碳泄漏问题；③修改该部门用来与直接或间接碳要素相乘的百分比，并对该部门的涵盖产品的进口适用或继续适用国际储备配额项目。如果总统认定，某一合格工业部门 85% 以上进口到美国的涵盖产品是在至少满足上述条件之一的国家里生产或加工的，则总统不得对该部门的涵盖产品的进口适用或继续适用国际储备配额项目。

总统应不迟于 2018 年 6 月 30 日，并在此之后每 4 年向国会提交一份报告，该报告应包括总统决定的内容和解释，以及总统决定采取的行动。

可以看出，美国建立国际储备配额项目的条件有两个：第一个条件是与美国多边环境谈判目标相一致的国际协议没有对美国生效；第二个条件是美国进口的某一合格工业部门的涵盖产品中，由与美国存在环境条约关系或该部门能源或温室气体密集度不超过美国的国家生产或加工的产品没有超过 85%。这两个条件是否满足由总统决定并向国会提交报告。总统的第一次决定应于 2018 年 1 月 30 日之前进行，并于之后的每 4 年进行一次复审。

实际上，美国建立国际储备配额的这些条件是非常容易达到的。对于第一个条件，只要中国、印度等发展中国家排放大国没有在新的国际协议中承担强制减排义务，美国规定的这一条件就满足了，而中国、印度等发展中国家不太可能放弃"共同但有区别的责任"而愿意承担强制减排义务。此外，美国也不太可能签署不包括发展中国家强制减排义务的国际协定，因为美国参议院早年通过的《伯瑞德-海格尔决议》规定，美国不应该签署任何对本国经济发展有重大损害以及将发展中国家的减排责任排除在外的国际协议（王俊，2011）。对于第二个条件，只要与美国不存在环境条约关系且某一合格工业部门的能源或温室气体密集度超过美国的国家生产的该部门的产品达到美国进口产品的 15%，就满足了这一条件。在目前大部分产品都打上"中国制造"的标签的情况下，美国大部分产品 15% 以上是从中国、印度等发展中国家进口的，而中国、印度等国肯定不会参加符合美国要求的国际协议，同时中国、印度等发展中国家的能源或温室气体密集度也会比美国高，因此这一条件也是非常容易满足的。

（5）国际储备配额项目的内容。如果具备了建立国际储备配额的条件，则美国环境保护署署长和美国海关与边境保护署署长将联合颁布建立国际储备配额项目的规章，要求合格工业部门进入美国关境的涵盖产品提交适当数量的国际储备配额，并使合格工业部门的涵盖产品的国际储备配额能够销售、交换、购买、转让和储存。每个进口商的涵盖产品所需要的国际储备配额数量的计算方法由该规章进行规定。国际储备配额的价格为最近一期的国内排放配额拍卖结算价格。有一种观点认为，关于配额价格的规定使美国国际储备配额项目符合 WTO 的国民待遇原则（李响，2010）。然而，这一观点是不正确的，因为除了价格相等之外，美国在排放配额的提交上为国内生产商提供了高于进口商的优惠。

原产于下列国家的产品，可以免交国际储备配额：①该国与美国同为某国际协定的缔约国，且该国际协定含有可执行的国内减排承诺，该国所承担的减排义务必须与美国一样严格；②该国与美国同为某一合格工业部门的多边或双边温室气体减排协定的缔约国；③该国合格工业部门的年度能源或温室气体密集度等于或小于美国相同部门最近一个历年的能源密度或温室气体密度；④被联合国认定为最不发达国家的发展中国家；⑤在合格工业部门中，被总统认定为占全球温室气体排放量不足 0.5% 以及占涵盖产品的进口量不足 5% 的任何国家。

建立国际储备配额项目的规章必须对美国海关与边境保护署将要适用于进入美国关境的涵盖产品的报单和入关程序制定一个详细的规定，并建立具体程序以防止在两个及以上国家生产加工的涵盖产品规避国际储备配额的要求。在制定计算国际储备配额数量的通用方法时，环境保护署署长应根据对国内生产商减免的排放配额以及合格工业部门从免费分配给供电商的配额中获得的利益对国际储备配额的数量进行调整，在适当情况下还可决定将国际储备配额的数量减少至零。

在一切条件都满足时，国际储备配额项目将于 2020 年 1 月 1 日起对进入美国关境的涵盖产品适用。

综上所述，《美国清洁能源安全法案》中碳关税条款有以下特征：第一，明确指出实施碳关税的目的是防止本法的实施造成美国国内生产成本提高，从而导致其他国家的工业实体温室气体排放量的增加，也就是防止"碳泄漏"的发生；第二，将国际谈判作为解决气候变化问题的优先选择与实施碳关税的前提条件；第三，要求碳关税措施以与美国是缔约国的国际条约相符的方式设计与实施；第四，如果符合一定的条件，美国的碳关税将于 2020 年 1 月 1 日起对进口产品适用；第五，碳关税不适用于最不发达国家、合格工业部门中占全球温室气体排放量不足 0.5% 的国家以及占涵盖产品的进口量不足 5% 的国家，最不发达国家之外的发展中国家并不享有碳关税豁免（黄文旭，2011）。

2.1.4　美国碳关税的立法趋势

美国是全球温室气体排放量最多的国家，二氧化碳排放量占全球总量的 25% 以上。但其至今没有正式批准《京都议定书》，反而还大张旗鼓的主张征收碳关税（张倩，2012）。其实，纵观美国的碳关税立法路径，其有关碳关税的立法动议早在 2007 年就已提上了"工作日程"。美国有关征收碳关税的条款最早可以追溯到 2007 年参议院议员乔瑟夫·利伯曼和约翰·沃纳提交的《2007 年利伯曼-沃纳气候安全法案》。而 2008 年参议院议员芭芭拉·鲍可瑟提交的《2008 年利伯曼-沃纳气候安全法案》中的碳关税条款规定的更为详细。按其规定，从 2019 年 1 月 1 日开始，美国环境保护署署长应建立国际储备配额项目，所有从清单国家进口清单产品的进口商应该购买相应的国际储备配额，国际储备配额的价格大致等于美国国内配额的交易价格（黄文旭，2011）。

2009 年 3 月，美国能源部部长朱棣文在美国众议院科学小组会议上表示，为了避免美国制造业处于不公平竞争状态，美国计划对进口商品征收"碳关税"（高兴霞，2010）。同年 6 月，在波恩举行的联合国气候变化会议上，部分美国代表提出要对没有实施温室气体强制减排的国家实施附加贸易关税，即征收碳关税。2009 年 6 月 22 日，美国众议院通过《美国清洁能源安全法案》，法案规定，美国有权对包括中国在内的不实施碳减排限额国家出口到美国产品征收碳关税，法案从 2020 年起开始实施（吕海霞，2009）。《2009 年美国清洁能源安全法案》在众议院获得通过后便没有了下文，但美国并没有放弃碳关税的立法努力。2009 年 9 月 30 日，参议院公布了由参议员约翰·克里（John Kerry）和芭芭拉·鲍可瑟草拟的参议院版本的气候变化法草案——《清洁能源工作与美国电力法案》（S. 1733，*Clean Energy Jobs and American Power Act*），该法案以众议院通过的《美国清洁能源安全法案》为基础。但两者有诸多不同之处：①温室气体减排的近期目标有所改变。《清洁能源工作与美国电力法案》规定，从 2012 年开始限制温室气体排放的总量，2020 年要在 2005 年的基础上减排 20%。但参议院目前的立法形势比较严峻，不少议员明确反对该项气候变化立法。可以预见，该 20% 的减排目标最后可能也要面临被更改的命运。②没有规定"总量限制与排放交易"机制如何具体运行，并将其表述换成了"污染减少与投资"（pollution reduction and investment），目的是避免被认为是一种税收，从而减轻该法案通过的阻力。③关于"碳关税"问题，参议院版本的法案中没有规定"国际储备配额"制度，只是在第 765 节"国际贸易"（international trade）中规定："参议院认为，该法案在后续制定过程中，应根据美国的能源密集型出口企业承担的排放配额，加入有关边境措施（a border measure）的章节，以使进口产品的原产国承担与美国相一致的国际义务。"

2010 年 5 月 12 日，美国参议员约翰·克里和乔·利伯曼公布了《美国电力法案》。该法案规定了排放配额退回项目和国际储备排放配额项目（即碳关税条款），如果与美国高能耗产业存在竞争的国家到 2025 年仍没有采取与美国具有可比性的减排措施，则美国将开始对相关产品的进口购买国际储备配额。该法案有关国际储备配额的具体内容和《美国清洁能源安全法案》大同小异，但没有《美国清洁能源安全法案》详细。《美国电力法案》还只是一份讨论稿，参议院并没有对其进行表决。该法案公布后，奥巴马总统迅速发表声明，对该法案表示支持，希望能尽快完成立法。

上述一系列法案最终获得通过的希望渺茫。然而，美国还会继续提出包含碳关税条款的气候立法，这些气候立法一旦获得通过，美国就必然会在边境采取调节措施，并很有可能采用"国际储备配额"的形式（Khor et al，2011）。美国国情和议会的特点决定了最终的碳关税条款较之《美国清洁能源安全法案》将更为苛刻，而美国劳工组织、环保组织和工业界也都认为碳关税是气候立法所必须附加的要价（张中祥，2009）。根据美国对气候变化问题上的一贯态度，美国要么不通过气候变化立法，一旦通过，极有可能包括碳关税条款。WTO 在碳关税合法性问题上的暧昧态度也使美国最终实施碳关税更为可能。即使美国将来实施的碳关税措施被认定违反了 WTO 规则，美国也不需要对已经实施的碳关税制度造成的损害进行赔偿，只需要修改相关立法。换句话说，碳关税的违法成本是很小的，美国不会因为担心碳关税违反 WTO 规则而不实施碳关税措施（黄文旭，2011）。

尽管美国是否最终实施碳关税还存在着变数，碳关税是否采取国际储备配额的形式也尚未最终确定，但对"国际储备配额"的分析仍然很有意义，因为这反映了美国在制定边境调节措施时坚持的原则和态度，可以此来判断其后续的走向（黄文旭，2011）。

2.2　欧盟的碳关税提案①

2.2.1　欧盟提出碳关税的背景

在应对气候变化这一问题上，欧盟的态度一直都十分积极。挪威、芬兰、瑞典及丹麦等欧盟成员国在 20 世纪 90 年代就已经开始实施了碳税或能源税等温室气体减排措施。《京都议定书》生效后，欧盟更是积极履行其量化减排承诺，并通过欧盟排放交易机制（European Union Emission Trading Scheme，EU ETS）取得了一定的减排成效。根据欧洲环境保护署的统计，截至 2008 年，签署了《京都议定书》的原欧盟 15 国碳排放量连续 4 年减少，在 1990 年的基础上降低了 6.2%（人民网，2010）。在取得了减排效果的同时，欧盟也为此承受了巨大的压力和沉重的财政负担。由于《联合国气候变化框架公约》非附件一国家没有承担强制减排义务，《联合国气候变化框架公约》附件一国家实施碳减排措施将导致非附件一国家的碳排放量增加。这种碳泄漏现象不但使欧盟的减排效果失去意义，更重要的是使欧盟企业的竞争力进一步受损。据统计，欧盟内竞争力受碳泄漏影响的工业部门多达 164 个，涵盖面非常广（中国商务部网站，2009）。

此外，欧盟企业迁至没有实施碳减排措施的国家会导致欧盟就业机会的不断减少，这使失业率本就居高不下的欧盟在实施减排措施与创造就业机会之间陷入了两难境地。一些欧洲政治家和学者开始不断呼吁欧盟采取措施，以避免和解决欧盟排放交易机制带来的碳泄漏和竞争力受损问题。尤其是在美国政府宣布退出《京都议定书》并拒绝接受履行减排义务后，欧盟开始考虑实施碳关税，以确保其企业及其产品得以在公平的国际环境下参与竞争。

针对美国退出《京都议定书》的行为，法国前总理德维尔潘在 2006 年年底主张对美国输欧产品征收惩罚性碳关税，这使欧盟内部对碳关税问题的讨论受到各国的关注。

---

① 本部分内容主要编引自黄文旭、张倩的研究。

2.2.2　欧盟碳关税提案的主要内容

美国目前还没有全国性的二氧化碳排放权交易制度，因此其碳关税提案是和排放权交易制度一起提出的。而欧盟的二氧化碳排放权交易制度已实施多年，是目前实施的最先进的二氧化碳排放权交易制度。因此，欧盟提出的碳关税是有已经实施的排放权交易制度为基础的。为了理解最近欧盟将排放权交易制度扩展适用至进口产品（碳关税）的提议，有必要对欧盟排放权交易制度进行简要介绍。

2.2.2.1　欧盟排放权交易制度

1993 年，欧共体委员会建立了监测成员国温室气体排放的机制。2000 年，欧洲委员会公布了建立欧洲排放权交易机制的讨论稿。这些行动为欧洲建立排放权交易制度奠定了基础，最终形成了欧盟 2003 年第 87 号指令（2003/87/EC），该指令建立了欧盟排放权交易制度。欧盟排放权交易制度于 2005 年 1 月 1 日开始实施，2005～2007 年是热身性质的第一阶段，2008～2012 年是第二阶段，与《京都议定书》第一承诺期相对应。欧盟排放权交易制度现在已纳入超过 10000 家实体，这些实体的排放量占欧盟二氧化碳排放总量的 40% 左右。该制度目前只适用于国内生产商，进口商没有义务购买排放额度。

根据欧盟 2003 年第 87 号指令第 4 条的规定，欧盟成员国必须确保从 2005 年 1 月 1 日起，指令附件一所列实体在没有温室气体排放许可的情况下不能运行，除非其根据第 27 条被临时豁免。附件一所列的需要持有温室气体排放许可的实体包括四类：某些能源实体、生产与加工黑色金属的实体、与采矿有关的实体以及其他实体。因此，并非所有欧盟境内温室气体排放的商业来源都纳入了该方案，而只是某些二氧化碳排放行为。

上述实体必须持有的温室气体排放许可为上述实体施加了许多义务。欧盟 2003 年第 87 号指令第 5 条规定，许可证申请者必须提供有关其生产设备所使用的技术、生产设备使用的可能导致二氧化碳排放的原材料、生产设备排放二氧化碳的来源以及监测、报告碳排放采取的步骤的详细信息。

该指令第 6 条规定，"有关机构将颁发温室气体排放许可证，授权排放温室气体……如果经营者能够监测并报告其排放。"第 6 条还规定了温室气体排放许可所包含的信息。然而，最重要的是，第 6 条第 2 款 e 项规定，温室气体排放许可包含"在每一日历年度结束后 4 个月内归还与该年度该单位总排放量相等的排放额度的义务"。因此，第 6 条第 2 款 e 项迫使各单位获得充足的额度以抵消其二氧化碳排放。

经营者能通过直接从欧盟成员国的最初分配或从其他持有配额的人手中获得足够的配额。欧盟 2004 年第 101 号指令（Directive 2004/101/EC）对欧盟 2003 年第 87 号指令进行了修订，为经营者获得部分配额提供了另一种途径。欧盟 2004 年第 101 号指令

第 2 条(在欧盟 2003 年第 87 号指令中作为第 11a 条增加)规定,成员国可以允许经营者在分配给该实体的配额的一定比例内交易"经核证的减排量"(certified emissions reductions,CER)和"减排单位"(emissions reduction units,ERU)。

成员国承担着如何将配额分配给经营者的职责,尽管欧盟 2003 年第 87 号指令为此种分配做出了一定的限制。欧盟 2003 年第 87 号指令第 9 条规定,成员国必须根据"客观与透明标准"和指令附件三所列的标准,制定国家分配计划。指令第 10 条为配额的分配规定了另一个重要的限制,即"从 2005 年 1 月 1 日起的三年内,成员国应将至少 95% 的配额免费分配。从 2008 年 1 月 1 日起的五年内,成员国应将至少 90% 的配额免费分配"。

2.2.2.2　欧盟碳关税制度

虽然欧盟目前还没有包含碳关税条款的立法,但欧盟条约中有关于边境税调整的规定,为碳关税的实施提供了可能性,而且欧盟也出现了将排放权交易制度扩展到进口产品的提议。

(1)欧盟的边境税调整制度。欧盟条约中有关于边境税调整的规定,这一规定对直接税和间接税进行了区分,允许对间接税进行边境税调整,而不能对直接税进行边境税调整。欧盟关于哪些环境税费可以进行边境调整的规定与 GATT 的规定有所不同,特别是下面两点值得注意:①根据欧盟法律,对原材料和能源等产品的前期投入所征收的环境税很难进行边境调整,不论生产过程中所消耗的原材料是否转化为最终产品的组成部分。②欧盟法律允许根据产品的生产和加工方法、原材料或生产质量的不同对同类产品收取不同的税费,但这种不同的税费必须符合国民待遇原则,不构成对进口产品的变相歧视或为国内产品提供保护。在判断是否构成对进口产品的变相歧视或为国内产品提供保护上,如果法院发现大部分进口产品适用较高税率,或大部分国内产品适用较低的税率,就很可能认定对进口产品构成了变相歧视或为国内产品提供了保护。此外,欧盟正在积极推动对产品的生产和加工方法实施环境措施(边永民,2005)。欧盟对生产和加工方法的态度表明,欧盟实施碳关税的可能性较大。

(2)欧盟将排放权交易制度扩展到进口产品的提议。欧洲排放权交易制度目前只适用于欧洲生产商,近年来出现了很多要求将进口产品纳入排放权交易制度的建议。2000 年欧洲排放权交易制度绿皮书建议,排放权交易制度导致欧洲企业竞争力降低的问题有望通过其他国家采取类似的政策而得以缓解:"如果其他工业化国家加入《京都议定书》下的温室气体排放权交易,则欧洲排放权交易制度对国际竞争力可能产生的负面影响将得以缓解。如果从 2008 年起排放权的国际贸易制度得以实现,则不管公司位于哪个工业化国家,其都将承担类似的成本。"

在其他国家没有采取类似措施的情况下,欧盟内部建议对进口产品采取某种措施的呼声越来越多。例如,2006 年 11 月,法国总理多米尼克·德维尔潘就建议对从没有签署京都议定书的国家的进口产品征税（Reuters，2006）。欧盟委员会主席巴罗佐在 2008 年 1 月 23 日的演讲中指出，欧盟应"准备要求进口商和欧盟竞争者一样获得排放权交易制度的配额"。

2008 年 1 月，欧盟委员会公布了一份修改欧盟 2003 年第 87 号指令的提案，以改善并扩大欧盟温室气体排放配额交易制度。这是第一份明确考虑了排放权交易制度的运行所产生的碳泄漏问题的指令草案，尽管欧盟应对这一问题的首选政策还不是很清楚。该草案的解释性序言指出，到 2020 年，欧盟所有的排放配额将通过拍卖的方式进行分配，在第三国没有采取可比减排措施的情况下，将会引起"碳泄漏"的风险，即温室气体排放实体转移到第三国，从而增加全球排放量。如果其他发达国家和温室气体排放大国没有加入旨在将全球升温控制在 2℃ 以内的国际协议，欧盟的一些面对国际竞争的能源密集部门将会遭受碳泄漏威胁，这将破坏环境的整体性与欧盟减排行动的效益。欧盟委员会应于 2011 年 6 月之前提交一份对易遭受碳泄漏的能源密集型部门的情况进行评估的分析报告，并在报告中考虑两种应对碳泄漏问题的方案：免费分配配额给某些生产商或建立一个"有效的碳平衡系统"。该序言的注释将重点放在了后一种方案，讨论了建立一种要求进口商以"不低于欧盟内的机构"的条件获得并提交配额的制度的可能性。然而，在该指令草案本身的文本内，前一种方案似乎占优势。修改前的第 10 条第 8 段规定，2013~2020 年，应该将根据该条第 2 至 6 段确定的配额数量 100% 免费分配给遭遇碳泄漏风险很大的部门的实体。相反，最新的第 10b 条只是呼吁欧盟委员会提出应对碳泄漏问题的方案，包括"将根据第 10a 条确定的部门或子部门的产品进口商纳入欧盟排放权交易制度"。该草案还规定，所有的措施都必须符合《联合国气候变化框架公约》中的原则，特别是共同但有区别的责任原则，并考虑最不发达国家的特殊情况。此外，这些措施还必须符合欧盟在 WTO 协议及其他国际法规则下的义务。可见，欧盟只是非常笼统地讨论了实施某种类型碳关税的可能性，还没有具体的方案将碳关税的细节公布于众（Veel et al，2009）。

值得注意的是，上述草案较早的一份版本在某些方面更为详细。该版本的草案指出，为了鼓励在尽可能多的国家间达成国际协议，在符合共同但有区别的责任原则的前提下，碳关税不适用于采取了与欧盟具有可比性的有约束力的可核证的温室气体减排措施的国家。如果一国加入了上述国际协议，或者与欧盟排放交易机制建立了连接，则视为采取了可比措施，从而免征碳关税。欧盟委员会还应计算出某个产品或某类产品在欧盟生产的平均温室气体排放量，进口商需提交的配额数量为该类产品平均温室气体排放量减去平均获得的免费配额数量，再乘以进口产品的吨数。为了体现共同但有区别的责任原则，进口自发展中国家的产品需提交的配额将根据一定的方式得到减少。需要提交配额的产品进口时，进口商应向海关提交一份书面申明，确认已向欧盟登记系统提交了足够数量的配额（Quick，2008）。

从这些草案可以看出，碳关税是欧盟解决碳泄漏与竞争问题的备选方案之一，另一备选方案是为遭遇碳泄漏的国内生产商免费分配排放配额。这些草案都特别强调，欧盟在实施碳关税等措施时必须符合共同但有区别的责任原则。

2009 年 12 月，欧盟公布了一份指令，列出了容易遭到碳泄漏的部门。这些部门是基于以下三个不同标准确定的：①《欧盟排放交易指令》的实施将使该部门的生产成本增加至少 5% 且非欧盟贸易密集度高于 10%；②《欧盟排放交易指令》的实施直接或间接引起的使该部门的生产成本增加至少 30%；③该部门的贸易密集度高于 30%。该指令列出了 164 个易遭到碳泄漏的部门，其中 117 个是基于贸易密集度标准而确定的，而以贸易密集度为标准使欧盟将来的碳关税措施具有贸易保护主义嫌疑（Nair，2010）。

2010 年 5 月 26 日，欧盟发布的一份工作文件再次提出采取碳关税应对碳泄漏问题，用较大篇幅讨论了将进口产品纳入到欧盟排放交易机制的可行性（张沁等，2010）。

此外，法国在欧洲气候变化项目的特别会议上提出了建立边境调节机制（border adjustment mechanism）的提议。根据该提议，进口商必须根据进口产品在欧盟的平均排放量提交排放权交易机制中的配额，但要减去免费分配给欧盟生产商的配额。为避免排放限额事实上的减少，进口商提交的配额将在第二年进行拍卖。法国强调，任何边境调节机制都只能在国际协议谈判不成功后作为最后的选择，而且必须确保符合 WTO 规则。法国关于边境调节机制的提议将对国际谈判产生何种影响及其与 WTO 规则的相符性在这次会议上引起了很多质疑。法国代表指出，该提议的目的不是阻碍国际谈判，并且相信边境调节机制的提议能够与 WTO 规则相符。一些对边境调节机制持怀疑态度的行业组织提到了投入成本提高及遭到贸易报复的风险。石灰与水泥行业则对边境调节机制持积极态度。欧洲议会议员 Doyle 女士指出，即使边境调节机制不在当前的提案当中，欧盟也应将其作为一种政策选择，但只能作为国际协议失败后的选择。在会议结束时，会议主席强调了以下几点：第一，达成国际协议是优先选择。第二，欧盟排放权交易机制的改革提案中已经将边境调节机制作为一种选择，如果欧盟决定实施边境调节机制，最重要的是确保其符合 WTO 规则。此外，边境调节机制对贸易与国际谈判的影响必须进行明确评估。可见，在这次会议上，欧盟对碳关税的态度得到了进一步明确（黄文旭，2011）。

2.2.3　欧盟碳关税立法的趋势

欧盟早在 20 世纪后期就已经将环保纳入国家发展战略，投入大量资金开发与利用新能源、新环保技术，并积极推动国际社会进行碳减排的谈判，以减少气候恶化对本国的消极影响。2007 年，法国政府提出要对来自不承担国际减排义务的美国的产品征收碳税，以抵消法国因参与欧盟碳排放交易体系而使本国企业增加的负担。同时，由于美国一直拒绝签署《京都议定书》，不承担减排义务，使得欧盟国家的商品在国际市场上处于不公平的竞争地位。因此，法国前总统希拉克以征收碳关税为威胁，向美国发出警告，要求其签署上述协议。

不仅如此，欧盟更于 2008 年开始考虑对进口至欧盟的产品实施"碳限制"，表示要对不参与减排的国家出口至欧盟的产品课征碳关税，以消除欧盟成员国因为实施排放交易机制而必须额外负担成本所导致的不公平竞争（李威，2009）。最终，欧洲议会于 2008 年 7 月 8 日以绝对多数票通过了 2008/101 号指令，该法案于 2009 年 2 月 2 日生效，决定自 2012 年 1 月 1 日起，将航空运输业纳入欧盟温室气体排放交易体系。由此，欧盟就正式确立了航空碳关税制度。按照欧盟排放交易体系的规定，从 2012 年 1 月 1 日起，所有到、离欧盟机场的航班均需纳入该体制并交付超过排放额度的罚款。中国的 33 家航空公司榜上有名（张瑶晶，2011）。

2009 年，在欧盟成员国环境部长非正式会议上，法国提交了要对有关发展中国家出口产品征收碳关税的议案，并将关税税率设置为每排放 1t 二氧化碳征收 17 欧元，此后还将逐步递增（张倩，2012）。由于该议案在讨论中被否决，因此征收碳关税的举措暂时被搁置下来。

2009 年 12 月底，欧盟的主要智囊机构欧洲政策研究中心在一份报告中建议欧盟对没有实施减排措施的国家出口到欧盟的产品征税。该智库能源气候项目负责人伊恩霍夫表示："启动碳关税可以帮助欧盟在未来的气候变化谈判中获得主导地位。"1983 年成立于欧盟总部布鲁塞尔的欧洲政策研究中心是欧盟重要的智囊机构，对欧盟政策形成有重要影响（黄应来等，2010）。因此，该中心的建议会推动欧盟启动碳关税的进程。

2010 年 4 月 15 日，法国总统萨科齐与意大利总理贝卢斯科尼联名致信欧盟委员会主席巴罗佐，呼吁对欧盟成品国以外生产的不符合其碳排放标准的产品在进入欧盟时收取补偿金，并以此手段促进欧盟以外国家采取积极措施减少二氧化碳排放量（彭梦瑶，2010）。这一提议得到了比利时、荷兰、丹麦等国政界人士的响应和支持。法国雇主协会和消费者协会的领导人也都赞成欧盟开征碳关税（蓝庆新，2010）。欧盟内支持碳关税的国家一般都是已经或准备在国内实施碳税的国家。

然而，欧盟内部也有国家反对碳关税。德国联邦环境部长罗特根（Norbert Rottgen）2010 年 4 月访问中国时表示，"德国不赞成碳方面的新税，因为我们需要自由的国际贸易，而新的税法可能会成为一个贸易保护主义行为，我们的立场是实施可再生能源法，来刺激和推动新技术和科学研究。我们需要的是类似于智能电网这样的技术来推动碳减排，即我们主张用技术的方式来推动可再生能源的发展和使用，而不是利用碳关税来推动"（席越，2010）。可见，德国目前对碳关税持反对态度。

2010 年 11 月 23～24 日，欧盟在布鲁塞尔先后召开了两场关于气候变化的研讨会。研讨会期间，欧盟气候行动总司司长约斯·德尔伯克（Jos Delbeke）表示，目前欧盟委员会还没有计划立刻推出碳关税，但欧盟现在关于碳关税的讨论确实很激烈。欧盟商界、各成员国领导人、议员都在讨论这一问题。欧盟不会在坎昆谈判桌上提出碳关税，如果各缔约方都能够遵守《哥本哈根协议》的共识，欧盟就不会草率地推出碳关税。在坎昆会议之后，总结坎昆的成果以及为 2011 年德班会议所做准备时，欧盟将考虑碳关税问题（袁雪，2010）。

欧盟碳关税阵营领头兵法国，虽经萨科齐总统强力推动，国民议会和参议院投票通过，但最终还是被法国宪法委员会以该碳税法案不符合纳税平等原则为由宣布无效（张汉东，2010）。法国宪法委员会认为，碳税法案包含太多例外，只有不到一半的温室气体排放将被课以碳税，而火力发电厂、1000 余处高污染的工业基地以及交通运输业等都不在纳税范围内。在这种情况下，碳税法案不但无法达到显著减排的目标，还会造成税收的不平等（李慧，2010）。法国碳税法案被宣布无效并不表示法国宪法法院反对实施碳税，而是由于免税的企业过多。法国碳税法案之所以将大量企业排除在征税范围之外，原因之一是碳税对国内企业国际竞争力的不利影响。解决碳税引起的竞争问题有两种方案，一种是对国内受到竞争威胁的产业免税，一种是对进口产品征收碳关税。既然对国内产业免税这一方案在法国行不通，那么法国在下次碳税立法中就可能采取碳关税政策来代替免税政策。当然，欧盟碳税法案的失败也意味着离碳关税的开征还有很长的路要走（黄文旭，2011）。

可以看出，欧盟成员国对是否实施碳关税还存在着分歧，但从未放弃实施碳关税的计划。欧盟已经决定从 2012 年开始对进出欧盟的航空公司征收碳排放税（王蕾，2010）。这一立法遭到了国际社会和航空业的强烈反对，迫于压力，欧盟于 2012 年 2 月作出妥协，承诺将"有条件暂停"航空碳税法规部分内容，并愿意通过谈判解决征收航空碳税的问题。然而时隔不久，欧盟委员会又提出将在 2012 年 6 月份增加"航海碳税"，正式确立航海碳关税制度。此举一出，引起国际社会轩然大波，一场关涉航空碳关税和航海碳关税在内的碳关税战斗正在悄悄打响。航空碳关税的征收，将导致欧盟和全球其他各国航空运输成本的上升，运输成本的增加必然导致相关依赖于航空运输的产品价格上涨，不仅使航空产业的发展受到非常大的影响，还会通过传导机制影响到其他相关产业和产品的出口，构成了隐形的绿色贸易壁垒，阻碍国际贸易的健康发展，甚至还会引发贸易大战。有学者认为，这种在服务贸易领域征收的碳排放税对贸易也会形成限制，在本质上类似于碳关税（蓝庆新，2010）。这可以视为欧盟在正式实施碳关税之前的一次尝试。目前坎昆会议已结束，但没有达成有法律约束力的协议，因此欧盟实施碳关税的可能性更大。

2.3　美国与欧盟碳关税立法的比较分析[①]

欧盟、美国相继出台碳关税的立法绝非偶然，而是有着错综复杂的政治利益、经济利益的考量。欧美的碳关税立法既有异曲同工之妙，又各具特色，耐人寻味。

2.3.1　美国与欧盟碳关税立法的共同点

2.3.1.1　主观意图有着相似的初衷与考量

美、欧发达国家强力主张征收碳关税，既有着顺应时代发展的侥幸心理，又有着各自的利益算盘。所谓顺应时代发展是指低碳经济符合世界经济的发展潮流和环境保护的大趋势。全球气候变暖、生存环境恶化等客观现实都让所有与低碳有关的政策主张登堂入室，迅速上升到全球新一轮产业调整方向的战略地位。所谓利益算盘是指美欧等国家都心怀鬼胎，从其最初推行低碳经济，主张碳关税时就嵌入了超越单纯气候问题的战略意图。其真实想法是想借助征收碳关税的契机挖掘新的经济增长点，转嫁国内危机，继续维持其在政治、经济、技术领域的霸权地位，从而操纵国际经济格局、掌控环保规则的制定权，打压发展中国家。具体来说，其制定碳关税的主观意图主要有三(张倩，2012)：一是振兴国内经济，维护经济霸权地位，压制中国等出口大国竞争力，占领经济增长的制高点，并以此促进国内经济的复苏。二是转嫁环境治理责任和成本，规避减排义务。美国通过对进口产品征收高额碳关税，间接地提高了进口产品的价格，从而为本国低价产品提供了绝佳的竞争优势，扭转其贸易逆差的局面。同时，美、欧还将从碳关税的征收和低碳技术的转让中获得的高额财政收入用于环保技术的开发，以维持其在绿色经济领域的霸权地位。三是争夺世界话语权，使其在全球气候变化谈判中处于有利地位，并最终使碳关税在国际上获得合法地位。

2.3.1.2　碳关税立法以排放权交易制度为基础，强调公平、合法

如果仅仅从欧盟、美国碳关税提案本身来看，它们具有以下共同点：

(1)以排放权交易制度为基础。美国与欧盟的碳关税提案都是以排放权交易制度为基础的，将来可能实施的碳关税类型是与国内排放权交易制度相对应的碳关税。虽然法国在国内力推碳税并准备将碳税扩展适用于进口产品，但法国的碳税法案没有获得通过，而且欧盟层面的改革趋势是将进口产品纳入排放权交易制度。

(2)将碳关税作为解决碳泄漏与竞争问题的手段，要求碳关税必须符合国际法规则。美国的有关法案中对碳泄漏进行了定义，对竞争问题进行了讨论，并将碳关税作

---

① 本部分内容主要编引自黄文旭、张倩的研究。

为解决碳泄漏与竞争问题的手段之一。欧盟在对排放权交易制度进行改革的提案中也特别强调了碳泄漏与竞争问题，并提出将排放权交易制度扩展适用于进口产品以解决碳泄漏与竞争问题。可见，美国与欧盟都将解决碳泄漏与竞争问题作为提出碳关税的理由，而否认碳关税的贸易保护主义性质。值得注意的是，美国与欧盟都只是将碳关税作为解决碳泄漏与竞争问题的备选方案之一，对国内相关产业免费分配配额是解决碳泄漏与竞争问题的另一种方案。

《美国清洁能源安全法案》规定，碳关税措施必须以与美国是缔约国的国际条约相符的方式设计与实施。欧盟的有关提案规定，碳关税措施必须符合欧盟在 WTO 协议及其他国际法规则下的义务。可见，虽然碳关税具有违反国际法规则的重大嫌疑，但美国与欧盟在立法上都特别强调与国际法规则的相符性(黄文旭，2011)。

(3)强调国际谈判的作用，是否实施具有不确定性。《美国清洁能源安全法案》将国际谈判作为解决气候变化问题的优先选择与实施碳关税的前提条件，只有在没有达成符合美国要求的国际协议时，美国才会实施碳关税。欧盟在对排放权交易机制进行改革的提案中也指出，达成国际协议是解决碳泄漏与竞争问题的首选政策，碳关税只能作为国际协议谈判失败后的最后选择(黄文旭，2011)。

虽然美国与欧盟都提出了对进口产品征收碳关税的计划，但美国的有关法案没有获得通过，欧盟的有关提案只是要求考虑征收碳关税的问题，没有提出碳关税的具体实施方案，而且欧盟成员国在是否实施碳关税问题上存在着分歧。因此，美国与欧盟是否会实施碳关税，什么时候实施碳关税，都存在着不确定性。

2.3.1.3　构成对国际贸易的变相限制，形成贸易壁垒

从经济角度来看，《美国清洁能源安全法案》所规定的单边措施事实上会对进口产品形成价格控制机制，造成任意或不合理的歧视，削弱发展中国家在国际贸易中的成本优势，降低产品的国际竞争力。一份由世界银行和美国皮德森研究所专家撰写的研究报告显示，一旦实行碳关税，所有中低收入国家出口额将削减 8%(陈光普等，2011)。这对处于快速发展中的我国，必将产生严重的不利影响。此外，欧盟航空碳关税的征收也将使我国遭受重创。根据中国民用航空局初步测算，2012 年，中国各大航空公司起码需要向欧盟支付约 8 亿元人民币，而随着中欧航班量的增加，这个数字将不断攀升(张璐晶，2011)。从环境保护角度来看，一方面，发达国家已经完成工业化阶段，为维护本国环保利益，其将大量高耗能、低效率、高排放、高污染的重化工业和低端制造业转移到发展中国家，从而转嫁环境污染较高产业应承担的减排成本，而发展中国家却深受环境污染之害。另一方面，碳关税的征收将会迫使发展中国家支付高昂的费用来引进、购买发达国家先进的环保技术从而满足其对产品碳减排的严苛要求。这样一来，发展中国家不仅承接着发达国家转嫁过来的高污染，而且还要支付其高昂的环保技术费用，从而用这些费用为本国的污染买单，这就形成了一种荒谬且

恶性的循环，阻碍发展中国家前进的步伐。这样从客观结果上来看，美国和欧盟的碳关税立法都达到了其立法的初衷，并在现实中构成了贸易壁垒，阻碍了发展中国家的持续发展，从而为本国经济的发展扫清了障碍，铺就了坦途(张倩，2012)。

2.3.2　美国与欧盟碳关税立法的不同之处

(1)立法主体不同。美国作为独立的国家，在国际上拥有着独立的政治地位。根据属地管辖原则，其制定碳关税立法从而对进入美国领域的商品征收碳关税具有管辖上的合理性与单一性。其征收的领域界限就是美国的地理界限，其制定的碳关税立法充其量也只是一国范围内制定的国内法。同时，在执法过程中，也并不存在征收主体重叠或交叉的问题，在有关碳关税贸易纠纷的诉讼中美国也可以以其独立国际法主体的地位予以应对。然而，欧盟作为特殊的国际法主体，在碳关税的制定与征收中却面临着极其复杂的问题。虽然欧盟具有国际法意义上的主体地位和身份，制定了单一的市场，通过了标准化的法律制度，采用统一的货币，并代表其成员国展开积极的政治交往，维护其成员国的利益，但其却并不是独立的主权国家。无论其一体化到何种程度，它也只能算是国家之间的联合体，而非国际法意义上的国家。其所制定的碳关税立法，在其不同的成员国之间如何具体适用、执法中各成员国是否会出现重复征税或管辖冲突、发生碳关税贸易争端究竟该以欧盟为被告还是应以其成员国为被告、征税中是由欧盟统一征税还是各成员国征税、航空碳税中飞机经过多个欧盟成员时应如何征税，等等。以上种种疑问的提出都显示出了欧盟在碳关税这一问题上的复杂性与特殊性，也是其在航空碳税征收的过程中需要予以妥善解决的问题(张倩，2012)。

(2)意图、对国际谈判的期望不同。欧盟提出碳关税主要是针对美国，因为美国退出了《京都议定书》，欧盟希望通过征收碳关税来迫使美国承担《京都议定书》中的减排义务。根据欧盟碳关税提案，美国是欧盟碳关税的唯一目标国(Quick，2008)。而美国提出碳关税则是针对中国等发展中国家，其意图是以碳关税迫使发展中国家和发达国家一样，承担强制减排义务。当年欧盟提出征收碳关税时，美国是强烈反对的，而如今美国从曾经的碳关税反对国变成了碳关税立法行动最积极的国家，充分体现了美国在碳关税问题上的双重标准。

虽然美国与欧盟都将国际谈判作为解决碳泄漏与竞争问题的首选政策，但美国与欧盟对国际谈判所要达到的目标有着不同的期望值。《美国清洁能源安全法案》规定了具体的谈判目标，即主要的温室气体排放国为全球温室气体减排做出公平的贡献，并要求所达成的国际协议中包括处理碳泄漏与竞争问题的条款，而且不能禁止碳关税措施。而欧盟的提案中并没有规定具体的谈判目标，但强调了共同但有区别的责任原则。可见，美国的谈判目标是不切实际的，强调共同责任而回避区别责任(黄文旭，2011)。

（3）涉及的领域及对象、进度不同。美国的《清洁能源安全法案》中规定，对不实施碳减排限额国家出口到美国的产品征收碳关税，其针对的征收对象是进口到本国的商品，这实际上就是贸易碳关税。反观欧盟，其决定将航空运输业纳入欧盟温室气体排放交易体系，其针对的征收对象是到、离欧盟机场的航班，实际上就是航空碳关税。适用领域及对象上的不同，也就决定了两者在碳关税的征收标准、征收时间、征收程序等方面也存在着种种不同，构成了各具特色的碳关税征收体系（张倩，2012）。

美国与欧盟在碳关税的立法进度上不同，最早提出碳关税的是欧盟，但欧盟到目前为止还只有非常笼统的建议将进口产品纳入排放交易制度的提案。美国提出碳关税的时间晚于欧盟，但已有好几份详细的立法提案，只要美国的有关法案获得通过，碳关税就可据以实施（表 2-1）。然而，欧盟实施碳关税是有一定的制度基础的，因为欧盟已经实施了比较成熟的排放交易制度，而美国则没有全国性的排放交易制度。因此，欧盟实施碳关税只需将进口产品纳入已有的排放交易制度，而美国需要在一个全新的减排制度中纳入进口产品（黄文旭，2011）。

表 2-1　欧盟与美国排放交易机制（含碳关税）比较

	欧盟排放交易机制第三阶段 （2013～2020）	《美国清洁能源安全法案》
减排目标	到 2020 年在 2005 年的基础上减排 21%	2020 年排放量为 2005 年的 83%，2050 年排放量为 2005 年的 17%
对碳泄漏与竞争问题的处理	为贸易暴露部门的装置免费分配排放配额并可能将进口产品纳入排放交易机制	短期：基于产量减免配额 长期：可能从 2020 年开始进行边境调节
进程安排	2009 年 12 月 31 日：欧盟委员会确定可获得 100% 免费配额的装置清单。 2010 年 6 月 30 日：公布 2013 年欧盟范围的配额分配；通过配额拍卖条例；公布对贸易暴露部门的状况进行分析的报告。 2010 年 9 月 30 日：公布第三阶段排放限额调整后的完整数据。 2010 年 12 月 31 日：公布供拍卖的配额的预估数量；委员会通过某些经协调的分配标准；调查配额市场是否易于内部交易。 2011 年 3 月 31 日：对根据 2010 年 6 月 30 日的分析报告免费分配许可证的决定进行评估。 2011 年 9 月 30 日：每个成员国公布涵盖装置清单以及免费分配的详细情况。	2011 年 6 月 30 日：公布可获得减免的合格工业部门列表（2013 年进行更新，之后每 4 年更新一次）。 2013 年 7 月 1 日：科学评估报告（之后每 4 年一次）。2014 年 7 月 1 日：N. A. S. 对科学评估报告进行评估，并提出政策建议（之后每 4 年一次）。2015 年 7 月 1 日：总统根据上述两个报告制定政策（之后每 4 年一次）。 2017 年 1 月 1 日：总统向国会提交关于配额减免有效性的报告（之后每 2 年一次）；对抵消项目进行科学评估（之后每 5 年一次）。 2018 年 1 月 1 日：如果没有达成符合要求的多边环境协定，总统将为能源密集型和贸易暴露型产品的进口建立国际储备配额项目，该项目将于 2020 年开始实施。

资料来源：黄文旭. 国际法视野下的碳关税问题研究［D］. 华东政法大学，2011.

2.4　小　结

　　提出碳关税的国家并不多，本章选择最早提出碳关税设想的欧盟与在若干立法提案中规定了碳关税措施的美国作为对象来分析碳关税的具体内容。美国在通过立法控制温室气体排放方面落后于欧盟，为了缓解来自环境和资源方面的压力，美国提出了一系列包含碳关税条款的温室气体减排法案，比较著名的是 2007 年、2008 年《利伯曼-沃纳气候安全法案》与 2009 年美国众议院通过的《美国清洁能源安全法案》。尽管一系列法案最终获得通过还待确定，美国是否最终实施碳关税还存在着变数，但相关法案却已经标示出美国未来碳关税的构想。因此本章对《利伯曼-沃纳气候安全法案》《美国清洁能源安全法案》中与碳关税相关的条款进行了介绍和分析。在应对气候变化这一问题上，欧盟的态度一直都十分积极，虽然欧盟目前还没有包含碳关税条款的立法，但欧盟条约中有关于边境税调整的规定，为碳关税的实施提供了可能性。欧盟已实施多年的二氧化碳排放权交易制度，是目前实施的最先进的二氧化碳排放权交易制度，欧盟也出现了将排放权交易制度扩展到进口产品的提议。因此本章对欧盟排放权交易制度、欧盟的边境税调整制度、欧盟将排放权交易制度扩展到进口产品的提议进行了介绍和分析。美国与欧盟碳关税立法均以排放权交易制度为基础，强调公平、合法，但背后隐藏着维护经济霸权地位、转嫁环境治理责任和成本、争夺世界话语权等相似的初衷与考量，客观上构成对国际贸易的变相限制，形成贸易壁垒。

第3章 碳关税推出原因、本质及实施可能性分析

3.1 发达国家推出碳关税的原因[①]

一种新制度的产生总是有原因的，碳关税也不例外。提出碳关税的国家都将应对气候变化、解决碳泄漏问题和竞争问题作为提出碳关税的原因，但碳关税产生的根本原因不是为了解决碳泄漏和竞争问题，而是贸易保护主义。

3.1.1 环境原因：应对全球气候变暖

当前的气候问题已经是处于全球十大环境问题之首。近百年来，全球平均气温上升很快。联合国政府间气候变化专门委员会（IPCC）分别在1990年、1995年、2001年、2007年发布了4份全球气候变化的评估报告，显示过多温室气体排放导致的全球气候变化趋势及其负面影响非常严峻。在1906~2005年全球气温上升了0.74℃，预计到21世纪末，全球地表温度可能会升高1.8~4℃。根据IPCC得出的结论，若气温的升高控制在比工业化前水平高出2℃内，是目前可预测的最高安全水平。但即使气温上升1~2℃，也可能会使生态系统和水资源遭受到重创（索尼娅·拉巴特等，2010）。根据美国国防部报告《气候突变的情景及其对美国国防安全的意义》预测，当气温上升达到一定的程度时，各种反常的气候现象就会频繁急剧地发生。到2020年，欧洲沿海的许多城市可能会淹没在上升的海平面之下；英国的气候将变得既寒冷又干燥，就如同西伯利亚一样；在欧洲和北美洲东部人口比较密集的农业生产地区及水资源的供应地区，持续的干旱将达到几十年，冬季的暴风雪和大风将会更加猛烈；西欧和太平洋北部的地区将遭受到更强烈的大风天气（李静云，2010）。可见，如果人类社会再不积极地共同采取气候治理措施，整个地球的生态环境可能会遭到毁灭性地破坏，且一旦破坏，人类将无法创造和复制原生态意义上的大气环境，这将直接威胁人类的生存和发展。

征收碳税被普遍认为是减少碳排放最具市场效率的一种经济手段，但"单边气候

---

① 本部分内容主要编引自王宇松、黄文旭的研究。

政策的严重威胁是一些国家碳排放减少的同时，另外一些国家碳排放的增加"。仅部分国家采取限制碳排放的措施，会导致其本国高能耗企业为降低成本向非减排国家进行跨国转移；减排国家利用技术上的优势实现能源使用的转型，对化石燃料的需求下降，可能会引起全球含碳能源价格降低，又鼓励了非减排国家对含碳能源消费需求量的增加；全球范围内能源密集型产品消费的不加限制，能源密集型产品消费量最大的减排国家对这类产品的需求量不会减少，造成这些国家扩大对非减排国家能源密集型产品的进口。这些都会导致碳泄漏的出现，影响全球范围内的减排效果，因气候治理具有的全球性、无国界性等特征，不是依靠一两个国家的努力就可以根本性解决问题，而是需要所有国家的一致协调采取行动才能真正实现对温室气体排放的有效控制。因此，通过设计科学的碳关税制度的公正实施，在兼顾发展中国家发展权，保障发展中国家快速实现经济发展和能源利用转型的同时，可以有效防范碳泄漏，大幅度地降低温室气体的排放，遏制住因气温上升引发的全球生态灾难的发生（王宇松，2012）。

3.1.2 技术原因：解决碳泄漏问题

在以往对贸易与环境问题的研究中，污染避难所理论曾经证明了自由贸易的结果将会使企业为降低成本，不断从环保法律严苛的国家转移到环保法律较为宽松的国家，从而导致后者更加"肮脏"（Kuik et al，2003）。污染避难所理论在碳减排问题上就表现为碳泄漏。根据政府间气候变化专家委员会（IPCC）2001年评估报告中的定义，碳泄漏指的是《京都议定书》附件一所列国家的减排将导致非附件一国家排放量增加，从而减少了附件一国家减排的环境有效性。该报告指出，由于某些碳密集型产业向非附件一国家（即发展中国家）的转移以及由于价格变化对贸易往来的深刻影响，有可能导致碳泄漏幅度会达到5%~20%（IPCC，2001）。根据《美国清洁能源安全法案》的定义，碳泄漏指因为本法的实施造成美国生产成本提高，从而导致其他国家的工业实体温室气体排放量的实质增加。

在一些外国学者看来，碳关税得以推进的根本理由是其可以防止碳排放"泄漏"到没有实施有效的碳减排制度的国家（Veel，2009）。如果没有碳关税，在实施限额与交易制度或碳税制度的国家运营时需要支付碳税或购买排放额度的企业不能降低成本的，可能重新部署到没有对企业的二氧化碳排放征收类似费用的国家。在该外国生产后，该企业可以将其产品出口回需要交纳二氧化碳排放费的国家。在这种情况下，母国征收排放费用以减少二氧化碳排放的目标就无法实现，因为该企业通过转移生产避免了缴纳排放费用，并在其他国家排放二氧化碳。除了转移企业之外，碳泄漏还能以其他方式出现。比如，由于甲国征收碳税或实施限额与交易制度使得乙国的生产成本与甲国相比更低，乙国现有的生产商就可以利用其较低的生产成本增加其在甲国的市场份额。这会造成甲国企业的产量减少，但乙国二氧化碳排放高的企业生产却相对扩张。碳关税可以减轻或抵消上述碳泄漏现象的出现（Demailly et al，2006）。此外，减排国家的碳税或限额与交易制度将减少化石燃料的需求，从而使化石燃料的价格下跌，导致没有采取减排措施的国家使用更多的化石燃料，造成更高的温室气体排放（Burniaux et al，2010）。这也是碳泄漏的一种方式。

然而，世界银行的一项研究报告表明碳泄漏事实上并不明显，虽然发达国家的能源密集型产业的进出口比是一个逐步增长的过程，而一些发展中国家和地区的进出口比则是逐步下降的过程，但发展中国家仍旧是能源密集型产品的净进口国，而且发展中国家能源密集型产品进口数量减少在某种程度上是能源价格增长所导致的，而不是发达国家的能源密集型生产转移厂址的结果。此外，发展中国家的廉价土地和劳动力以及不断发展扩大的市场是造成转移的原因之一（世界银行，2010）。一些外国学者也认为，碳泄漏可能发生的程度是非常低的，因此碳关税对减少碳泄漏的效果不明显，不足以使其实施的复杂性及其对国际贸易的负面影响具有正当性（McKibbin，2009）。甚至有学者认为，碳关税对全球温室气体减排没有任何贡献，不会影响出口国的温室气体排放，因为出口国的生产不会因碳关税而减少，而只是改变贸易流向（Quick，2009）。综合各种因素，碳泄漏事实上是否存在是十分不确定的，即使碳泄漏事实上存在，碳关税在解决碳泄漏问题上的效果也不是很明显。

因此，碳关税得以推进的根本理由是防止碳泄漏的观点是片面的，竞争问题与国内的政治因素也是一些国家提出碳关税的背后原因。甚至可以认为，防止碳泄漏只是一些国家提出碳关税的一个幌子，其根本目的是保护本国企业。我国有学者甚至认为，碳关税本质上是一个国际政治经济问题，已经失去削减碳排放的意义（夏先良，2009）。碳泄漏概念被赋予太多政治意义，沦为部分发达国家不作为的借口或者在气候谈判中要求发展中国家参与强制减排的工具（赵行姝，2009）。虽然这种观点过于极端，不一定正确，但也说明了防止碳泄漏并不是推出碳关税的唯一原因。国外也有学者认为，碳关税并不是纠正碳泄漏的适当工具，其只能轻微地解决碳泄漏问题，但需要巨大的行政成本，并且会对国际贸易体制造成伤害（McKibbin et al，2008）。因此，在碳关税与碳泄漏的关系问题上，可以明确，防止碳泄漏是碳关税推出的原因之一，但并不是根本原因（黄文旭，2011）。

此外，需要注意的是，气候公约为不同的国家规定了不同的义务，表明国际社会认可了碳泄漏这一事实（Quick，2009）。既然气候公约认可了碳泄漏的发生，就不能将碳泄漏作为实施碳关税的理由。

3.1.3　经济原因：创造公平的竞争环境

在国际层面，碳关税的制定者一般拿碳泄漏问题作为说辞，然而，国内立法中规定碳关税条款更多的是因为竞争问题。消除国内减排措施对产业竞争力的不利影响，是碳关税措施的首要目标（黄志雄，2010）。一些已经采取温室气体减排措施的国家普遍对本国产业，特别是能源密集型产业的竞争力感到忧虑。这些国家尤其担忧高昂的能源成本会给本国造成负担，还会给那些没有采取措施的国家的竞争对手创造竞争条件和不公平的优势。这种成本和价格上的比较优势并非传统理论所说的各国资源禀赋的相对优势（王俊，2011）。比如，征收碳税会由于导致减排成本的提高（如煤、石油、天然气和发电产业）而对产业的竞争力产生影响。有学者就认为，各国因减排政策不同而导致其企业所承担的碳排放成本的不同是引发碳关税的根本原因（刘勇等，2010）。

世界银行的一项研究报告认为，在征收碳税（或类似能源使用税）的国家，能源密集型产业被认为有可能由于生产成本大幅提高而相对处于贸易的劣势。由此所导致的结果是，这些产业的国际竞争力或被削弱，或丧失部分市场份额，或者为了避免这种损失，将产业转移至不征收此类税种的国家。然而无论是哪一种情况，能源密集型商品的出口量会由于碳税而下降，而同类商品的进口量会增加。与此相对应，在进口国加征碳税后会使其进口竞争产业的竞争力下降，使得向该国出口的国家得以借机获益（世界银行，2010）。碳关税的目的就是确保没有实施碳税或类似制度的国家的生产商不能从更宽松的温室气体排放法规上获得人为的竞争优势（Veel，2009）。李威认为，表面上，"碳关税"的提出是发达国家基于现有的多边环境协定机制原则，对不承担减排义务的国家实施的促进其参与减排的环境措施。实质上，抵消发达国家实施"碳贸易"而增加的成本是其"碳关税"主张的本质（李威，2009）。不管是国内立法还是理论界，都把竞争问题作为提出碳关税的理由之一。

然而，反对以竞争问题为借口提出碳关税者认为，减排措施是否会对竞争力产生不利影响是不确定的。比如，美国加利福尼亚州 2006 年通过的《全球温室效应治理法案》规定了减排目标，即到 2020 年达到 1990 年温室气体排放水平，到 2050 年在 1990年的基础上减少 80% 的排放量。有人担心这些目标会削弱竞争力和降低就业率，这是毫无依据的。模拟实验表明，加利福尼亚州限制排放总量的政策将成为新的发展动力，到 2020 年可以增加 590 亿美元的收入及 2 万个就业机会（Michael et al，2010）。彼得森国际经济研究所（Peterson Institute of International Economics）的学者 Trevor Houser在 2009 年 4 月向美国国会发表证言时指出，《美国清洁能源安全法案》生效后，竞争力下降较明显的仅仅是那些对国际贸易依赖较大、会因碳排放价格明显提高生产成本的少数产业，它们仅占美国总就业的 0.3% 和经济活动的 1.4%，这使得有关问题完全可以通过向受影响的企业免费分配一定数量的排放配额以及对排放配额拍卖所得进行再分配来解决，而不需要另外实施碳关税等贸易限制措施（Houser，2009）。在英国，排放权交易机制只对小部分行业（水泥、钢铁、铝、化学物品、纸张和纸浆、炼油）的竞争产生潜在影响，而这些行业在国民生产总值与就业中只占很小的比重（Hourcade et al，2007）。

此外，以征收碳关税的方法来解决碳税引起的竞争不平衡问题可能会造成另一种竞争不平衡。世界银行的报告还认为，当进口国对国内产品与进口产品都征收碳税时，则会对出口国的竞争力产生负面作用。这是因为进口国会采取相应的对抗措施以减轻和抵消碳税对国内企业的影响（世界银行，2010）。可见，国内产品在碳税或其他减排措施上往往可以享受各种优惠政策，而进口产品在碳关税的缴纳上享受不到这些优惠政策。因此，碳关税一方面抵消了国内产业因碳税而承担的竞争不利，但另一方面却使进口产品处于不利的竞争地位。

即使竞争问题使碳关税具有一定的合理性，但不能成为碳关税在 WTO 规则下的合法性理由。有学者认为，保护国内产业的竞争力不是 GATT 第 20 条例外的目的，因为保护国内产业的竞争力将侵蚀 WTO 存在的经济合理性，即国际劳动分工与生产成本的比较优势理论（Quick，2008）。WTO 贸易与环境委员会在 1996 年提交给部长会议的报告中指出，各成员方有义务不采取贸易措施以抵消因执行不同环境政策而在国内产生的不同经济和竞争后果。该报告在部长会议上获得了通过，因而对各成员方具有约束力。可见，WTO 不主张采取贸易措施来解决环境竞争问题（申进忠，2003）。WTO 的宗旨不是保护竞争，而是实质性地削减关税与非关税壁垒，消除国际贸易中的歧视待遇。

要彻底抵消征收环境税费对竞争产生的负面影响，边境税调整并不是一个最理想的方式。更好的办法是协调各国间的环境税费规则，使相同或相竞争的产品的环境税费负担在各国间是基本相同或近似的。当然，在这种全球性的统一行动没有实现之前，边境税调整措施是一种符合现实的选择（边永民，2002）。可见，碳关税是解决竞争问题的现实选择之一，但不是解决竞争问题的最佳方式（黄文旭，2011）。

3.1.4　政治原因：在气候谈判中争取有利地位

在全球气候政治舞台上，代表不同利益诉求的国际行为体及其联盟已经形成了不同的立场集团，其复杂的内部关系已经超越了 20 世纪 60 年代以来所谓"南北鸿沟"或"两个世界"的简单二分法。它们包括：以美国为首的"伞形国家集团"，欧盟及其成员国，以中、印为代表的新兴发展中大国，中印两国以外的"77 国集团"，已加入经合组织（OECD）的发展中国家（新加坡、墨西哥、韩国），小岛国家联盟，非洲最不发达国家；除此之外，还有出口石油、煤炭、铁矿石等的能源供应国及各类大型跨国公司和行业协会，以联合国为首的国际组织和科学家、环保主义者等一些担忧人类发展的团体和个人。当然，其中最引人注目的博弈焦点是以美、欧为代表的传统大国与以中、印为代表的新兴大国之间关于减排与技术转让等问题的谈判。它们一方是已经完成了工业化、现代化发展进程，国内生活水平已经达到了较高层次的全球最发达国家，另一方是经济、社会发展仍处于工业化、现代化进程之中，国内仍有相当一部分地区和人口处于贫困状态的发展中大国。一定程度上，有关减排承诺/碳排放权问题的争论已经成为两大博弈集团间交锋的新的前沿。

碳关税的征收有利于美国、欧盟等在全球气候变化谈判中处于有利地位。目前针对2013年后全球减排目标和减排机制正在进行国际谈判，将决定后京都时代的全球主导权。征收碳关税不仅将改变美国过去在全球减排方面的消极做法和国际形象，增强其国际谈判筹码，而且很可能会以碳关税为由要求我国对外承诺减排量。

3.1.5　根本原因：贸易保护主义，维护本国经济利益

从表面上看，碳关税产生的原因是为了解决碳泄漏和竞争问题，但碳关税在本质上可能是一种贸易保护主义。一般我们将构成贸易保护主义的措施称为贸易壁垒，那么碳关税是否构成碳壁垒呢？我们先来看碳壁垒的上位概念——绿色贸易壁垒。绿色贸易壁垒是进口国以保护自然资源、保护环境和人类健康为由，对来自国外的产品进行限制的手段和措施（王海峰，2008）。绿色贸易壁垒的主要表现形式有绿色关税制度、绿色技术标准制度、绿色环境标志制度、绿色包装制度和绿色补贴制度等。这些贸易壁垒的共同特点就是惩罚性，即以环境保护为理由，要求出口国履行一定的经济费用或环保行为，导致贸易自由化受到影响，所以表现出鲜明的惩罚性特点（韩利琳，2010）。绿色贸易壁垒的实质是国际贸易保护主义的新形式，是一种新的贸易壁垒（吴玲琍，2009）。绿色贸易壁垒较之传统的贸易壁垒具有名义上的合理性、形式上的合法性、做法上的巧妙性和手段上的隐蔽性（刘绵松，2002）。碳壁垒是绿色贸易壁垒的一种，是指针对产品在生产、运输、消费和处置环节产生的碳而设计和实施的碳税、边境碳税调整、碳标识和碳标准等影响产品贸易的规章和标准（边永民等，2009）。绿色贸易壁垒是与贸易有关并对贸易产生限制的环境措施，而碳壁垒是基于碳排放的绿色贸易壁垒。

近年来，发展中国家的经济高速发展，而发达国家的传统工业日趋衰退。在这一背景下，发达国家急需一种新的贸易保护方式来保护本国经济不受发展中国家经济快速发展的冲击，碳关税的提出恰好迎合了它们的这一目的。因此，保护本国工业不受发展中国家经济发展的冲击，通过创立新的产业体系重新主导世界经济的发展，是碳关税出台的一个主要原因（张曙霄等，2010）。虽然碳泄漏与竞争问题也是发达国家提出碳关税的原因，但这两个原因是表面的，发达国家并不会真正关心碳泄漏，对竞争问题的关心也是出于贸易保护主义。有学者指出，美国征收碳关税的本意并不是为全球低碳化做贡献，而是针对日渐虚弱的国内工业产业所采取的利己措施（李平等，2010）。可以说，贸易保护主义是发达国家提出碳关税的根本原因（黄文旭，2011）。

　　事实上，碳关税也会起到保护国内产业的作用。由于碳关税是基于进口产品生产过程中排放的二氧化碳要求进口商缴纳的额外关税或购买的排放配额，增加了进口产品的成本，从而产生了贸易限制的效果。从这个角度来看，碳关税是碳壁垒的一种表现形式。当然，某些发达国家会主张，碳关税的目的是防止碳泄漏，抵消外国生产商因国内实施限额与交易制度或碳税制度而获得的竞争优势，因此碳关税保护了公平贸易，而不是限制贸易。然而，碳关税的征收必然会造成对碳泄漏的过度纠正，而成为不合理的贸易壁垒（谢来辉等，2010）。包括碳壁垒在内的所有绿色贸易壁垒都有表面上正当的理由。碳关税也不例外，其本质是将气候变化问题与贸易问题捆绑在一起，以环境保护为理由保护国内产业（陈洁民等，2010）。碳关税可能是绿色保护主义的新形式，即环境友好措施或气候变化减缓措施掩盖下的保护主义。就连环保主义者也认为，环境贸易措施有被滥用的危险，贸易保护主义者会利用伪装的环境贸易措施来为进口产品设置贸易壁垒（鄂晓梅，2007）。把保护国内企业的国际竞争力作为设立碳关税的理由，有可能会偏离防止全球变暖这一减排政策的终极目标。相反，气候政策中的保护竞争力条款很可能会起到对面临进口竞争的国内企业的保护。如果是这样的话，碳关税就沦落为纯粹的保护主义的工具了（王俊，2011）。

　　有学者认为，判断碳关税是否为贸易保护主义措施可从两个方面进行判断。第一，碳关税是否符合《联合国气候变化框架公约》和 WTO 规则；第二，碳关税能否达到降低贸易伙伴温室气体减排量的预期结果，是否还有能够达到同样结果但不对贸易造成扭曲的措施（Nair，2010）。第一个标准有些本末倒置，因为在判断碳关税是否符合 WTO 规则时，需要考虑碳关税措施是否构成对国际贸易的变相限制，即需要首先判断碳关税措施是贸易保护主义措施。对于第二个标准，似乎找不到能够达到与碳关税具有同样结果但不对贸易造成扭曲的措施，因为碳标识、国内生产商排放配额的减免等措施都不能达到碳关税所具有的效果（黄文旭，2011）。

　　碳关税等单边环境措施并非全是贸易壁垒，有些的确是为环境目的而为之（窦强，2009）。然而，碳关税不能因为其具有表面上正当的理由而排除其碳壁垒的性质。实际上，基于环保目的的碳关税措施在实施过程中必然会滑向贸易保护主义（Quick，2009）。而且，气候公约为发展中国家规定的义务较少，如果发展中国家履行了气候公约下的义务，却因为发达国家认为其承担的义务太少而被采取碳关税措施，这不是赤裸裸的贸易保护主义吗？我国商务部新闻发言人姚坚指出，部分发达国家提出对进口产品征收"碳关税"的做法，是以环境保护为名，行贸易保护之实（雷敏，2009）。很多其他发展中国家也认为碳关税是一种贸易保护主义措施。甚至欧盟前贸易专业彼得·曼德尔森也指出，碳关税以环境保护为幌子，必将遭到贸易报复并引起贸易保护主义的泛滥（Mandelson，2008）。因此，碳关税虽然可以保护本国产业不受外国没有承担或较少承担碳减排成本的产品的冲击，在创造公平的竞争环境方面具有合理性，但其更深层次的原因是贸易保护主义在作祟，是一种碳壁垒（黄文旭，2011）。

3.2 碳关税的本质[①]

碳关税一经提出就受到了来自于发展中国家的舆论压力，中国在《美国清洁能源与安全法案》出台后也表明了自己的立场。商务部新闻发言人姚坚在讲话中强调：中方一贯主张与国际社会共同应对气候变化，但部分发达国家提出对进口产品征收碳关税的做法，违反了 WTO 的基本规则，是以环境保护为名，行贸易保护之实（蓝庆新等，2010）。这也就直接指出碳关税将成为低碳经济下的一种新型绿色贸易壁垒。

3.2.1 碳关税是国际政治经济博弈的工具

碳关税在本质上是一个国际政治经济问题，其背后隐藏着复杂的战略利益分配关系。

首先，从经济利益方面分析，一方面碳关税的实施与否关系到承担减排义务与非义务国家之间传统能耗产业的竞争力问题，虽然未来发展低碳经济已经成为不争的事实，但目前改革阶段的成本投入是各个国家都需要考虑的问题，征收碳关税可以增加国家的财政收入，用于低碳技术和新能源的研究与开发，同时还可以提高国内传统能耗产业的国际竞争力，减少贸易逆差，降低短期内的产业转型成本。另一方面，碳关税的实施还关系到新能源产业和低碳技术领域的市场争夺，欧盟一些国家希望通过征收碳关税来推动本国已经拥有优势的碳技术出口，同时在全球碳减排过程中推销其新能源技术的知识产权，通过技术、专利转让等方式占据新能源技术市场的制高点，从中获得巨大的经济利益（李布，2010）。

其次，在政治利益方面，碳关税一方面是国际政治地位争夺的宣传工具。美国和欧盟都希望通过碳关税的确立来争夺世界新的话语权，巩固和重塑发达国家在世界政治领域的统治地位，把碳关税作为不断对外施压的工具，对包括中国在内的发展中国家形成制衡。发展中国家也希望通过对碳关税的抵制来维护第三世界的利益，积极参与国际新规则的制定，避免完全被动接受发达国家单方面制定的国际规则。另一方面，碳关税也是发达国家对内安抚有关利益集团，获取政治支持的工具，承担减排责任的国家希望通过碳关税来保护国内的能源密集型产业，以换取政治选票或支持，达到相关的政治目的（杜枭，2012）

---

① 本部分内容主要编引自杜枭的研究。

3.2.2　碳关税是重起贸易保护主义的标志

尽管 WTO 的宗旨是促进自由贸易，但随着发达国家经济发展所处阶段和实际情况的不同，保护贸易的主张从来没有停止过。从资本主义原始积累时期的重商主义，资本主义自由竞争时期的幼稚产业保护论，到经济大萧条时期的超贸易保护主义，但凡遇到大的经济变革或经济危机，保护贸易便会重新占据历史舞台，成为发达国家度过危机、成功变革的辅助工具。2008 年的世界金融危机和低碳经济变革的呼声则促进了新贸易保护主义的加剧，碳关税的提出则标志着贸易保护主义的再次重起。一场以保护生态资源、生物多样性、环境和人类健康为由的贸易保护主义已经势不可挡，以碳关税为代表的气候税、环境保护措施、绿色壁垒和技术壁垒等将使低碳时代的贸易保护形式更加复杂和多样化，它的理论机制和争端解决机制已经超出了 WTO 现有的框架范围，关于其合法性与合理性的争论在短期内也无法得出定论，环境保护与自由贸易之间的平衡不能确定，征收碳关税的呼声将愈演愈烈（李凯风，2010）。

3.3　碳关税的实施可能性分析

3.3.1　碳关税可能符合世贸组织规定的例外条款

在解释世贸组织的基本原则背后，WTO 同时规定了特殊情况下的例外条款，在这些例外条款范畴内，各个成员国可以不遵守这些 WTO 条款及该成员国承诺的约束，《关贸总协定》第二十条包括十种例外措施，和碳关税相关的解释条款只包括两种，其中第一种和第二种分别是为保障人类和动植物的生命或健康所必需的措施、对可能枯竭的天然资源采取的保护措施（吴益民，2008）。

碳关税是否合法取决于其是否是为保障人类和动植物的生命或健康所必需的措施，是否是对可能枯竭的天然资源采取的保护措施。

第一种例外条款有三层含义。其一，碳关税是不是为保障人类和动植物的生命或健康。其二，碳关税是不是必需的措施。按照碳关税的征收初衷，碳关税是为了缓解全球气候变暖，全球气候变暖可能造成地球上某些生物的灭绝，同时不断上升的气温也会对人类健康产生危害。其三，为了防止全球气候变暖，就必须减少向大气中排放的二氧化碳等温室气体，而碳关税就有可能被定性为是限制温室气体排放的必需措施。因此第一种例外条款有可能使碳关税合法化。

第二种例外条款中对"可能枯竭的天然资源采取保护措施"也有可能成为碳关税合法的证据，碳关税征收后的直接效果就是减少了发展中国家对一次性能源的直接或者间接消耗，并且这种一次性能源也是可能枯竭的天然资源，比如煤炭、石油等天然资源；这就是说碳关税可能成为保护可能枯竭的天然资源的措施之一，从这一点来讲，碳关税也可能被世界贸易组织宣判为合法。此外，在"美国海龟海虾案"中，WTO 上诉机构以面临灭绝的海龟与美国存在关联关系而认为美国可以拥有域外管辖权，符合 GATT 第 20 条对可能枯竭的天然资源采取保护措施（王慧，2010），由此可知美国会认定对碳关税拥有域外管辖权而使其合法化的概率很大。

综上所述，欧美等以环境保护之名提出来的碳关税就很有可能在 WTO 例外条款的解释范围内，碳关税被合法征收的可能性是很大的。作为碳关税最直接的征收对象，中国在应对碳关税的措施上应提早准备，既要积极预测碳关税对我国经济特别是出口企业经济的影响程度，同时也要积极采取相关措施来应对国际社会提出的碳关税。

3.3.2 美国国内法的规定可能使国际碳关税合法化

美国因国内法的规定而限制或者禁止其他国家的产品案例时有发生。在 1991 年的墨西哥与美国的金枪鱼案件中，墨西哥起诉美国下令禁止墨西哥的金枪鱼及其制品进口，而美国禁止的理由在于美国的《保护海生哺乳动物法》（MMPA）规定海豚是需要保护的濒危物种，因墨西哥在太平洋捕杀金枪鱼时对与金枪鱼群结伴而游的海豚的伤害太大而不符合美国的保护标准要求，美国所提出的理由除了上述讨论的一般例外条款外，还包括 GATT 第 3 条国民优惠待遇第 4 款中政府管理对进口产品和本国生产产品一视同仁对待。虽然 WTO 专家组在裁定时以在一般例外条款上美国没有域外管辖权、产品与产品生产过程相区分等理由判定美国败诉，但 GATT 理事会并未通过 WTO 专家组的报告。同时美国禁止金枪鱼及其制品进口的政策涉及欧共体与荷兰等"中介国"的利益，"中介国"对美国的起诉也并没有获得 GATT 理事会的支持（左海聪，2009）。

至此，金枪鱼及其制品禁止进口案均获得了 GATT 理事会的支持，美国国内法再次逃离了世界贸易组织针对禁止进口数量限制的规定。

在碳关税问题上，美国极有可能根据进口产品与国内产品限制生产或消费的措施一起生效的原则，采取类似与金枪鱼案例的做法，对国外的高碳产品采取限制进口或者惩罚性关税措施。根据美国国内的法规将国内生产的产品和从外国进口的产品一视同仁。而美国众议院在 2009 年哥本哈根大会之前通过的《美国清洁能源安全法案》明确在 2020 年开始对未实施减排措施国家的排放密集型的高碳产品实施碳关税，包括中国、印度等发展中大国，其征收对象主要是钢铁、水泥、化工等高碳产品；同时要求美国国内相关生产企业的减排措施，包括美国国内的炼油厂、制造企业等都有明确的减排限额。既然美国对国内的生产产品的碳含量已经提出了减排措施，极有可能会对进口产品的碳含量提出要求，包括通过征收碳关税等措施来惩罚进口的高碳产品。即使是有对碳关税不满的国家向世界贸易组织提出上诉，裁决的结果可能也存在很大的不确定性。

3.3.3　欧盟已将航空碳排放纳入碳交易体系

欧盟新法案从 2012 年 1 月 1 日起，将国际航空业碳排放纳入欧盟碳排放交易体系（EUETS），全球航空公司在欧洲机场起降的航班都必须为超出免费配额的碳排放支付购买成本（任超然，2010），这意味着在欧盟机场起降的航班全程的碳排放费用将交付欧盟，即欧盟开始对非欧盟区域的航空碳排放征收碳排放税，即将实施国际服务贸易的碳关税政策。

其中只有每年温室气体排放量低于 1 万 t（约相当于一架波音 747 客机执行 13 次上海—伦敦航班的排放量）的航空公司，才能取得豁免，不受此碳排放交易体系约束，而该豁免额度远远低于航空公司的国际航线运输量（王鹤，2010）。同时规定航空公司所在国的航空碳排放纳入本国碳交易市场的，飞欧洲航班的碳排放额度可以在本国抵消。

由于中国目前并没有航空碳交易市场，包括中国国航、南方航空、东方航空等 33 家航空公司在内的中国航空公司被纳入了欧盟碳排放征收范围内，中国民航运输协会估算在 2012 年国内民航业至少需要支付 8 亿元的碳排放，并且这个数额随着航线的增加和温室气体免费配额的减少逐年增加，而国际航空运输协会测算，全球航空公司 2012 年应对 EUETS 的新增成本至少为 34 亿欧元（王鹤，2010）。

北京环境交易所的数据显示，中国航空公司因欧洲航线在 2012～2020 年期间将付出高达 176 亿元的温室气体排放成本，中国国航在 2012 年将付出高达 2 亿元的碳排放成本，并且随着航班的增加而不断增长（任超然，2010）。

目前，中国的三大航空公司（海南航空有意加入）联合中国航协向国际航协递交了部分诉讼费用，共同向欧盟提起诉讼。

航空碳排放交易体制是一个可怕的开端，国际范围内的航空碳排放交易体系的执行极有可能迅速扩展到国际航海运输业（任超然，2010）。欧盟对航班航程中在非欧盟境内排放的二氧化碳也被纳入交易的机制，表明欧盟将开始对服务贸易征收碳关税，将全球服务贸易的碳排放纳入欧盟的碳排放交易体系，跨境服务贸易的碳关税壁垒将迅速拓展到商业贸易领域内，其涉及的事实不单单是造成国际机票价格的上涨，更是关系到高碳产品的出口将遭遇到欧盟的碳关税，直接导致各行业高碳产品出口企业的出口成本的上升，涉及的是出口企业的利润、生存问题及产品的国际竞争力问题。

3.4　碳关税给发展中国家带来的挑战

3.4.1　碳关税对发展中国家宏观经济的影响

碳关税给发展中国家带来的最直接的挑战是产品出口成本提高，生产和出口贸易规模都随之下降，产业产品的国际竞争力急剧下降，随之带来的是国内就业岗位的减少；同时出口的压力增大导致了原来的出口企业挤占国内市场，导致原来国内生产企业的竞争加大，部分行业或企业可能因为碳关税的征收面临倒闭或者破产的风险以出口为导向的经济发展方式受阻；在牺牲本国环境条件的情况下，面临着巨大的碳关税损失，钢铁、水泥、玻璃制造等高碳产业相对而言将遭受更大的冲击，直接影响着发展中国家 GDP 增长速度。

动态 CGE 模型测算结果表明，碳关税税率为 30 美元/t 碳和 60 美元/t 碳时中国工业部门的总产量将分别下降 0.62% 和 1.22%，工业品的出口量分别下降 3.53% 和 6.95%；与此同时，中国国内的就业岗位分别减少 1.22% 和 2.39%，减少量分别约为 100 万个和 200 万个，同时碳关税可能在 5～7 年甚至更长的时间内对中国制造业产生冲击(沈可挺等，2010)。

另外，碳关税意味着自身没有碳交易市场的发展中国家的碳排放将受到欧盟等国碳交易体系的限制，对于航空等诸多行业需要购买欧盟等国的碳排放额度，生产的直接经济利益将被纳入到欧盟等国的税收收入，其生产结果是以自身环境成本为代价生产的同时还需要向征收国纳入环境税收。

3.4.2　发展中国家面临降低高碳强度的挑战

碳关税的初衷是限制发展中国家对大气中温室气体的排放，其理由是发展中国家对温室气体的排放量大，特别是能源密集型产业对能源依赖程度大，产生的温室气体多；同时这些发展中国家并没有进行减排措施，国内的生产企业并没有减排压力，对能源利用效率低。在衡量能源利用效率与温室气体排放量的关系中，碳强度指标很好地说明了经济产出对能源的利用效率的高低。碳强度是指单位 GDP 的生产过程中所排放的二氧化碳的量(李平等，2009)。

碳强度从侧面角度反映了某国的经济生产活动过程中对能源的利用效率，是一个典型的衡量经济发展对能源的依赖程度的标准。碳强度越高的国家在产品生产中的平均能耗越大，排放的二氧化碳越多；同时碳强度越高，其产品中所含的隐含碳越高，被征收的碳关税就越多，产品在出口时所受影响越大。

我国作为一个发展中国家，长期以来我国的能源利用效率都很低。我国国民经济的碳强度一直很高，与其他发展中国家相比还有很大的差距。如图3-1所示。

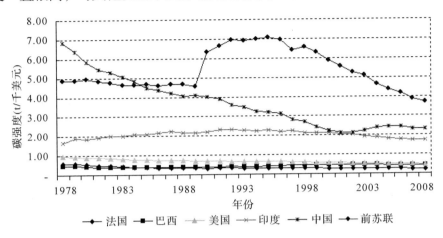

图3-1 世界典型国家的碳强度的比较

注：数据来源于International Energy Agency，以2000年价格基础为标准，其中前苏联表示将苏联解体后的所有国家作为一个整体来统计。

改革开放以来，我国的碳强度一直处于下降的状态，说明我国的能源利用效率在不断地提高，并且下降速度是最快的，碳强度从1978年的6.83kg/美元下降到了2008年的2.30kg/美元。但是在"金砖四国"中，中国的碳强度明显高于印度和巴西，近几年来，印度的碳强度一直都维持在2kg/美元以下，明显比我国的能源利用效率高。

图3-1能源利用效率最高的是法国，其在2008年的碳强度仅为0.24kg/美元；其次是巴西，其碳强度也仅为0.43kg/美元；美国在2008年的碳强度也只有0.48 kg/美元。巴西作为一个发展中国家从某种角度来讲其对能源的利用效率在一定程度上超过了美国，这一点是非常值得我国学习的。

中国在2008年的碳强度为2.30kg/美元，是法国的9.58倍，而印度的碳强度只有1.73kg/美元，说明在与其他发展中国家能源利用效率的比较中，我国的效率是很低的，即我国的单位产出的碳排放比其他发展中国家要高；同时我国还是出口大国，出口的数量和金额都处于世界的前列，产品中的碳含量高，在碳关税实施后对我国的出口极为不利。我们在消耗大量能源的基础上，经济效率低，同时还要承担大量的碳关税，这样的经济模式将使得我国出口经济得不偿失。前苏联国家的碳强度也很高，这与这些国家具有丰富的石油天然气资源有关，其能源成本较低，刺激了这些国家加大了对能源的消费量，故其国内的碳强度一直也很高。

因此，在能源利用效率方面特别碳排放强度方面，发展中国家与发达国家还是有很大的差距，其出口的产品必定会因发达国家的碳关税而遭到巨大的损失，发展中国家面临着高碳强度的挑战。

3.4.3 发展中国家面临经济转型的挑战

发展中国家与发达国家在碳排放强度方面的差距，决定了在碳关税征收以后，发展中国家必定会遭受巨大的碳关税压力。而碳关税无疑会成为发展中国家提高能源利用效率降低本国碳排放强度的主要动力，碳关税压制下的减排措施必定促使发展中国家积极实现经济的转型，降低制造业在本国经济中的比重，提高服务业对经济的贡献率。

欧美等发达国家服务业占国内 GDP 的比重高达60%~80%，制造业等第二产业在国民经济中的比重比较小，逐步转变为服务性经济类型；而服务业在发展中国家国民经济中的比重只能相当于制造业在发达国家国民经济中的地位，发展中国家的制造业等工业经济占国民经济的主导地位。

目前其唯一的比较优势是在高能耗产品的制造业方面，如果征收碳关税，发展中国家国民经济中的很大比重部分将受到影响，而且对高能耗制造业依赖程度越高的国家遭受到的影响将越大，碳关税必定促使发展中国家限制或者减少温室气体的排放，这有利于全球温室气体问题的缓解和根治。

在全球碳排放方面，我国也面临着很大的国际压力，1998~2008 年这十年间，中国的二氧化碳排放量从 14.6 亿 t 增加到 64.99 亿 t，超过美国成为全球第一大二氧化碳排放国（孟祺等，2010）。美国设立新的标准征收碳关税，可能其进口产品的85%都在征收范围之内，而中国作为美国最大的贸易伙伴所受影响无疑是最大的。因此，发展中国家必定会在碳关税的压力下提高服务经济的比重，减少对高能耗制造业的依赖，逐步实现经济的转型，而这正符合发达国家对温室气体减排的要求与期望。因此，征收碳关税符合发达国家期望的发展中国家经济的转型。

3.5 小 结

提出碳关税的国家到目前为止都是发达国家，发达国家将应对气候变化、解决碳泄漏问题和公平竞争问题作为提出碳关税的原因，但碳关税产生的根本原因不是为了解决碳泄漏和竞争问题，而是贸易保护主义，是国际政治经济博弈的工具，是重起贸易保护主义的标志。碳关税被冠以保护环境的美名，其背后隐藏着相关各方的切身利益关系，无论是对经济利益的渴求还是对世界气候变化问题掌控权的争夺，发展中国家都面临着严峻的挑战。可以预期在不久的未来，碳关税的实施可能性还是很大的。这是因为尽管有许多争议，但世界贸易组织规定的例外条款有可能为碳关税保驾护航，关键是作为世界政治经济霸主的美国的国内法已经明确要求在 2020 年开始对没有在国内实施减排措施国家的高碳产品实施碳关税政策，美国国内法的规定可能使国际碳关税合法化，欧盟则已经明确在 2012 年开始将国际航空业碳排放纳入欧盟碳排放交易体系(EUETS)，积极推行航空碳关税。碳关税对发展中国家宏观经济的影响很大，直接导致企业生产和出口规模的减少等现象，作为高能耗产品的主要出口国，中国等发展中国家面临着产品能耗强度高，国内经济对制造业依赖程度高等各种挑战，因此降低国内碳强度，并实现经济的转型才是发展中国家当前主要需要解决的难题。同时，面对碳关税要积极在未来的国际气候问题和贸易政策制定的谈判中争取主动，切实维护包括我国在内的广大发展中国家的经济利益和排放权力。

第4章　碳关税的合法性分析

4.1　碳关税在世界贸易组织规则下的合法性分析[①]

　　碳关税一经提出，便引发了碳关税是否合法的争论。碳关税是否符合国际法应从世界贸易组织（WTO）和气候公约两个方面进行分析。有学者认为，碳关税违反了世界贸易组织规则和多边环境协定机制原则，却遵守了世界贸易组织原则和多边环境协定机制规则（李威，2009）。由于气候公约没有有效的争端解决机制，因此从 WTO 的视角分析碳关税的合法性更为重要。碳关税是否符合 WTO 规则，目前存在着不同的观点。

　　根据 WTO 争端解决实践的经验，如果有关碳关税的争端提交 WTO 争端解决机构，专家组和上诉机构可能首先分析碳关税是否违反《1994 年关税与贸易总协定》（GATT1994）的实体义务，如果没有违反，专家组和上诉机构将不会进一步分析，如果违反，专家组和上诉机构将进一步分析碳关税是否符合 GATT 第 20 条（一般例外），在整个分析过程中，可能贯穿着对 WTO 宗旨的考虑，并将经常援引 WTO 争端解决机构相关案例中的分析。

4.1.1　世界贸易组织的宗旨对碳关税合法性的影响

4.1.1.1　世界贸易组织的宗旨

　　世界贸易组织的宗旨规定在《马拉喀什建立世界贸易组织协定》的序言中，即成员方"承认其贸易和经济关系的发展，应旨在提高生活水平，保证充分就业和大幅度稳步提高实际收入和有效需求，扩大货物与服务的生产和贸易，为持续发展之目的扩大对世界资源的合理利用，保护和维护环境，并以符合不同经济发展水平下各自需要的方式，加强采取各种相应的措施""确保发展中国家，尤其是最不发达国家，在国际贸易增长中获得与其经济发展相适应的份额""切实降低关税和其他贸易壁垒，在国际贸易关系中消除歧视待遇""建立一个完整的、更有活力的和持久的多边贸易体系，以包

---

　　① 本部分内容主要编引自黄文旭的研究。

括 GATT、以往贸易自由化努力的成果和乌拉圭回合多边贸易谈判的所有成果"。《马拉喀什建立世界贸易组织协定》是 WTO 的宪章性文件，被一些国际法学者称为"世界贸易宪法"（McGinnis et al，2000）。

从《马拉喀什建立世界贸易组织协定》序言中可将 WTO 的宗旨归纳为五项：①提高生活水平，保证充分就业，提高实际收入和有效需求；②扩大商品和服务的生产与贸易；③坚持可持续发展，合理地利用世界资源，保护环境；④保证发展中国家成员贸易、经济的发展；⑤建立一体化的多边贸易体制（曹建明等，2004）。

WTO 的这五项宗旨大部分是互相协调的，都可归结到自由贸易的宗旨上来。但保护环境的宗旨却与自由贸易的宗旨存在着潜在的冲突。自由贸易所促进的商品生产通常会导致环境资源被过度开发。甚至有激进的环保主义者认为，自由贸易是导致环境恶化的最大因素（唐启宁，2010）。而严苛的环境保护标准会形成绿色贸易壁垒，阻碍自由贸易的发展。自由贸易的宗旨与保护环境的宗旨在 WTO 中的地位是不一样的。WTO 的根本目标是实现全球范围的贸易自由化，因此，自由贸易是 WTO 的应有之义，也是 WTO 的精髓。可持续发展、资源的最佳利用、保护环境是 WTO 在追求贸易自由化之外的另一宗旨。但保护环境不是 WTO 的主要目标，毕竟 WTO 不是环境组织，而是贸易组织。

《马拉喀什建立世界贸易组织协定》将自由贸易与保护环境规定为 WTO 的宗旨，是希望在自由贸易与保护环境之间达成平衡，在促进自由贸易的同时兼顾环境保护，在保护环境的同时不对自由贸易形成障碍。

4.1.1.2　世界贸易组织的宗旨对碳关税合法性的影响

虽然 WTO 的宗旨是概括性的，但对于解释 WTO 与环境有关的规则和处理涉及贸易与环境措施的纠纷具有重要的指导作用（边永民，2002）。将可持续发展与保护环境作为宗旨是 GATT1947 所没有的，GATT1947 序言中的表述是"使世界资源得以充分利用"。这一变化表明 WTO 的宗旨与 GATT 时代相比已经发生变化。由于序言用语是谈判者意图的反映，其变化对 WTO 涵盖协定的解释必须会产生影响（申进忠，2003）。根据目的解释方法，这一变化使 WTO 争端解决机构对 GATT1994 第 20 条的解释将不同于对 GATT1947 第 20 条的解释，而向环境保护方向发生倾斜（熊文攀，2006）。此外，对条约中的例外一般要从严解释，以符合条约的宗旨，而 WTO 保护环境的宗旨减少了专家组或上诉机构在对 GATT 第 20 条环境例外进行从宽解释时的顾虑。

WTO 保护环境的宗旨在 WTO 争端解决案例中也得到了进一步阐述。例如，在"美国汽油标准案"中，上诉机构强调了《马拉喀什建立世界贸易组织协定》序言中的有关内容对环境保护问题的重要作用，"事实上，《马拉喀什建立世界贸易组织协定》序言和《关于贸易与环境的决定》表明了在贸易和环境问题上进行协调的重要性，WTO 成员方在决定其各自对于环境和贸易的政策、环境目标和环境立法方面具有很大的自主权，只要符合 GATT 和其他相关协定，这种自主权在 WTO 法律体系中不会受到任何限制”（AB Report，1996）。在美国虾案中，上诉机构指出，必须按照序言中的宗旨对 GATT1994 第 20 条（g）项进行适当解释（AB Report，1998）。

然而，贸易自由化与保护环境在一定程度上是相互矛盾的，贸易自由化是为了发展经济，而发展经济必然要消耗资源、破坏环境。WTO 的这一对互相矛盾的宗旨在制度设计上是通过环境保护例外来协调的。

从一方面来看，碳关税与 WTO 追求贸易自由化的宗旨是不相符的。有学者认为，任何与产品不相关的单边 PPM 环境贸易措施都不符合 WTO 促进自由贸易的宗旨，也不相容于 WTO 作为多边贸易框架的地位（钟筱红等，2010）。而碳关税可视为与产品不相关的单边 PPM 环境贸易措施。WTO 的贸易自由化宗旨要求各成员实质性削减关税和其他贸易壁垒，消除国际贸易关系中的歧视待遇。而碳关税却在原有关税的基础上形成了新的贸易壁垒，并有可能使进口产品遭受歧视待遇。

从另一方面来看，碳关税与 WTO 保护环境这一宗旨是相符的。有学者认为，碳关税是以环保为目的的贸易调整方式，应认为碳关税在总体上符合 WTO 的宗旨（周跃雪，2011）。本书也赞同这一观点，因为气候变化问题日益严峻，而很多国家不采取碳减排措施，使得减缓全球变暖的努力难以实现，在这种背景下，碳关税的出现能够促使不采取碳减排措施的国家采取行动，从而使全球碳减排的目标得以实现。因此，碳关税符合 WTO 保护环境这一宗旨。

因此，不能笼统地说碳关税违反了 WTO 的宗旨，只能说碳关税违反了 WTO 自由贸易的宗旨，但符合 WTO 保护环境的宗旨，引起了 WTO 自由贸易的宗旨和保护环境的宗旨的冲突。在美国虾案中，专家组指出，WTO 环境保护的宗旨对 WTO 涵盖协定的解释固然重要，但 WTO 的首要目标仍然是通过自由贸易促进各国的经济发展（Panel Report，1998）。也许可以据此主张，WTO 本身是一个自由贸易组织，其最根本的宗旨是实现全球自由贸易，因而在自由贸易的宗旨与保护环境的宗旨发生冲突时应优先考虑自由贸易的宗旨。但本文并不赞同这一主张，由于 WTO 自由贸易的宗旨体现在 WTO 的一般规则中，而保护环境的宗旨体现在 WTO 的一般例外条款中，根据例外优于一般的条约解释规则，专家组和上诉机构在解决具体争端时必然更加重视例外。然而，在 WTO 视角下讨论碳关税是否合法不能停留在 WTO 宗旨的层面，而需要根据 WTO 的基本原则与具体规则来进行分析。

4.1.2　世界贸易组织的原则对碳关税合法性的影响

在判断碳关税是否合法时，需要考虑的 WTO 规则包括关税减让原则（GATT 第 2 条第 1 款）、取消数量限制原则（GATT 第 11 条第 1 款）、边境税调节规则（GATT 第 2 条第 2 款）、国民待遇原则（GATT 第 3 条）、最惠国待遇原则（GATT 第 1 条）以及发展中国家的特殊与差别待遇(GATT 第 4 部分)。如果碳关税没有违反这些包含实体义务的条款,就不需要进一步分析,如果碳关税违反了这些条款之一,实施碳关税的成员方还可以援引 GATT 第 20 条例外来主张其碳关税措施的合法性。

4.1.2.1　关税减让原则与取消数量限制原则

(1)关税减让原则。GATT 第 2 条第 1 款规定,"(a)每一缔约方对其他缔约方的贸易所给予的待遇不得低于本协定所附有关减让表中有关部分所规定的待遇。(b)与任何缔约方相关的减让表第一部分中所述的、属其他缔约方领土的产品,在进口至与该减让表相关的领土时,在遵守该减让表中所列条款、条件或限制的前提下,应免征超过其中所列的普通关税的部分。此类产品还应免征超过本协定订立之日征收的或超过该日期在该进口领土内已实施的法律直接或强制要求在随后对进口和有关进口征收的任何种类的所有其他税费的部分"。

这一规定体现了 WTO 的关税减让原则。关税减让原则是 WTO 自由贸易体制的核心。关税减让原则包含以下两层意思:第一,关税是 WTO 成员方保护本国产业的合法手段;第二,在肯定关税保护作用的前提下,各成员方应受到《关税减让表》的约束,不得任意提高减让表所列产品的关税税率;同时通过多边贸易谈判来逐步削减关税,以促进贸易自由化。

由于碳关税包含了"关税"一词,容易让人以为碳关税是在关税减让表之外加征的一种关税,因此违反了 GATT 第 2 条第 1 款。比如,美国杜克大学的一个报告就认为,一方面,碳关税的实施使进口产品承担了额外的、甚至是惩罚性的费用,间接提高了相关产品的关税税率;另一方面,目前美国对能源密集型产品所采取的关税水平已处于或接近其减让表中所列的最高税率,因此,以气候变化为理由增加关税已经没有可能性,碳关税的实施将使相关产品的关税税率超过其关税减让表中的承诺,从而违反 WTO 的关税约束原则(Pauwelyn,2007)。然而,如前所述,碳关税并不等于关税,美国与欧盟的碳关税提案并不是采取增加关税的形式,而是表现为边境税调节或国际储备配额的形式,即使这些措施达到了间接提高相关产品关税的效果,但其本质上并不是关税,因而并不违反 WTO 的关税减让原则。

(2)取消数量限制原则。GATT 第 11 条第 1 款规定,"任何缔约方不得对任何其他缔约方领土产品的进口或向任何其他缔约方领土出口或销售供出口的产品设立或维持除关税、国内税或其他费用外的禁止或限制,无论此类禁止或限制通过配额、进出口许可证或其他措施实施"。普遍取消数量限制的原因是,基于数量限制的措施比基于价格机制、更透明的关税或国内税收对国际贸易的扭曲作用更强,具有制造贸易壁垒的效果(唐启宁,2010)。在 Japan-Trade in Semi-Conductors 案中,专家组认为,GATT 第 11 条的表述是综合性的,适用于除关税、税收或收费之外的缔约国制定或实施的禁止或限制进口、出口或销售出口产品的所有其他措施。也有美国学者认为,要求进口商购买排放配额的规定可能违反了数量限制原则，尤其是在排放配额的市场价格上涨到实际上起到禁止进口的程度时，则更有可能违反该原则的要求（Kho et al，2009）。虽然碳关税的表现形式国际储备配额并不一定属于 GATT 第 11 条第 1 款中的配额，而可能属于 GATT 第 2 条第 2 款 a 项中的边境调节措施，但由于国际储备配额在美国的立法提案中冠以"配额"两字，因此不排除被认定为 GATT 第 11 条第 1 款中的配额的可能性。在国际储备配额的法律性质并不是非常明确的情况下，还有可能被认定为除关税、税收或收费之外的限制措施。因此，碳关税存在着违反 GATT 第 11 条第 1 款中取消数量限制原则的可能性。

4.1.2.2　边境税调节规则

碳关税的本质是使同类产品的进口商与国内生产商对产品生产过程中排放的二氧化碳量承担相同的费用，其表现形式有可能是一种基于碳排放的进口环节边境调节税，因此分析碳关税是否符合 WTO 规则就必须分析 WTO 规则下的边境调节税。"边境税调节"这一术语正式进入 GATT/WTO 的视野是 1970 年 12 月 2 日 GATT 缔约方全体通过的《边境税调节工作组报告》。虽然该文件不具法律约束力，但由于该报告得出了比较明确的结论并在缔约方全体会议上获得通过，而且随后被众多 GATT 和 WTO 专家组援引，因此该报告比较权威。在 WTO 涵盖协定中，并没有出现"边境税调节"或"边境调节税"这样的术语，但 GATT 第 2 条第 2 款(a)项的内容实际上就是边境税调节规则。

（1）碳关税与 GATT 第 2 条第 2 款(a)项。GATT 第 2 条第 2 款(a)项〔以下简称 GATT 第 2.2(a)条〕规定，"本条的任何规定不得阻止任何缔约方对任何产品的进口随时征收下列关税或费用：(a)对于同类国产品或对于用于制造或生产进口产品的全部或部分的产品所征收的、与第 3 条第 2 款的规定相一致且等于一国内税的费用；……"要想完整地理解 GATT 第 2.2(a)条，必须结合 GATT 第 3 条第 2 款（即国民待遇原则，以下简称第 3.2 条）。GATT 第 3.2 条规定，"任何缔约方领土的产品进口至任何其他缔约方领土时，不得对其直接或间接征收超过对同类国产品直接或间接征收的任何种类的国内税或其他国内费用。此外，缔约方不得以违反第 1 款所列原则的方式，对进口产品或国产品实施国内税和其他国内费用"。GATT 第 3 条第 1 款所列原则为"不得以为国内生产提供保护的目的对进口产品或国产品适用"。考虑到美国与欧盟的碳关税提案都是以国内的限额与交易制度为基础的，而限额与交易制度肯定不属于 GATT 第 3.2 条中的"国内税"，因此，关键问题是判断限额与交易制度是否可视为 GATT 第 3.2 条中的"charge（费用）"。牛津英语词典对"charge（费用）"的定义为"a price asked for goods or services（商品或服务的要价）"或"a financial liability or commitment（负担款项或承诺款项）"。这一宽泛的定义足以包括排放配额所需的要价或费用。因此，与碳关税对应的限额与交易制度可视为 GATT 第 3.2 条中的国内费用。

根据 GATT 第 2 条第 2 款（a）项，进口环节的边境调节税不是关税，是对进口产品征收的一种费用，等于同类国产品承担的国内税。WTO 成员对进口产品征收与其同类国产品的国内税费等值的税费并不违反 WTO 规则。那么，WTO 成员能否对进口产品征收等同于同类国产品在国内所缴纳的碳税或购买碳排放权所支付的费用的碳关税呢？这需要进一步分析。

（2）可进行边境税调节的税收类型。《边境税调节工作组报告》指出，间接税（如特别消费税、营业税、周转税和增值税等）可以进行边境税调节，而直接税（如社会保障税和工资税等）不能进行边境税调节。而对"隐性税"是否可进行边境税调节存在着分歧。隐性税指的是对应税产品的运输和生产环节使用的固定设备，辅助材料和服务征收的消费税，该报告将能源税作为隐性税的一种特别列出。该报告认为，隐性税通常不进行调节，但并没有绝对禁止对隐性税进行边境税调节。对二氧化碳排放征收的税费明显不能归入直接税或间接税当中，而更适合归入隐性税。因此，虽然工作组报告澄清了可以进行边境税调节的税收类型，但对二氧化碳排放税是否可进行调节并没有给出明确的答案。

申进忠认为，对使用环境资源征收的税，如对污水和废气排放所征税费等，并不是直接针对产品所征收的，因此不属于边境税调节的范围（申进忠，2003）。但这一观点并没有得到普遍认同。1994 年《补贴与反补贴协定》注释 58 规定，间接税是指销售税、营业税、增值税、商品税、印花税、流转税、财产税、设备税、边境税以及除直接税和进口税费以外的其他所有税种。而直接税是指针对工资、收益、利息、租金、特许权使用费、所有其他形式的所得以及不动产所有权开征的税种。进口税费则是指关税以及针对进口产品的其他财政收费。宋俊荣据此认为，虽然间接税的定义中没有明确列出环境税，但环境税也不符合直接税和进口税费的定义。因此，环境税应该属于间接税定义中所指的"除直接税和进口税费以外的其他所有税种"（宋俊荣，2010）。这一结论无疑是正确的，包括二氧化碳排放税在内的环境税明显不属于直接税与进口税，因此当然属于间接税。《边境税调节工作组报告》没有解决的这一问题在《补贴与反补贴协定》中得到了解决。虽然这种区分是《补贴与反补贴协定》对出口边境税调节做出的规定，但直接税与间接税的这种区分具有通用性，应当同样适用于进口边境税调节与 WTO 的其他领域。所以，二氧化碳排放税是可以进行边境税调节的间接税。

（3）如何解释"用于制造或生产进口产品的物品"。GATT 第 2 条第 2 款（a）项允许两种类型的边境调节税，第一种是对与国内产品属于同类产品的进口产品征收的费用，第二种是对全部或部分用于制造或生产进口产品的物品征收的费用。对于第一种类型，没有太多争议，在这种类型下被征收碳关税的产品是与国内燃料属于同类产品的进口燃料。然而，从目前一些国家对碳关税的提议来看，碳关税主要是指针对进口产品在生产过程中排放的二氧化碳来征收的。这就涉及了第二种类型的边境调节税，即对全部或部分用于制造或生产进口产品的物品征收的费用。但是，产品生产过程中所排放的二氧化碳是否属于"用于制造或生产进口产品的物品"，则存在着争议。争议的焦点在于，如何解释"用于制造或生产进口产品的物品"，此处的"物品"是否必须是物理包含入进口产品的物品。

在 United States-Superfund 案中，GATT 专家组分析了对《美国超级基金法》提起的申诉，该法对特定化学物品和生产过程中使用了一定数量该化学物品的进口产品征税，对进口产品所征税收的数额等于根据《美国超级基金法》对进口产品生产过程中作为原材料使用的化学物品在美国销售所征税收的数额，如果该化学物品用于进口产品的生产。GATT 专家组认为，原则上可以基于进口产品生产过程中使用的半成品数量对进口产品进行边境税调节。

Bierman 和 Brohm 认为，United States-Superfund 案中的专家组并没有说明征收边境调节税时涉案的化学物品是否需要包含入最终产品，因此产品生产过程中使用的但并没有在物理上包含入最终产品的半成品是否可进行边境税调节仍然是一个未解决的问题。Cendra（2006）认为，GATT 第 2 条第 2 款（a）项的措词已经将其适用范围限制在能物理包含入最终产品的物品上，即该物品必须实质存在于最终产品中，这就排除了对产品生产过程中消耗的能源或化石燃料适用边境调节税的可能性（但并没有排除对燃料本身所征税收进行边境调节的可能性）。贺小勇（1997）认为，只能对生产过程中的、构成最终产品的全部或一部分的投入物所征收的环境税予以进口边境税调整。但是，这种观点实际上对"用于制造或生产进口产品的物品"进行了狭义解释。将来 WTO 专家组或上诉机构在解决碳关税争端时不一定会采纳此种狭义解释，反而有可能认为"用于制造或生产进口产品的物品"这一表述在文义上并没有限制于物理包含入最终产品的物品，而应该包括制造或生产进口产品所使用的所有物品，不管是消耗掉的物品还是物理包含入最终产品的物品。某些产品在制造或生产过程中使用了会排放二氧化碳的燃料，这些燃料当然也是"用于制造或生产进口产品的物品"。

《补贴与反补贴措施协定》可以为这一问题的分析提供参考。《补贴与反补贴措施协定》附件二第 1 段规定，"对用于生产出口产品消耗的投入物所征收的前阶段累积间接税的免除、减免或递延是允许的"。《补贴与反补贴措施协定》脚注 61 将"生产过程中消耗的投入物"定义为"物理结合的投入物、生产过程中使用的能源、燃料和石油以及在用以获得出口产品过程中所消耗的催化剂"。物理结合的投入物限于在生产过程中使用并在物理上呈现于出口产品中的投入物，但投入物不需要在最终产品中以和其进入生产过程时相同的形态呈现。可以看出，在出口边境税调节当中，"生产过程中消耗的投入物"是明确包括"生产过程中使用的能源、燃料和石油"的。虽然《补贴与反补贴措施协定》规定的是补贴问题，但由于其规定了出口边境税调节的适用范围，可以认为，法律适用的对称性要求国内产品出口时可以免除的税收类型也应该可以对外国产品的进口征收。贺小勇教授认为，在关贸总协定的原始条文中对进出口边境税调整的用词并不一样。因此，对进口产品的边境税调整必须严格依据 GATT 的有关规定，而不能机械地照搬出口退税的规定(贺小勇，1997)。然而，王海峰认为，从内容相关性角度而言，《补贴与反补贴措施协定》中有关出口边境税调整的规定似乎可以适用于进口产品的边境税调整问题(王海峰，2011)。边永民教授也认为，对能源征收的税是否也能在边境进行调整可以从《补贴与反补贴措施协定》中寻找答案，并得出了对产品生产过程中的能源投入所征收的某些环境税也可以进行边境税调整的答案(边永民，2005)。GATT 并没有明确规定进口边境税调节当中"制造或生产进口产品的物品"只限于"物理结合的投入物"。因此，没有理由认为在进口边境税调节当中，"用于制造或生产进口产品的物品"不包括"生产过程中使用的能源、燃料和石油"。

然而，Veel(2009)认为，欧盟排放权交易制度与美国有关法案中的排放配额并不是对"用于生产进口产品的物品"征收的费用，而是对生产过程中的"副产品"征收的费用。因此，即使能源等进口产品生产过程中使用的但没有物理包含入进口产品的物品也可以进行边境税调节，但对半成品的副产品能否同样进行边境税调节是不确定的。虽然对生产过程中的副产品征收的费用没有明确被排除在边境税调节之外，但 WTO 协议或专家组裁决也并没有明确指出副产品可以进行边境税调节。现行边境税调节规则仅允许对进口产品生产过程中使用的半成品、能源进行税收平衡，而不能对产品生产过程中排放的二氧化碳进行税收平衡。

这种认为可以对产品生产过程中使用的能源进行边境税调节但不能对产品生产过程中排放的二氧化碳进行边境税调节的观点是经不起推敲的。这种观点换一种表述就是能源税可以进行边境税调节但碳税不能进行边境税调节。但是，大多数学者将碳税界定为以减少二氧化碳的排放为目的，对化石燃料(如煤炭、天然气、汽油和柴油等)按照其碳含量或碳排放量征收的一种税(邢丽，2010)。碳税和能源税一样，都是对燃料征收的，虽然两者的征税目的不完全相同。因此，既然能对产品生产过程中使用的能源进行边境税调节，同样也能对产品生产过程中排放的二氧化碳进行边境税调节。

根据以上分析，GATT 第 2 条第 2 款(a)项有可能使碳关税符合 WTO 规则，只要碳关税不超过对同类国产品直接或间接征收的任何种类的国内税或其他国内费用，且不得以为国内生产提供保护的目的对进口产品或国产品适用。这就涉及了 GATT 第 3 条第 2 款规定的国民待遇原则问题。

4.1.2.3　国民待遇原则

GATT 第 3 条第 2 款规定的是国民待遇原则，该条款的原文为："任何缔约方领土的产品进口至任何其他缔约方领土时，不得对其直接或间接征收超过对同类国产品直接或间接征收的任何种类的国内税或其他国内费用。此外，缔约方不得以违反第 1 款所列原则的方式，对进口产品或国产品实施国内税和其他国内费用。"

4.1.2.3.1 碳关税本身是否违反国民待遇原则

GATT 第 3 条第 2 款要求成员方在国内税与其他国内费用方面给予其他缔约方国民待遇。虽然本文讨论的是碳关税，但本文在讨论碳关税的法律性质时认为，碳关税并不是关税，而是指与碳排放有关的边境调节措施，表现为要求进口商对进口自未采取碳减排措施的国家的产品缴税或购买排放配额的形式。本文分析的碳关税是与国内二氧化碳排放税费有关的所有税费。因此，GATT 第 3 条适用于碳关税，不管碳关税被视为国内费用还是进口措施，其适用方式可以通过 GATT 第 3 条中的"国内税与其他国内费用"直接适用，也可以通过 GATT 第 2 条第 2 款所要求的"在边境征收的与国内税相等的费用必须符合第 3 条"间接适用。GATT 第 3 条第 2 款的两句话为碳关税设立了两个独立的义务。GATT 第 3 条第 2 款的第一句话禁止对进口产品征收"超过"对同类国产品征收的国内税或其他国内费用。第 3 条第 2 款的第 2 句话禁止对同类国产品和进口产品征收不同的税费，如果该不同的税费是"以为国内生产提供保护的目的适用"。

将碳关税定性为对进口产品本身所征收的税费还是对进口产品生产过程中排放的二氧化碳所征收的税费是判断碳关税是否违反国民待遇原则的关键。

(1)将碳关税定性为对产品本身所征收的税费。如果将碳关税定性为对进口产品本身所征收的税费，则判断碳关税是否违反国民待遇原则的关键是如何解释"同类产品"的概念。因为根据第 3 条第 2 款第一句下的义务，进口产品不得承担"超过"对同类国产品征收的税费。以钢材为例，碳关税将明显导致对"高二氧化碳钢材"进口所征税费超过对国内生产的"低二氧化碳钢材"所征税费(Pauwelyn，2010)。那么，高二氧化碳钢材与低二氧化碳钢材是否为"同类产品"？

1970 年《边境税调节工作组报告》对"同类产品"的判断提出了若干参考标准，认为在判断产品是否是"同类产品"的过程中需要考虑以下三项因素：①产品在特定市场的最终用途；②消费者的偏好和习惯(存在国别差异)；③产品的性质、特点和质量。之后的 GATT/WTO 争端解决实践在判定同类产品时基本遵循了这些标准。在 Japan-Alcoholic Beverages 案中，上诉机构不仅考虑了《边境税调节工作组报告》中所列的三项因素，而且考虑了产品的关税分类。

在 EC-Asbestos 案中，上诉机构认为，在判定"同类产品"时应考虑以下四个因素：①产品的物理属性；②产品的最终用途；③产品的可替代性；④产品的关税分类。但这四个因素并不是条约规定的标准，不是封闭的，在判定"同类产品"时还可以考虑其他因素(AB Report，2001)。可见，WTO 争端解决实践中所遵循的"同类产品"的判定标准是灵活的，需要具体情况具体分析。

"同类产品"的判定在基于碳排放进行的边境税调节中特别复杂，在这种情形下，进口产品与国内产品根据 WTO 判例法中的标准是"同类产品",但其生产与加工方法(processes and production methods,PPMs)不同(Green,2008)。因此,一个重要的问题是能否基于一种产品生产过程中排放的二氧化碳超过另一种产品而将它们区分开来,即能否因为产品的生产与加工方法不同而认定其不是"同类产品"。

一种观点认为,如果消费者基于环保观念将上述产品区分开来,则不能将上述产品视为"同类"产品。比如,一些消费者可能基于能效对汽车或家用电器进行区分。这种解释将在总体上提升温室气体减排目标,意味着碳排放量大的进口产品将承担与碳排放量小的国内产品不同的税费负担。这样,外国生产商将在所有的环境外部性方面支付真实的生产成本。然而,如果将 PPMs 作为判定同类产品的因素,将存在重大的实践困难。这将产生这样一种后果,即有多少种替代生产方法,就会有多少种不同的"产品"(Crimp,2008)。这对基于产品碳排放的边境税调节进行管理是非常困难的,因为会有非常多的生产与加工方法。

PPMs 标准可以分为与产品特征有关的 PPMs 标准和与产品特征无关的 PPMs 标准,前者是指产品的加工或生产方法可以影响产品的特征,当产品消费或被使用时可能污染或造成环境退化,后者是指仅在生产过程中会对本国人体健康、动植物安全和环境造成影响,从最终的产品本身无法检验它在生产过程中的危害,同时产品的特征并不受到影响(鄂晓梅,2007)。有学者认为,以与产品无关的 PPMs 为基础的边境调节措施违反了 WTO 规则(Galeotti et al,2004)。

从 PPMs 的发展历史来看,一些国家之所以逐渐注重产品的 PPMs,很大程度上是因为对产品生产过程中的环境影响的关注。虽然关注 PPMs 有利于环境保护,但是从贸易自由化的角度来看,PPMs 可能会成为贸易保护主义者的武器。所以,PPMs 是否应当成为区别"同类产品"的标准存在很大的争议,有人认为 PPMs 不应该成为判断同类产品的标准,因为 GATT 第 3 条及其解释条款没有这样的规定。大多数发展中国家也都认为,如果两种产品在物理特征方面构成同类产品,就不能因为 PPMs 不同而视为非同类产品进而给予不同待遇(Khor,2011)。如果将 PPMs 作为判断同类产品的标准,就会导致进口国以出口国不注重环境保护为借口征税,从而为无法控制的贸易保护主义打开了方便之门。正是基于这一考虑,GATT 严格限制将 PPMs 作为判断同类产品的标准,但是这些限制正在被实践所弱化(Fauchald,1998)。如果不能将 PPMs 作为判断同类产品的标准,就不能针对"同类产品"的不同 PPMs 采取不同的规制方法和税收措施。

GATT/WTO 争端解决案例也对 PPMs 进行过分析。在 1991 年墨西哥诉美国金枪鱼案中,GATT 专家组认为,GATT 第 3 条仅适用于影响产品本身的措施,不包括产品的生产过程或生产方法。显然,专家组拒绝将 PPMs 作为判断"同类产品"的标准。根据本案,WTO 成员方不能以某种产品的生产过程或生产方法不利于环境为由,对他国产品采取进口限制措施(别涛,2004)。正是基于此,有学者认为,1991年金枪鱼案的裁决似乎在那些关注动物权益的人的脸上狠狠扇了一巴掌(Westin,1997)。在1994年欧共体诉美国金枪鱼案中,专家组再次指出,不能因为捕获方式不同对金枪鱼进行分类。在WTO成立后的1996年美国精炼汽油案中,专家组认为,GATT第3条第4款规定的是同类产品的待遇,其措词不允许依据生产商的特点与其拥有数据的不同而给予较差的待遇(Panel Report,1996)。可见,在GATT时期及WTO早期,争端解决机构不赞成将PPMs作为判断同类产品的标准。然而,在2001年欧共体石棉案中,上诉机构认为,健康风险与市场竞争关系这一判定"同类产品"的因素是有关的,并认为专家组在分析产品的物理属性时将石棉纤维的健康风险排除在外是错误的(AB Report,2001)。根据上诉机构的观点,健康风险可通过产品的"市场竞争关系"或"物理属性"这两个因素对同类产品的判定产生影响。据此,有学者认为,考虑到二氧化碳排放对气候变化与人类健康的不利影响,上诉机构有可能将高碳排放产品与低碳排放产品认定为非"同类产品"(Zhu et al,2011)。甚至有学者认为,WTO并不禁止使用PPMs作为区别相关产品的标准,只要这样做不是为了刻意制造贸易壁垒(李寿平,2004)。在发达国家的推动下,PPMs措施有在一定条件下合法化的趋势(边永民,2002)。但这些观点与WTO争端解决实践并不相符,因为在欧共体石棉案中,健康风险是与产品本身有关的,而产品生产过程中排放的二氧化碳是与产品本身无关的。因此,只能说WTO并不禁止与产品有关的PPMs作为区别相关产品的标准,但与产品无关的PPMs仍然不能判定同类产品的标准。

此外,《技术性贸易壁垒协议》(TBT协议)规定,进口国有权限制不符合本国PPMs标准的产品进口,如果这种标准影响产品的性能。为便于理解,现附注两个相反的事例以示差别:若A国因B国在药品生产过程中,没有遵循A国关于药品生产清洁工艺的标准,而这种PPMs标准影响药品的性能,则A国可以限制B国的药品进口;反之,若B国钢铁生产过程中的污染超过A国的PPMs标准,但这种标准对钢铁的性能并无影响,则A国不得实施贸易限制(贺小勇,1995)。这一规定是否适用于碳关税是值得讨论的。这涉及GATT第2条第2款(a)项与TBT协议中关于PPMs标准的规定的关系。然而,不管TBT协议是否可适用于碳关税问题,这至少说明了在WTO框架下,与产品特征无关的PPMs不能成为判定同类产品的标准。

与GATT/WTO对"同类产品"概念作狭义解释不一样,欧盟法院对"同类产品"采用了广义解释方法。根据欧盟法院的判决,即使两种产品完全相同,但如果产品的生产程序和使用的原材料不同,则其他方面相同的产品也可被视为不同产品,只是这种做法不能违反欧盟条约及相关立法,且不能变向歧视进口产品和保护国内产品。John Walker案、Commission v France案、Commission v Italy案和Chemical Farmaceutici案都遵循了这一原则(Westin,1997)。从欧盟法院的判决来看,欧盟成员国可以基于产品生产程序和所使用原材料的不同对同样的产品征收不同的税收。既然欧盟成员国之间可以采取这种差别的税收制度，那么欧盟成员国针对非欧盟成员国同样有可能采取这种差别的税收制度。这样的制度安排可能影响发展中国家进入欧盟市场的能力，但更有利于环境保护（王慧，2009）。显然，欧盟选择了偏向环境保护的立场。虽然欧盟法院对"同类产品"的解释不能适用于 WTO，但不能排除其对 WTO 争端解决机构可能产生的影响。

2011 年 8 月，OECD 发布了一份题为《减缓气候变化背景下基于 PPMs 相关贸易措施》的研究报告。该报告对一些国家现有的为减缓气候变化采取的基于 PPMs 的贸易措施进行了介绍，贸易措施都与最终产品的温室气体排放有关。该报告认为，这些基于 PPMs 的贸易措施有利于可持续发展，但会引起国际贸易法上的问题。一项具体的与产品无关的 PPMs 要求是否符合 WTO 规则要具体案件具体分析（OECD，2011）。可见，一些国家为减缓气候变化已经基于 PPMs 采取了各种贸易措施，而国际社会也对这些措施进行了关注。OECD 的这份报告并没有对与产品无关的 PPMs 要求是否符合 WTO 规则发表看法，事实上 OECD 也不能做出判断，因为这是 WTO 争端解决机构的事情。

此外，还可以主张碳密集型产品可能存在消费者的偏好和习惯上的不同，也可以主张产品的性能、特征和质量包括产品生产过程中排放的二氧化碳量。比如，Westin（1997）认为，专家组在判定同类产品时，不仅考虑客观标准，还考虑消费者的主观看法，基于消费者的消费偏好可以对产品进行分类。针对同一消费群体的同类产品，如果其能效不同或原材料对环境损害的程度不同，则可以将这些产品视为不同的产品。许耀明（2010）认为，如果消费者偏好可以作为同类产品的判断标准，则能源使用之不同，对于所谓绿色消费者来说，极有可能为不同产品。然而，WTO 专家组与上诉机构不太可能根据这两个因素得出高二氧化碳排放钢材和低二氧化碳排放钢材不是"同类产品"的结论。即使承认在其他方面相似的产品的生产和加工方法的不同在某些情形下能够使这些产品不构成 GATT 第 3 条第 2 款下的同类产品，但二氧化碳排放的不确定性将使同类产品的判断变得复杂。事实上，如果高二氧化碳排放钢材与低二氧化碳排放钢材被认定为非同类产品，则 WTO 专家组将面对一个棘手的问题，即确定二氧化碳排放的区别达到何种程度才足以使两个产品被认定为非同类产品。

综上所述，如果将碳关税定性为对进口产品本身所征收的税费，则碳关税违反了 GATT 第 3 条第 2 款第一句下的义务，因为其他方面都相同而生产过程中碳排放量不同的产品是 GATT 第 3 条第 2 款下的"同类产品"，而碳关税使进口产品承担了超过对同类国产品征收的税费。

(2)将碳关税定性为对产品生产过程中排放的二氧化碳所征收的税费。我国有学者认为，碳关税的征收对象不是具体产品本身，而是产品生产过程中排放的二氧化碳

（叶波，2011）。只要一国就相等的二氧化碳排放量在进口产品和国内产品之间征收了相等的税费，就不能认定该碳关税制度违反了 WTO 国民待遇原则（钱盈，2011）。如果将碳关税定性为对进口产品生产过程中排放的二氧化碳所征收的税费，则碳关税在理论上有可能符合国民待遇原则，但其具体实施很难做到符合国民待遇原则。

在这种情况下，碳关税的具体实施如果要符合国民待遇原则，其前提是必须制定一个适用于国内产品和进口产品的碳排放标准并对排放成本进行计算，进口产品的排放标准和成本不得高于国内产品。然而，就目前的碳追踪技术水平而言，很难为某一个产品制定碳排放的标准并进行成本计算。在实践中具有可行性的是根据某一国家某类产品碳排放量的总体水平制定一个平均标准。这表明进口商所需要承担的碳关税并非进口产品的实际碳排放量，而是以出口国同类产品排放量的平均值为标准。而国内同类产品的生产商却是根据其实际排放量来确定所须承担的碳排放税费。这就使进口和国产的同类产品享受的待遇存在差别，违反了 WTO 国民待遇原则的要求。

4.1.2.3.2 美国碳关税提案是否违反国民待遇原则

碳关税本身是否违反国民待遇原则存在着不确定性，在理论上存在着符合国民待遇原则的可能。但美国有关法案中的碳关税条款明显违反了 WTO 国民待遇原则。比如，在《利伯曼-沃纳气候安全法案》下，国内生产商需要购买的排放配额数量与其二氧化碳实际排放量是一致的。相比之下，进口商需要购买的国际储备配额数量并不是基于产品生产过程中实际排放的二氧化碳确定的，而是根据该类产品的生产商的平均二氧化碳排放量来确定的。在美国汽油标准案中，WTO 专家组认为，美国国内汽油生产商可适用环境标准的单独基准，而进口汽油不适用单独基准，因此违反了 GATT 第 3 条第 4 款（Panel Report，1996）。虽然这一结论是根据 GATT 第 3 条第 4 款做出的，但其推理同样适用于第 3 条第 2 款。如果美国企业的碳排放可获得单独评估，而外国企业需要根据出口国生产商的平均排放购买排放配额，则比出口国平均排放量少的企业需要为每吨二氧化碳支付的费用比国内生产商更多，因此违反了第 GATT 第 3 条第 2 款国民待遇原则。

此外，《利伯曼-沃纳法气候安全法案》允许国内生产商在提交配额时具有一定灵活性，而外国生产商并不享有这种灵活性，因此违反了 GATT 第 3 条第 2 款。有关这一问题的案例有阿根廷牛皮案（Panel Report，2001）。在该案中，WTO 专家组裁定，阿根廷税法要求进口商预交一定比例的营业税，而国内生产商在销售时交纳营业税的规定违反了 GATT 第 3 条第 2 款（Panel Report，2001）。专家组认为，"第 3 条第 2 款的第一句要求对实际税负进行比较，而不是仅仅对名义上的税负进行比较"（Panel Report，2001），预交营业税给进口商带来了利息损失，从而导致更高的实际税负（Panel Report，2001）。《利伯曼-沃纳法气候安全法案》允许国内生产商在每一排放配额年度核算结束后 90 日内提交排放配额，而外国生产商在进口时就需要提交足够的国际储备配额，从而违反了第 3 条第 2 款的第一句。

总之，碳关税本身违反 WTO 国民待遇的可能性非常大，但存在着不确定性（Quick，2009）。碳关税在具体实施过程当中违反国民待遇的可能性更大，很难设计出一种既具操作性又不违反国民待遇原则的碳关税制度。美国有关法案中的碳关税条款则确定无疑地违反了 WTO 国民待遇原则。

4.1.2.4　最惠国待遇原则

GATT 第 1 条第 1 款规定了最惠国待遇原则，即"任何缔约方给予来自或运往任何其他国家任何产品的利益、优惠、特权或豁免应立即无条件地给予来自或运往所有其他缔约方领土的同类产品"。这意味着一个国家在国内税或其他国内费用方面不仅不能歧视外国生产商而为国内生产商提供优惠，而且在国内税或其他国内费用方面不能在外国生产商之间造成歧视。

（1）碳关税本身是否违反最惠国待遇原则。与国民待遇原则一样，判断一项措施是否违反最惠国待遇原则的关键是"同类产品"。如果产品生产过程中的碳排放量不能成为判断同类产品的标准，则碳关税本身就肯定违反了最惠国待遇原则，因为对不同国家的同类产品，仅仅因为生产过程中的碳排放量不同而征收或不征收碳关税，违反了对不同国家的同类产品应给予相同待遇的要求。

如果产品生产过程中的碳排放量可以成为判断同类产品的标准，则碳关税也违反了最惠国待遇原则。因为碳关税只适用于没有实施减排措施的国家的产品，而不适用于实施了减排措施与进口国相当的国家的产品，换句话说，碳关税的实施首先不是基于产品，而是基于国家。从实施了减排措施的国家进口的产品与没有实施减排措施的国家进口的同类产品，即使生产过程中的碳排放量相同，也会因原产国不同而受到被征收碳关税或不征收碳关税的不同待遇，因此违反了最惠国待遇原则。

最惠国待遇原则禁止根据出口国的政策在出口国之间进行歧视。例如，在 Indonesia-Autos 案中，WTO 专家组明确指出，不能根据与进口产品本身无关的标准有条件地给予优惠（Panel Report，1998）。仅仅附条件地授予利益可能并不违反第 1 条第 1 款，但该条件如果在不同的国家间构成歧视则违反了最惠国待遇原则（Panel Report，2000）。即使表面上在原产国间中立的措施也可能违反第 1 条第 1 款，如果其在原产国间产生了歧视性的效果（Panel Report，2000）。GATT 最惠国待遇原则禁止在温室气体减排国与非减排国间进行歧视（Hawkins，2008）。由于碳关税采取来源地原则，对进口自未实施碳减排措施的国家的产品征收碳关税，而进口自实施了减排措施的国家的产品免征碳关税，这就在实施碳减排措施的国家与未实施碳减排措施的国家间造成了歧视，从而可能违反 GATT 第 1 条第 1 款规定的最惠国待遇原则。

（2）美国碳关税提案是否违反最惠国待遇原则。美国《利伯曼-沃纳气候安全法案》有五个地方在外国之间构成了歧视，从而可能违反最惠国待遇原则。

第一，对于进口自占世界温室气体排放比例不足 0.5% 的国家的产品，进口商不需购买国际储备配额。

第二，对于进口自采取的行动与美国的温室气体减排措施相当的国家的产品，进口商不需购买国际储备配额。

第三，即使某国没有采取与美国的温室气体减排措施完全相当的行动，进口商需要购买的配额数量也可根据该国采取的减排措施而获得相应减少。以上三个地方违反了 GATT 第 1 条第 1 款规定的最惠国待遇原则，因为其以国家本身（第一种情形）或国家政府采取的行动（第二种和第三种情形）为条件对不同国家的生产商进行歧视。

第四，从联合国确定的最不发达国家进口的产品不需购买配额，这也构成一种歧视。虽然这一规定违反了 GATT 第 1 条第 1 款，但其有可能在"授权条款"中获得合法性，"授权条款"允许发达国家对发展中国家提供差别和更优惠的待遇，而不提供给其他 WTO 成员方。在 EC-Tariff Preferences 案中，上诉机构指出，"授权条款"并不要求发达国家对所有发展中国家提供相同的优惠待遇，而允许发达国家只对某些发展中国家提供优惠待遇，只要这种差别待遇是基于这些国家的"发展、金融和贸易需求"这一客观标准提供的。为了对哪些标准可以作为差别待遇的根据提供额外指南，上诉机构指出，"国际组织通过的多边文件中规定的具体需要可以作为这种标准"（Appellate Body Report，2004）。将最不发达国家排除在购买配额的要求之外很可能符合这一标准，因为最不发达国家是由国际组织（联合国）确定的最贫穷最脆弱的发展中国家。因此，将最不发达国家排除在购买配额的要求之外可能并不违反 GATT 最惠国待遇原则。

第五，《利伯曼-沃纳法气候安全法案》允许进口商提交外国根据构成可比措施的限额与交易项目颁发的外国配额或相似的遵守文件，以代替国际储备配额。可以主张这一规定构成了对实施了"可比措施"的国家的生产商的特别优惠，因为其允许这些国家的生产商使用本国法律要求的配额。然而，这一规定是否违反 GATT 第 1 条第 1 款，要视具体情况而定：①如果这些国家的生产商获得外国配额的成本低于获得国际储备配额的成本，则该条款对这些国家的生产商构成优惠。如果获得外国配额的成本高于或等于获得国际储备配额的成本，则该条款实际上没有给这些生产商授予任何利益。②如果采取可比措施的国家允许没有采取可比措施的国家的生产商购买其排放配额，如现有的欧盟排放交易机制下的配额，则该制度实际上没有对这些国家的生产商提供任何利益，至少在对那些免费分配的配额做了调整的情况下是这样（Veel，2009）。因此，该条款并不必然违反 GATT 第 1 条第 1 款，其是否符合 GATT 第 1 条第 1 款最终取决于代替国际储备配额的外国配额的特征。

4.1.2.5　发展中国家的特殊与差别待遇

（1）WTO 有关发展中国家的规定。《马拉喀什建立世界贸易组织协定》的序言规定，"要以与成员国在不同经济发展水平的需要和关注相一致的方式……以保证发展中国家、特别是其中的最不发达国家，在国际贸易增长中获得与其经济发展需要相当的份额……"因此，适用包括基于环境保护目的在内的贸易措施应考虑各个国家的经济发展水平，应给予发展中国家特殊和差别待遇。

GATT 有关发展中国家的条款为 GATT 第 18 条和第四部分（第 36 条、第 37 条和第 38 条）。GATT 第 18 条为"政府对经济发展的援助"，对分析碳关税的合法性影响不大。第四部分的标题为"贸易与发展"，专门对发展中国家与最不发达国家的特殊情况进行了规定。其中，GATT 第 37 条规定："发达缔约方应尽最大可能实施下列规定，即除可能包括法律原因在内的无法控制的原因使其无法做到外：（a）对削减和取消欠发达缔约方目前或潜在具有特殊出口利益产品的壁垒给予最优先考虑，包括不合理地区分此类产品的初级形态和加工形态的关税和其他限制；（b）对欠发达缔约方目前或潜在具有特殊出口利益的产品避免采用关税或非关税进口壁垒，或增加关税或非关税进口壁垒的影响范围；以及（c）（i）避免实施新的财政措施，及（ii）在对财政政策的任何调整中，对削减和取消财政措施给予最优先考虑，上述财政措施将会严重阻碍或正在严重阻碍全部或主要在欠发达缔约方领土内生产的、处于未加工形态和已加工形态初级产品的消费，且此种措施专门针对这些产品实施。"

1994 年 WTO《关于贸易与环境的部长决定》也承认了发展中国家在环境保护上的特殊地位。该部长决定规定，贸易与环境委员会的职权范围包括"制定用以加强贸易与环境措施之间积极的相互作用的规则的需要，促进可持续发展的需要，特别考虑发展中国家、尤其是其中的最不发达国家的需要"（WTO，1994）。

给予发展中国家特殊和优惠待遇是以形式上的不平等来实现实质上的平等。保障发展中国家贸易、经济的发展是当代国际经济法领域中公平互利原则的必然要求和具体体现。如果在国际经济关系中仅仅保持形式上的平等，真正的公平并不能够实现。这是因为在由一个不同经济发展水平的国家组成的国际社会中，公平意味着赋予穷国某些权利，要求富国承担某些义务（曹建明等，2004）。由于发展中国家与发达国家在经济实力和技术水平方面的差距，在二氧化碳减排的能力上与发达国家无法相提并论。如果在适用应对气候变化的贸易措施时对发达国家与发展中国家以同一标准要求，对发展中国家是不公平的。

（2）发展中国家的特殊与差别待遇对碳关税合法性的影响。根据 WTO 上述规则，发达国家在采取关税或非关税壁垒应对气候变化时应充分考虑发展中国家的特殊性，给予发展中国家特殊与差别待遇。在碳关税措施真正实施的情况下，如果发展中国家出口的碳排放较高的产品对于发展中国家而言是目前或潜在具有特殊出口利益的产品，发达国家应尽最大可能避免对发展中国家的产品实施碳关税措施。虽然哪些碳排放高的产品属于"对于发展中国家而言是目前或潜在具有特殊出口利益的"需要证明和解释，但这毕竟是发展中国家能够借以保护自身利益的条款，中国可以援引该条款要求美国等发达国家采取切实可行的措施，不对相关产品征收碳关税。当然，如果碳关税付诸实施，只有发展中国家才可以依据 GATT 第 37 条有所主张，且只对碳关税的实施对象有所限制，对碳关税措施的内容和效力不会产生根本影响。

尽管美国立法提案中的碳关税措施针对的是来自所有国家的产品，但其完全没有考虑发达国家与发展中国家在经济水平、环保技术等方面的差距，没有给予发展中国家特殊与差别待遇（蔡高强等，2010）。美国《2007 年利伯曼-沃纳法案》在判定一个国家是否采取了与美国相当的减排措施时将该国的经济发展水平作为相关因素，而《2008 年利伯曼-沃纳法案》删除了该规定。在《2008 年利伯曼-沃纳法案》中，一个国家的经济发展水平与"可比行为"的定义或该国产品的进口商需要购买的配额数量都完全没有关系。此外，《2008 年利伯曼-沃纳法案》将最不发达国家的生产商完全排除在购买配额的要求之外。可以认为，将最不发达国家完全排除在该制度之外表明该法案承认发展中国家在环境保护方面应承担有区别的责任，但对最不发达国家之外的发展中国家的义务没有提供任何调整表明没有考虑不同发展中国家的不同需要与不同责任。

然而，GATT 第四部分有关"贸易与发展"的规定较为含糊，一些外国学者认为是"非强制和不可执行的"（Keck et al，2004）。我国也有学者认为，GATT 第 37 条要求发达国家考虑发展中国家的特殊情况时所用的措词为"应尽最大可能"，这与合约式的法律框架格格不入，因此这部分内容是空洞和缺乏约束力的（张向晨，2000）。GATT 第 37 条规定的"承诺"都是没有实质意义的承诺，并没有对发达国家与发展中国家的贸易关系带来实质变化（马克·威廉姆斯，2001）。这些条款能够给予发展中国家多大的权益是值得怀疑的，因为其对于发达国家成员方并没有实质性的约束力。换言之，发展中国家的权益并不能百分之百地得到保证，有待发达国家自主决定是否给予以及给予多少（朱晓勤，2006）。在 GATT 争端解决实践中，专家组也曾指出，特殊与差别待遇条款并没有给 GATT 缔约方设定明确、具体的法律义务，所以很难认定发达国家缔约方的具体措施是否违反了这些条款的规定。

可见，发展中国家的特殊与差别待遇对发达国家来说主要是授权性规则，而不是义务性规则。发达国家有权对发展中国家提供更优惠的待遇，而不受最惠国待遇原则的约束。但发达国家没有义务对发展中国家提供更优惠的待遇。因此，在发达国家对发展中国家实施碳关税措施时，发展中国家可以主张对其实施的碳关税没有考虑发展中国家的特殊与差别待遇，从而违反了 WTO 规则。但这一主张是否会得到 WTO 争端解决机构的支持是存在很大疑问的，发展中国家不应寄予太多希望。

4.1.3　世界贸易组织的例外规定对碳关税合法性的影响

2009 年 6 月 25 日，WTO 与联合国环境规划署（UNEP）联合发布了《贸易与气候变化》的报告，该报告认为，"尽管正在进行的多哈回合贸易谈判的目标是减少施加于气候友好型货物和服务之上的关税和其他扭曲贸易的措施，但是致力于减少二氧化碳排放的政策在自由贸易的国际法体制下可以作为例外被接受。例如，对来自没有对二氧化碳加价的国家的商品征税的边境措施就属于这种例外。WTO 规则承认，为了达到某一政策目标，一定程度上的贸易限制措施是必要的，只要该贸易限制措施符合大量精心设计的条件。WTO 争端解决实践已经确认 WTO 规则并不能超越环境要求"。可见，该报告认为碳关税是可以作为例外被 WTO 接受的，但必须满足一些精心设计的条件。此处的例外指的就是 GATT 第 20 条例外。

在 GATT/WTO 涉及环境的贸易措施争端中，被诉方无一例外都援引 GATT 第 20 条作为证明其措施合法性的依据，从一定意义上讲，如何解释 GATT 第 20 条是 GATT/WTO 处理有关环境问题争端的核心所在（申进忠，2003）。同样，GATT 第 20 条是分析碳关税是否符合 WTO 规则的最重要的条款，即使碳关税违反了 GATT 的其他条款，但仍然可以援引 GATT 第 20 条排除其违法性。并且碳关税违反 GATT 其他条款的可能性是非常大的，因此，根据 GATT 第 20 条分析碳关税的合法性是无法避免的。我国学者王慧认为，即使碳关税不符合边境调节税机制从而具有违法性，但根据 GATT 第 20 条的例外规定，以应对气候变化为目的的碳关税条款又可能符合 WTO 规则（王慧，2010）。具体来说，能够援引用来论证碳关税合法的是 GATT 第 20 条的（b）款和（g）款，其内容如下："在遵守关于此类措施的实施不在情形相同的国家之间构成任意或不合理歧视的手段或构成对国际贸易的变相限制的要求前提下，本协定的任何规定不得解释为阻止任何缔约方采取或实施以下措施：……（b）为保护人类、动物或植物的生命或健康所必需的措施……（g）与保护可用竭的自然资源有关的措施，如此类措施与限制国内生产或消费一同实施……"

判断碳关税是否为 GATT 第 20 条例外，应首先分析碳关税是否构成 GATT 第 20 条（b）项中的"为保护人类、动物或植物的生命或健康所必需的措施"或 GATT 第 20 条（g）项中的"与保护可用竭的自然资源有关的措施，如此类措施与限制国内生产或消费一同实施"，如果结论是否定的，则碳关税不能援引 GATT 第 20 条例外成为合法的措施，如果结论是肯定的，则进一步分析碳关税的实施是否"在情形相同的国家之间构成任意或不合理歧视的手段或构成对国际贸易的变相限制"，如果结论是否定的，则碳关税成为 WTO 规则下的合法措施。

4.1.3.1　GATT 第 20 条（b）项

一项措施要符合 GATT 第 20 条（b）项，必须满足两方面的要求。首先，该措施必须是"为保护人类、动物或植物的生命或健康"的措施；其次，该措施是"必需"的措施。

（1）碳关税是否为"保护人类、动物或植物的生命或健康"的措施。在 GATT/WTO 争端解决实践中，被认定为"保护人类、动物或植物的生命或健康"的措施包括旨在保护海豚、减少石棉对人类健康的风险、减少废旧轮胎积聚对人类、动物或植物的生命或健康的风险的政策等（Tamiotti et al，2009）。

上述 GATT/WTO 争端解决案例中的认定能否同样适用于碳关税呢？二氧化碳减排确实有助于减缓全球变暖，从而保护人类的生命和健康不受气候变化的不利影响（如洪水或海平面上升）。但有一种观点认为，碳关税通过对碳排放超标的进口产品征收税费以达到减少出口国碳排放的目的，被征税的产品虽然在生产过程中排放了二氧化碳，但该产品本身并不是有损"人类、动物或植物的生命或健康"的产品。以往的 GATT/WTO 争端解决机构的裁决是直接针对有损"人类生命和健康"的产品，而碳关税对保护环境产生作用的因果关系链条过长，成功援引 GATT 第 20 条（b）项作为碳关税合法性依据的可能性大打折扣（佟占军，2011）。但是，GATT 第 20 条（b）项的条文只要求进口国的措施是保护人类、动物或植物的生命或健康的措施，并没有要求进口产品是有损人类、动物或植物的生命或健康的产品。而且，WTO 争端解决实践在认定争议措施是否保护了人类、植物的生命或健康问题上的态度越来越宽容，因此，要证明碳关税有助于保护人类、动植物的生命或健康不存在困难（梁泳，2010）。限制二氧化碳排放的"碳关税"措施属于第 20 条（b）项规定的范围，因为这些措施旨在保护人类免于遭受气候变化的恶劣影响（马华，2010）。根据以上分析，WTO 争端解决机构将碳关税认定为保护人类、动物或植物的生命或健康的措施当无疑义，下一步需要分析的是碳关税是否为"必需"的措施。

（2）碳关税是否为"必需"的措施。对"必需"的理解是判断碳关税是否符合 GATT 第 20 条（b）项的关键。在 GATT/WTO 争端解决实践中，有很多案例对"必需"做出了解释。

在"泰国香烟案"中，专家组认为，只有在不能合理期望泰国采取既能实现保护健康的目标又与 GATT 义务相一致或违反 GATT 义务程度更低的替代措施的情况下，泰国采取的进口限制措施才能被认定为"必需的"。而泰国可以采取其他许多既符合 GATT 义务又可以保护人类生命或健康的替代措施，因此，泰国对进口香烟采取的数量限制措施不是必需的。

在美国 337 条款案中，专家组指出，如果可以实施一项不违反 GATT 其他条款的替代措施，则成员方不能证明一项不符合 GATT 其他条款的措施是第 20 条（d）项下的"必需的"措施。如果不存在符合 GATT 其他条款的措施，则成员方有义务实施与 GATT 其他条款不符程度最低的措施。本案专家组的分析虽然是针对 GATT 第 20 条

(d)项，但对 GATT 第 20 条(b)项的分析同样有参考价值。

在"韩国牛肉案"中，上诉机构认为，"必需"并不是指"必不可少的"，需要在每个案件中对多种因素进行权衡，这些因素包括该措施对实现所追求的目标的贡献程度、所保护的共同利益或价值的重要性及其对贸易的影响。能否合理获得一项替代措施，取决于一系列因素，包括替代措施的国内成本、实施的财政和技术困难等(AB Report，2000)。遭受危险的利益的重要性是认定"必需性"的一个重要因素，公共利益或价值越重要，争议措施越有可能满足"必需性"标准(AB Report，2000)。

在欧共体石棉案中，加拿大对法国禁止进口石棉和含石棉产品的措施提出指控，上诉机构支持了专家组的裁决，即法国的措施是 GATT1994 第 20 条(b)项中的"保护人类生命或健康所必需的措施"。上诉机构认为，在认定某一替代措施是否可合理获得时，应考虑以下几个因素：第一，实施该替代措施的行政困难；第二，该替代措施对实现该目标所起作用的程度；第三，所保护的公共利益或价值的重要程度；第四，替代措施将在何种程度上更少地限制贸易(AB Report，200)。根据这些因素，如果一项替代措施的实施在行政上比争议措施更困难，或者该替代措施不足以实现所追求的目标，或者所保护的公共利益或价值极为重要，或者替代措施对贸易的限制程度并没有低多少，则 WTO 争端解决机构更有可能认定争议措施是"必需的"。

在巴西轮胎案中，上诉机构指出，在判断 GATT 第 20 条 b 款中的"必需性"时，需要考虑争议措施对实现目标的贡献，如果所追求的目标与争议措施之间存在着目的与手段的关系，则存在贡献。争议措施对实现目标的贡献必须是实质性的，而不能是微不足道的或不重要的，并且应在争议措施对目标的贡献程度与对贸易的限制程度之间进行权衡。

WTO 争端解决机构在考察必需性的时候，审查标准已经开始从"是否是与 WTO 规则唯一相符或损害程度最小的措施"开始发展为强调"该措施是对实现被诉方所确立的保护目标的贡献程度"(熊文攀，2006)。可见，WTO 争端解决机构在判定"必需性"时已淡化了对"最少贸易限制"这一因素，开始倾向于保护环境(张磊，2009)。

一些学者也对将"必需"解释成"最少贸易限制"提出了质疑，认为对"必需"的这种解释实际上使 GATT 第 20 条引言部分即是否"构成任意或不合理歧视的手段或构成对国际贸易的变相限制"成为不必要，因为"必需"即是"最少贸易限制"。根据《维也纳条约法》中的条约解释规则，解释必须使条约所有条款有效和有意义，而不应解释为采取条约一部分的含义，而使另一部分条款成为多余。如果将"必需"解释成"最少贸易限制"则违反了这一条约解释规则(Schoenbaum，1997)。在经济术语中可以讨论一种贸易保护措施有更多或者更少的贸易限制作用，但在法律术语中，在"相符"和"不相符"之间有绝对的区别，很难想象存在中间状态(曾令良等，2001)。在解释"必需"时对"最少贸易限制"的淡化使碳关税等与环境有关的贸易措施成功援引 GATT 第

20 条(b)款的可能性大大增加。

有一种观点认为，碳关税很难满足 GATT 第 20 条(b)项"必需"一词的要求。因为在碳关税措施之外，还存在着其他一些能够达到同样目的且不违反 GATT 实体义务的措施。例如，世界各国可通过谈判协商达成协议，使各国承担相应的减排义务，以国际合作的方式减少全球的二氧化碳排放等。美国计划实施碳关税措施的目的是迫使发展中国家实施碳税或排放交易机制，从而达到减少二氧化碳排放的目的。然而，以发展中国家的经济发展水平、产业结构和技术标准，是很难在短时间内达到发达国家的排放标准的。因此，发展中国家的产品即使被征收碳关税，发展中国家的二氧化碳的排放量也不会大幅降低。碳关税无法在根本上达到减少二氧化碳排放的目的，因此很难被认定为是"必需的"(佟占军，2011)。有学者假设，一个国家既有二氧化碳排放低的钢铁厂，也有二氧化碳排放高的钢铁厂，碳关税将使进口商只进口碳排放低的钢铁厂生产的钢铁，但碳排放高的钢铁厂仍然会生产钢铁并出口至其他国家。这表明碳关税与减缓气候变暖这一环境目标之间不存在因果关系(Quick，2008)。也有观点认为，温室气体排放增加引起的全球气球变暖问题可通过技术转让得到解决(Nair，2010)。但技术转让存在着知识产权上的障碍。Hawkins(2008)认为，在碳关税问题上类推适用欧共体石棉案需要谨慎，因为该案中石棉纤维与癌症之间的联系是确定并被普遍接受的，而贸易限制措施与气候变化对人类、动物或植物的生命或健康造成的影响之间的联系程度并没有那么高。碳关税在应对气候变化上的贡献是不明确的，其最大的原因是全球变暖在科学上的不确定性(Zane，2011)。因此，必需性要求是碳关税援引 GATT 第 20 条例外的一个重要障碍，美国主张国际储备配额项目的实施是保护人类、动物或植物的生命或健康所"必需的"存在着困难(Milner-White，2009)。美国总统奥巴马也表示，应当有"除碳关税之外的其他方法"保证公平的国际竞争环境(李晓玲等，2010)。

但也有观点认为，碳关税是成本最低的政策选择(谢来辉，2010)。在后京都时代，还没有达成能有效应对气候变化的全球性公约，有些国家甚至宣布不再履行《京都议定书》下的减排义务。在这种情况下，履行减排义务的国家只有两种选择，一种选择是眼睁睁地看着其他不承担减排义务的国家继续大量排放温室气体，从而使本国的减排努力被抵消并使本国产业的竞争力下降；另一种选择是采取碳关税等单边措施。因此，碳关税是为保护人类、动物或植物的生命或健康所"必需"的措施(Avner，2007)。如果没有碳关税，在实施限额与交易制度或碳税制度的国家运营需要支付碳税或购买排放额度的企业不能降低成本的，可能重新部署到没有对企业的二氧化碳排放征收类似费用的国家。在该外国生产后，该企业可以将其产品出口到需要交纳二氧化碳排放费的国家。在这种情况下，母国征收排放费用以减少二氧化碳排放的目标实际上没有实现，因为该企业通过转移生产避免了缴纳排放费用，并在其他国家排放二氧化碳（Demailly et al，2006）。而一些学者提出的技术转让、资金支持、二氧化碳减排证明等方式虽然能在一定程度上减少全球碳排放，但其在应对碳泄漏问题上的效果不如碳关税。如采取禁止进口等能达到同样效果的措施，其与 GATT 义务不一致的程度并不比碳关税低，反而更高。因此，不存在与 GATT 相符或与 GATT 不一致程度更低的替代措施（宋俊荣，2010）。可见，从应对碳泄漏的角度来看，碳关税也是必需的措施。此外，考虑到减缓全球变暖对人类的重要性，旨在避免碳泄漏的碳关税措施更有可能被认定为保护人类、动物或植物的生命或健康所必需的措施。

综上所述，如有关争端提交 WTO 争端解决机构，碳关税很有可能被判定为 GATT 第 20 条（b）项所规定的"为保护人类、动物或植物的生命或健康所必需的措施"。

4.1.3.2　GATT 第 20 条（g）项

GATT 第 20 条（g）项的内容是"与保护可用竭的自然资源有关的措施，如此类措施与限制国内生产或消费一同实施"。一项措施是否符合 GATT 第 20 条（g）项的要求，必须同时满足以下两个条件。

4.1.3.2.1　碳关税是否与保护可用竭的自然资源有关

判断碳关税是否与保护可用竭的自然资源有关要解决两个问题。第一个问题是不受二氧化碳污染的大气是否是"可用竭的自然资源"，第二个问题是碳关税是否与保护不受二氧化碳污染的大气有关。

（1）不受二氧化碳污染的大气是否为"可用竭的自然资源"。有一种观点认为，二氧化碳并非是 GATT 第 20 条（g）项规定的可用竭的自然资源，因此 GATT 第 20 条（一般例外）并不能用来证明碳关税的合法性（朱丹宁，2010）。二氧化碳等温室气体作为环境影响物质，不属于 GATT 第 20 条（g）项规定的可用竭的自然资源，因此，以该项为依据，对其他国家设立碳关税，是不合理的（常纪文，2009）。这种观点是存在问题的，因为判断是否与保护可用竭的自然资源有关的对象是"不受二氧化碳污染的大气"，而并非"二氧化碳"。在美国虾案中，上诉机构认为，GATT 第 20 条（g）项中"可用竭的自然资源"是 50 多年前制定的条款，应根据当代国际社会对环境的关注与 WTO 可持续发展的宗旨进行解释（AB Report，1998）。考虑到世界对气候变化问题的广泛关注以及现有的限制碳排放的协定，"可用竭的自然资源"有可能被解释为包括气候（Hawkins，2008）。在美国汽油标准案中，专家组认为清洁空气是一种可用竭的自然资源，这一观点得到了上诉机构的支持（AB Report，1996）。那么，二氧化碳是否对清洁空气造成污染？这一问题的答案并非当然是肯定的，美国国内对二氧化碳等温室气体是否应被视为空气污染物也存在着争议。

美国对这一问题的讨论主要是围绕着二氧化碳等温室气体是否应由《清洁空气法》调整而展开的。对这一问题的回答关系到气候变化项目的管辖权，在美国，参议院能源与自然资源委员会和环境与就业委员会都在考虑温室气体立法。这还关系到气候变化项目立法通过后由环境保护署还是能源部或其他机构负责实施的问题。在过去的一段时间，环境保护署对这一问题有两种观点。在克林顿政府时期，环境保护署总顾问认为二氧化碳是空气污染物，因此可以由《清洁空气法》调整。但环境保护署并没有实际提出有关法规，而只是坚持其有权这么做。在布什政府时期，环境保护署新任总顾问则持不同意见，认为国会已经明确将二氧化碳与其他空气污染物进行区分。布什政府也在法庭上表示，控制汽车的二氧化碳与其他温室气体排放可通过设置节能标准来实现（联邦政府保留立法权），而不是通过控制空气污染来实现（州政府有立法权）（McCarthy，2008）。

在 2007 年 4 月 2 日做出的 Massachusetts V. EPA 案的裁决中，美国最高法院解决了《清洁空气法》的管辖权问题。最高法院在判决中指出，"《清洁空气法》中对'空气污染物'的定义是广义的，指的是'任何空气污染物或这些污染物的混合物，包括任何排放到自由流通的空气中的物理物质、化学物质'。二氧化碳、甲烷、一氧化二氮和氢氟化碳毫无疑问是'排放到自由流通的空气中的物理物质、化学物质'。该法没有歧义。"

因此，美国最高法院已经确认二氧化碳等温室气体是受《清洁空气法》调整的空气污染物。事实上，美国参众两院公布的一些有关温室气体减排的法案也大多是通过在《清洁空气法》中增加一章来实现的。

考虑到 WTO 争端解决机构已经将清洁空气认定为可用竭的自然资源，而二氧化碳是清洁空气的污染物，因此不受二氧化碳污染的清洁空气当然是可用竭的自然资源。此外，大气平衡及气候变暖所影响的海平面、物种、生物多样性、冰河都可视为 GATT 第 20 条（g）项下的"可用竭的自然资源"（Brink，2010）。因此，不受二氧化碳污染的大气是"可用竭的自然资源"。碳关税的实施能够间接地减少石化能源的开发与利用活动，从这个意义上来说，它也是与"石化能源"这一可用竭自然资源有关的（唐启宁，2010）。由于气候变化是当代国际社会关注的主要环境问题，因此，不受二氧化碳污染的大气应当被认定为可用竭的自然资源。

（2）碳关税是否与保护不受二氧化碳污染的大气有关。GATT/WTO 争端解决实践已有较多案例对 GATT 第 20 条（g）项中的"有关"进行了解释。在 GATT 时期的加拿大鲱鱼和鲑鱼案中，专家组指出，只要争议措施的首要目的是保护可用竭的自然资源，即使此种措施在客观上并不能有效地保护可用竭的自然资源，也可被认定为与保护可用竭的自然资源有关。在美国汽油标准案中，上诉机构指出，GATT 第 20 条中各项使用的措辞不同，体现了不同的立法目的，对 GATT 第 20 条（b）项中的"必需"和（g）项中的"有关"应有不同的理解，这样才符合条约解释的一般规则。在判定"有关"这一问题时，分析的对象是争议措施本身，而不是争议措施对贸易产生的限制这方面的内容。如果还分析争议措施对贸易的限制，则是把 GATT 第 20 条(b)项中的"必须"标准适用于(g)项中的"有关"标准。上诉机构还认为，"有关"等同于"首要目的是"，即使"首要目的是"并不是条约用语(AB Report，1996)。在美国虾案中，上诉机构认为，争议措施与保护可用竭的自然资源的政策之间如果存在"手段与目的"的关系，则可认定为"有关"(AB Report，1998)。WTO 争端解决实践对"有关"的认定呈现以下几个特点：①"有关的措施"的范围逐渐扩大，将"有关"与"必需"进行明确区分，对"有关"的解释不再受"必需"解释的影响；②专家组和上诉机构审查的对象是争议措施与环境保护的相关性而不是措施中包含的具体内容；③即使争议措施的实施实际上并未达到声称的保护效果，也可被认为符合"有关"这一要求(郑圣果，2005)。可见，GATT 第 20 条 (g)项中的"有关"要求是比较容易满足的。

对于与气候变化有关的贸易措施，可能引起争议的问题是其应对气候变化的效果在科学上具有不确定性(Green et al，2008)。然而，有足够的理由认为碳关税与二氧化碳减排是直接相关的，原因有以下几点：①碳关税提高外国二氧化碳排放的成本，因此鼓励外国生产商减少二氧化碳排放；②碳关税能够防止碳泄漏，即防止企业转移至没有对二氧化碳排放征收税费的国家而导致的二氧化碳排放"泄漏"。此外，在美国虾案中，上诉机构指出，旨在促使外国采取措施以减少捕虾对海龟的伤害的规定与保护海龟是直接相关的(AB Report，1998)。同样，碳关税旨在促使外国采取减少二氧化碳排放的措施，因此，根据美国虾案中相同的推理，足以认定碳关税与减少二氧化碳排放具有足够的相关性(Veel，2009)。虽然碳关税的另一个目的是保护国内产业的竞争力，且其防止碳泄漏的效果不一定很好。但 GATT 第 20 条 (g)项并不要求一项措施的效果，也不要求保护可用竭的自然资源是该措施的唯一目的，只要该措施的首要目的是保护可用竭的自然资源就符合 GATT 第 20 条 (g)项的要求。因此，碳关税与保护不受二氧化碳污染的大气是有关的。

我国也有学者认为，对进口的内涵碳产品征收碳关税的目的在于促进企业减少碳排放，有助于保护可能用尽的大气容量，要证明碳关税符合 GATT 第 20 条(g)项的要求基本不存在争议(梁泳，2010)。WTO 与 UNEP 在《贸易与气候变化》的报告中也认为，为避免遭受气候变化造成的不利影响，气候可作为全球公共产品而受到必要保护，碳关税的主张具备为人类生存利益而共同减排温室气体的环保理由(WTO-UNEP Report，2009)。因此，碳关税旨在保护不受二氧化碳污染的大气，从而是与保护可用竭的自然资源有关的措施的主张很可能得到 WTO 争端解决机构的支持。

4.1.3.2.2　碳关税是否"与限制国内生产或消费一同实施"

该标准要求政府对国内生产商与国外生产商公平地适用类似的措施。在美国汽油标准案中，上诉机构将"与限制国内生产或消费一同实施"解释为，该措施与国内生产或消费自然资源的限制一起实施，限制措施不仅针对进口汽油，也针对国产汽油。"与限制国内生产或消费一同实施"要求对进口产品与国内产品的限制措施应该不偏不倚，但并不要求进口产品与国内产品的待遇完全相同。如果进口产品与国内产品的待遇完全相同，争议措施就不会违反国民待遇原则，也就没有必要援引GATT第20条例外来分析争议措施的合法性了（AB Report，1996）。在美国虾案中，上诉机构审查了美国对进口海虾所施加的限制是否也施加给了美国拖网渔船所捕捞的海虾，并得出结论，认为美国保护海龟的措施基本上是不偏不倚的，从而符合GATT第20条（g）款"与国内生产与消费一同实施"的要求（AB Report，1998）。因此，要符合"与国内生产与消费一起实施"的要求，当事方应当证明，对可用竭的自然资源的生产或消费实施限制时，对国内生产与消费和对国外生产或消费"不偏不倚"（熊文攀，2006）。目前所有碳关税提议的背后都有国内的排放权限额与交易制度或碳税制度，碳关税是减少二氧化碳排放的国内措施的补充，因此，只要碳关税及相应的国内减排制度对进口商与国内生产商不偏不倚，则碳关税是与限制国内生产或消费一同实施的。所以，以碳关税没有"与限制国内生产或消费一同实施"为由来主张其与WTO规则不符存在着很大的困难。

4.1.3.3 GATT第20条引言

虽然WTO与UNEP在《贸易与气候变化》的报告中认为，碳关税措施在WTO多边贸易体制下是可以被例外地接受的，但同时重申，该例外不能构成"任意或不合理歧视"或"构成对国际贸易的变相限制"（WTO-UNEP Report，2010）。要证明一项措施符合GATT第20条引言比证明该措施符合GATT第20条中的具体例外更为困难（O'Brien，2009）。参考WTO的有关案例，碳关税措施通过GATT第20条（b）项与（g）项下相关审查的可能性都比较大，关键在于碳关税措施是否符合GATT第20条引言（黄志雄，2010）。GATT第20条引言处理的并不是争议措施本身，而是争议措施的实施方式（AB Report，1996）。GATT第20条引言中的限制是一项措施，援引GATT第20条排除不法性需要突破的最后一道关口，可以防止GATT第20条被滥用。GATT第20条引言所起的作用是在成员方援引第20条具体例外的权利与其他成员方WTO下的权利之间达成平衡。

4.1.3.3.1 碳关税是否在情形相同的国家之间构成任意或不合理歧视

GATT第20条引言中的原话是"……不在情形相同的国家之间构成任意或不合理歧视……"。此处"情形相同的国家之间"既包括出口国之间，也包括出口国与进口国之间（AB Report，1996）。在美国虾案中，上诉机构将这一要求分为三个具体部分：第一，争议措施的实施必须构成歧视；第二，歧视必须是任意或不合理的；第三，歧视必须存在于情形相同的国家之间（AB Report，1998）。在美国汽油标准案中，上诉机构认为，这一表述并不禁止歧视，其禁止的是可预见的歧视，不禁止仅仅因疏忽引起的歧视或不可避免的歧视（AB Report，1996）。此外，在情形不相同的国家之间，是允许歧视的。即使在情形相同的国家之间，也可以歧视，只要这种歧视不是任意或不合理的。换句话说，如果某种歧视有法律上的原因或者合理的理由，那么这种歧视并不被禁止。

在美国虾案中，上诉机构认为，虽然美国的争议措施属于 GATT 第 20 条（g）项规定的与保护可用竭的自然资源有关的措施，但是美国在实施争议措施的过程中"构成任意或不合理的歧视"，例如：①美国要求虾及虾产品出口国采取同美国一样的海龟保护政策，这构成对其他成员方立法权的不合理干涉；②要求各出口成员方统一装备海龟隔离器，而不考虑各国的实际情况，这不能证明美国的政策是适当的，等等。因此，虽然争议措施属于 GATT 第 20 条（g）项的例外措施，但不符合 GATT 第 20 条引言的要求。迫使其他国家采取"本质上相同"的环境项目的贸易措施违反了 GATT 第 20 条引言的规定。一个国家可以对在保护自然资源方面没有实施效果具有可比性的项目的国家实施贸易限制措施，但不能要求外国实施相同的项目（AB Report，1998）。上诉机构还指出，如果一个国家与其他 WTO 成员方没有进行旨在达成保护相关资源的协议的善意谈判，则有可能被判定为存在不合理的歧视（AB Report，1998）。但这并不要求必须达成国际协议，而只是要求该国进行了达成此种协议的努力。如果要求必须达成国际协议才不"构成任意或不合理的歧视"，则参加该国际协议谈判的任何国家都对实施贸易限制措施的成员方是否履行 WTO 义务具有一票否决权。这一解释表明，为保护可用竭的自然资源，各国可以采取单边措施。但是，这一单边措施要受制于通过谈判解决国际环境问题的努力，这种努力应是认真的、善意的（Gaines，2001）。最后，上诉机构指出，GATT 第 20 条引言要求企图使基于环境的贸易限制措施合法的成员方在实施限制措施时达到一定程度的透明度并符合程序公正的要求（AB Report，1998）。

基于以上推理，佟占军（2011）认为，美国的碳关税措施存在的"任意或不合理"之处有：第一，美国的碳关税措施要求进口产品的碳排放达到与美国同样的标准，这是对他国碳排放立法的任意或不合理的干涉。第二，美国对各国采用统一的标准征收碳关税是不合理的，没有考虑各国的实际情况。然而，美国碳关税提案中的规定并不是这样，《2008 年利伯曼-沃纳法案》并不强制其他国家实施某种具体类型的温室气体减排制度，才能使这些国家产品的进口商免除购买国际储备配额的义务。相反，只要其他国家实施的项目效果相当，就可以免除购买配额的义务。此外，即使一个国家没有实施效果相当的措施，该法案也允许根据该国实际采取的措施减少进口商必须购买的国际储备配额的数量。因此，《2008 年利伯曼-沃纳法案》中的碳关税条款在这方面并不一定构成任意或不合理的歧视。

　　黄志雄（2010）认为，如果美国在实施碳关税之前积极参与了有关的国际谈判，对于证明其碳关税措施不构成任意或不合理的歧视将是一个有利因素。而积极参与国际谈判是很容易做到的，奥巴马政府事实上也积极参与了正在进行的气候谈判。在是否积极参与国际谈判这一问题上，对实施碳关税的国家来说是有利的。

　　王慧（2010）认为，根据美国碳关税条款的规定，美国国内生产商只需按照产品生产过程中实际排放的二氧化碳量来购买排放配额，而进口商则需要根据进口产品生产国同类产品的生产商在生产该产品时的平均二氧化碳排放量来购买国际储备配额。而且，美国对本国生产商提供了灵活的遵守机制，而进口商却不能享受相应的灵活机制。因此，美国碳关税条款便构成了任意或不合理的歧视。在美国汽油标准案中，美国主张，为所有的汽油进口商提供单独基准在行政管理上存在困难，因此对所有进口适用法定基准符合 GATT 第 20 条引言的要求。专家组与上诉机构都反对这一主张。上诉机构认为，行政管理上的困难并非绝对不能使对国内生产商提供单独待遇而对外国生产商提供一般待遇的措施合法化。然而，上诉机构认为，为了使其不对进口商适用单独基准的行为合法化，美国应该至少做到以下几点：①试图与外国政府合作以减轻行政管理上的问题；②考虑适用法定基准给外国生产商带来的成本（AB Report，1996）。这表明，美国要证明该规定合法是存在困难的，需要证据证明从外国企业和政府获得适当的信息存在行政管理上的障碍。该主张在《利伯曼-沃纳法案》下更难获得支持，因为该法案为在多个国家生产的涵盖产品所需的国际储备配额数量的计算规定了制定法规的指南，对这些产品的进口商进行单独评估，从而表明单独评估在行政管理上并非绝对不可能或不具有可行性。

　　在不能够促进碳关税目的实现的情况下，美国完全免除某些国家的产品在缴纳碳关税上的义务在出口国之间构成了歧视（Brink，2010）。但美国免除这些国家的义务都是有一定理由的，这些国家要么是最不发达国家，要么是采取了可比减排措施的国家，因此不一定被 WTO 争端解决机构认定为任意或不合理的歧视。

　　《利伯曼-沃纳法案》中的碳关税条款还可能违反 GATT 第 20 条引言中的程序公正要求。虽然《利伯曼-沃纳法案》要求制定规则以调整为某些决定的做出进行的行政听审，但该法案没有直接授予其他国家就以下问题提交证据或进行抗辩的权利：①该国是否采取了可比行动；②适用于该国产品的经济调整比率。当然，该法案并没有明确禁止此种程序，国际气候变化委员会在这些问题上审查外国提交的证据可能规定在实施细则中或者成为国际气候变化委员会标准行政实践的一部分。然而，如果最终没有建立此种允许外国以某种方式参与的程序，则该措施可能构成第 GATT 第 20 条引言中的任意歧视（Veel，2009）。

　　在美国虾案中，上诉机构指出，一个国家想要使其环境措施符合 GATT 第 20 条引言，需要考虑其他国家出现的不同情况（AB Report，1998）。在碳关税问题上，"不同情况"可被解释为要求美国考虑发展中国家的不同经济状况和不同国际法律义务。事实上，在这一问题上发展中国家拥有说服力强的理由，因为发展中国家可以合理主张，发达国家在工业化过程中排放了大量的二氧化碳，因此发展中国家在应对全球变暖问题上应承担更少的责任（Veel，2009）。根据《京都议定书》，发展中国家也没承担强制减排义务。美国的碳关税条款没有考虑发展中国家的特殊情形，因而可能构成任意或不合理的歧视。

综上所述，碳关税的实施可能存在任意或不合理的歧视，但并不代表碳关税本身存在任意或不合理的歧视，而且碳关税实施中可能存在的任意或不合理的歧视是可以通过修正使其符合 GATT 第 20 条引言的。

4.1.3.3.2　碳关税是否"构成对国际贸易的变相限制"

判断碳关税是否合法的关键是如何解释"对国际贸易的变相限制"。从字面意思上看，"变相限制"可以理解为表面上并非是对国际贸易的直接限制，但事实上却产生了限制国际贸易的效果。WTO 争端解决机构在判断这一问题时，可参照的因素是争议措施是否对同类产品的国内生产商产生了足以"构成对国际贸易的变相限制"的商业利益。如果争议措施没有给同类产品的国内生产商带来商业利益，或者这种商业利益很少，则不能说明其具有贸易保护主义目的，从而不"构成对国际贸易的变相限制"（熊文攀，2006）。有一种观点认为，美国的碳关税措施表面上是为了保护环境，似乎不构成限制国际贸易的措施。但由于发展中国家短期内根本无法达到美国的减排标准，其产品难免要被美国征收碳关税，这种碳关税措施在事实上限制了其他国家产品的出口，也就是对贸易产生了限制。因此，可以据此主张"碳关税"构成对国际贸易的变相限制（佟占军，2011）。这种观点的理由是不充分的。因为适用 GATT 第 20 条例外的前提是一项措施违反了 WTO 的其他条款，而 WTO 的其他条款基本上是确保自由贸易的，所以违反 WTO 其他条款的措施一般是限制贸易的。根据这一逻辑，只有限制贸易的措施才有必要主张适用 GATT 第 20 条例之外来证明其合法性，那么在适用 GATT 第 20 条时就不能仅仅以该措施是限制贸易的措施而排除第 20 条例之外的适用，否则 GATT 第 20 条就形同虚设，永远没有得到适用的机会。正如欧共体石棉案中专家组所指出的，环境贸易措施总是会产生有利于国内替代产品生产商的效果，这是环境贸易措施的必然结果，但这种效果本身并不能证明该措施的目的是贸易护主义（Panel Report，2000）。

综上所述，不能仅仅因为某项措施限制了贸易就认定该措施"构成对国际贸易的变相限制"，只有在该措施限制贸易的作用大于环境保护的作用时，才能认定该措施"构成对国际贸易的变相限制"。因此，碳关税并非当然构成对国际贸易的变相限制（黄文旭，2010）。在碳关税与贸易自由发生冲突时，我们必须意识到，碳关税可以保护人类、动物或植物的生命或健康，可以保护可用竭的自然资源，因此碳关税体现的是法价值中的安全价值，而贸易自由则体现了自由价值。在安全价值与自由价值发生冲突之时，我们必须偏向于安全价值，以确保人类的安全与健康（黄文旭，2007）。根据 GATT 第 20 条在整个 WTO 规则体系中的地位以及上述价值分析，不能随意认定碳关税构成对国际贸易的变相限制。我国也有学者认为，如果发达国家是以保护气候这一全球性公共资源为借口征收碳关税，是符合目前 WTO 法律框架的。中国即使对此提出诉讼，获胜的可能性也非常渺茫（吴力波等，2010）。这一观点有一定的道理，但并非完全正确。即使碳关税本身有可能根据 GATT 第 20 条例外获得合法性，但碳关税在具体实施过程当中很可能违反 WTO 规则，尤其是针对中国等发展中国家实施的碳关税，违反 WTO 规则的可能性更大。

4.1.4　碳关税在世界贸易组织规则下的合法性总结分析

从 WTO 的宗旨方面来看，碳关税违反了 WTO 自由贸易的宗旨，但符合 WTO 保护环境的宗旨。从 WTO 的具体规则来看，GATT 第 2.2（a）条规定了边境调节税，碳关税有可能表现为一种与碳排放有关的进口环节边境调节税，只要碳关税的征收符合 WTO 的国民待遇原则和最惠国待遇原则，那么碳关税就是符合 WTO 规则的。即使碳关税的征收违反了国民待遇原则和最惠国待遇原则，碳关税还可以从 GATT 第 20 条例外来寻找合法性依据。应对气候变化的措施旨在保护人类免遭气候变化带来的负面影响，因此符合 GATT 第 20 条（b）项的规定；同时，它不仅保护全球的大气而且保护一些动植物免遭气候变暖而灭绝，因此符合 GATT 第 20 条（g）项的规定（Veel，2009）。目前比较公认的观点是，碳关税很可能违反国民待遇原则，但构成 GATT 第 20 条（b）项或（g）项的例外。因此，最关键的问题是判断碳关税是否符合 GATT 第 20 条引言（Zane，2011）。有学者认为，不能将 GATT 第 20 条解释为允许实施碳关税。如果要使碳关税在 WTO 规则下具有合法性，WTO 成员方应提议对 GATT 第 20 条进行修改（Charnovitz，2002）。然而，随着环保浪潮的推进，WTO 考虑环境与贸易的关系时的价值取向可能发生变化，满足环境保护需要的重要性可能会相对于贸易自由化上升（朱榄叶，2000）。从 GATT/WTO 争端解决实践来看，保护环境的措施已经在一些案例当中被认为符合 GATT 第 20 条的规定。而且在美国汽油标准案中，上诉机构认为，GATT 第 20 条引言针对的不是某项措施本身或它的具体内容，而是该措施的实施方式（AB Report，1996）。因此，碳关税本身很可能被 WTO 争端解决机构认定为合法措施，但碳关税的具体实施可能违反 WTO 规则。正如一个外国学者所说的，很难对抽象的碳关税是否符合 WTO 规则做出确定的结论，碳关税是否符合 WTO 规则取决于碳关税的设计与具体实施（O'Brien，2009）。我国学者沈木珠也认为，碳关税本身的合法性须经个案分析才能定性（沈木珠，2011）。在将来可能发生的争端解决实践中，专家组或上诉机构也可能回避对抽象的碳关税制度做出合法性判断，而是对碳关税的具体实施进行分析，这样可以使 WTO 的贸易与环保目标之间的冲突避免直接交锋。

碳关税将如何具体实施，现在还不得而知，所以具体的碳关税措施是否符合 WTO 规则还需实践的检验。判断碳关税是获得 GATT 第 20 条(g)款"保护可用竭的自然资源"的豁免，还是被争端解决机构定性为推行贸易保护主义的"绿色壁垒"，结果不可一概而论(何娟，2010)。正如 WTO 总干事拉米在 2008 年 WTO 公共论坛上所表示的："碳关税是否符合 WTO 规则是个特别复杂的问题，不能概括地回答。所有严肃的法学家都会回答：'具体情况具体分析'。"因此，只能说碳关税必须符合一定的标准才符合 WTO 规则。

碳关税并不当然违反 WTO 规则，但碳关税的具体实施可能违反 WTO 规则。根据 WTO 规则，碳关税的具体实施必须符合一定的条件，如果不符合这些条件，则违反了 WTO 规则。WTO 对碳关税施加的条件包括：第一，应给予发展中国家特殊与差别待遇；第二，对进口产品生产过程中的二氧化碳实际排放量进行单独评估，并征收与其实际排放量相当的税费。这一要求虽然在实施上具有一定的困难，但并非不可行。如果不对进口产品进行单独评估，则违反了 WTO 国民待遇原则，并构成 GATT 第 20 条引言中的任意或不合理的歧视(黄文旭，2011)。

4.2　碳关税在气候公约下的合法性分析[①]

由于碳关税不仅与贸易有关，而且其本身是一种以防止碳泄漏为目的的温室气体减排措施，因此不仅要从 WTO 规则的视角分析碳关税的合法性，也要在气候变化国际法框架下分析碳关税的合法性。目前与气候变化有关的主要国际法律文件为《联合国气候变化框架公约》和《京都议定书》。以往的一些研究通常不对两者进行区分，而是笼统地在"共同但有区别的原则"下进行分析。但两者在具体义务的规定上不相同，缔约方也并不完全相同，《联合国气候变化框架公约》的缔约方比《京都议定书》的缔约方要多。某些国家是《联合国气候变化框架公约》的缔约方，但不是《京都议定书》的缔约方。如美国，其是《联合国气候变化框架公约》的缔约方，但并不是《京都议定书》的缔约方，因此，只能根据《联合国气候变化框架公约》来分析美国碳关税的合法性，而不能根据《京都议定书》来分析美国碳关税的合法性。在这种背景下，很有必要分别分析碳关税在《联合国气候变化框架公约》和《京都议定书》下的合法性。

---

① 本部分内容主要编引自黄文旭的研究。

4.2.1　碳关税在《联合国气候变化框架公约》下的合法性

4.2.1.1　《联合国气候变化框架公约》与碳关税有关的规定

《联合国气候变化框架公约》于 1992 年 5 月 9 日在纽约订立，1992 年 6 月在巴西里约热内卢举行的联合国环境与发展大会上通过，开放给各国签署。1994 年 3 月 2 日，《联合国气候变化框架公约》生效。《联合国气候变化框架公约》由序言、26 条正文和两个附件组成。《联合国气候变化框架公约》并没有直接对碳关税做出规定，但其对基本原则和不同缔约方义务的规定与碳关税有关。

4.2.1.1.1　基本原则

《联合国气候变化框架公约》第 3 条规定了各缔约方在为实现本公约的目标和履行其各项规定而采取行动时的指导原则，其中一些原则可用于判断碳关税的合法性。

（1）共同但有区别的责任原则。《联合国气候变化框架公约》第 3 条第 1 款规定了共同但有区别的责任原则，其内容是："各缔约方应当在公平的基础上，并根据他们共同但有区别的责任和各自的能力，为人类当代和后代的利益保护气候系统。因此，发达缔约方应当率先对付气候变化及其不利影响。"公约第 3 条第 2 款要求考虑发展中国家的特殊情况，也体现了共同但有区别的责任原则，其内容是："应当充分考虑到发展中国家缔约方，尤其是特别易受气候变化不利影响的那些发展中国家缔约方的具体需要和特殊情况，也应当充分考虑到那些按本公约承担不成比例或不正常负担的缔约方，特别是发展中国家缔约方的具体需要和特殊情况。"公约第 3 条将"共同而有区别的责任"列为入第 1 款和第 2 款，表现出"共同而有区别的责任"原则在整体指导原则中的重要地位(万霞，2006)。公约在序言中也提到了有关共同但有区别的责任原则的内容，"注意到历史上和目前全球温室气体排放的最大部分源自发达国家；发展中国家的人均排放仍相对较低；发展中国家在全球排放中所占的份额将会增加，以满足其社会和发展需要……承认气候变化的全球性要求所有国家根据其共同但有区别的责任和各自的能力及其社会和经济条件，尽可能开展最广泛的合作，并参与有效和适当的国际应对行动……有些国家所实行的标准对其他国家特别是发展中国家可能是不恰当的，并可能会使之承担不应有的经济和社会代价"。共同但有区别的责任原则在判断对发展中国家实施的碳关税是否合法上具有重要作用。

（2）可持续发展原则。《联合国气候变化框架公约》第 3 条第 4 款规定了可持续发展原则，"各缔约方有权并且应当促进可持续的发展。保护气候系统免遭人为变化的政策和措施应当适合每个缔约方的具体情况，并应当结合到国家的发展计划中去，同时考虑到经济发展对于采取措施应付气候变化是至关重要的"。可持续发展原则指的是既满足当代人的发展需要，又不损害后代人满足其需要的能力的发展。可持续发展原则在判断碳关税的合法性上具有参考作用。

(3)开放经济体系原则。《联合国气候变化框架公约》第 3 条第 5 款规定了开放经济体系原则，"各缔约方应当合作促进有利的和开放的国际经济，这种体系将促成所有缔约方特别是发展中国家缔约方的可持续经济增长和发展，从而使它们有能力更好地应付气候变化的问题。为对付气候变化而采取的措施，包括单方面措施，不应当成为国际贸易上的任意或无理的歧视手段或者隐蔽的限制"。这一条款是判断碳关税合法性的关键条款。根据该条款，碳关税等单边措施不得构成对国际贸易的任意歧视或变相限制。

4.2.1.1.2　缔约方的义务

《联合国气候变化框架公约》把缔约方分为附件一缔约方和非附件一缔约方，根据"共同但有区别的责任"原则，第 4 条为不同的缔约方规定了不同的义务。

(1)所有缔约方的义务。所有缔约方都应当：提供所有温室气体源和汇的国家清单；制定、执行、公布国家计划，包括减缓和适应气候变化的措施；促进减少温室气体排放的技术的开发应用；增强温室气体的吸收汇；制定适应气候变化影响的计划；促进信息交流；促进教育、培训和提高公众意识等。适用于所有缔约方的义务除了提供信息之外，都是用促进等词描述的软性义务。

(2)附件一缔约方的义务。附件一缔约方由 24 个经济合作与发展组织成员国、欧共体("欧盟"的前身)和 11 个向市场经济过渡的国家组成，共 36 个缔约方。附件一缔约方承担的专门义务要严格一些，主要包括带头改变温室气体排放的趋势；制定国家政策和采取相应的措施，通过限制其人为的温室气体排放，减缓气候变化；到 2000年，个别地或共同地使二氧化碳等温室气体的人为排放回复到 1990 年的水平；在国家信息通报和温室气体清单中提供更多领域、更详细的数据。在这些义务当中，最重要的是限制温室气体排放的义务，虽然这一义务的可操作性不强。

(3)附件二缔约方和其他发达国家缔约方的义务。附件二缔约方由最初的 24 个经济合作与发展组织成员国和欧共体组成，共 25 个缔约方。也就是说，除了 11 个向市场经济过渡的国家之外，附件二缔约方和附件一缔约方是重合的。附件二所列发达国家和其他发达国家缔约方应提供新的和额外的资金，以支付发展中国家为提供国家信息通报所需的全部费用；帮助特别易受气候变化不利影响的发展中国家缔约方支付适应这些不利影响的费用；促进和资助向发展中国家转让无害环境的技术；支持发展中国家增强自身的技术开发能力。可见，附件二缔约方和其他发达国家缔约方的主要义务是提供资金和技术。

(4)发展中国家缔约方的义务。公约第 4 条第 7 款规定，"发展中国家缔约方能在多大程度上有效履行其在本公约下的承诺，将取决于发达国家缔约方对其在本公约下所有关于资金和技术转让的承诺的有效履行，并将充分考虑经济和社会发展及消除贫困是发展中国家缔约方的首要和压倒一切的优先事项"。可见，在发达国家没有提供资金和技术的情况下，发展中国家不承担减排义务。

此外，公约第 4 条第 10 款规定，"各缔约方在履行本公约各项承诺时，应考虑到其经济容易受到执行应付气候变化的措施所造成的不利影响之害的缔约方、特别是发展中国家缔约方的情况。这尤其适用于其经济高度依赖于矿物燃料和相关的能源密集产品的生产、加工和出口所带来的收入，和/或高度依赖于这种燃料和产品的消费，和/或高度依赖于矿物燃料的使用，而改用其他燃料又非常困难的那些缔约方"。

这些规定在判断碳关税的合法性时应该予以考虑。

4.2.1.2　碳关税在《联合国气候变化框架公约》下的合法性

《联合国气候变化框架公约》第 2 条规定，"……根据本公约的各项有关规定，将大气中温室气体的浓度稳定在防止气候系统受到危险的人为干扰的水平上……"可以将本条的措词理解为，公约缔约方控制温室气体排放的措施必须是"根据本公约的各项有关规定"采取的，换句话说，缔约方不得采取公约规定之外的方法来控制温室气体的排放。那么，碳关税是否符合《联合国气候变化框架公约》的有关规定呢？

（1）《联合国气候变化框架公约》是否禁止碳关税等单边措施。《联合国气候变化框架公约》第 3 条第 5 款规定，"各缔约方应当合作促进有利的和开放的国际经济体系，这种体系将促成所有缔约方特别是发展中国家缔约方的可持续经济增长和发展，从而使它们有能力更好地应付气候变化的问题。为对付气候变化而采取的措施，包括单方面措施，不应当成为国际贸易上的任意或无理的歧视手段或者隐蔽的限制"。这一规定颇具 WTO 规则的风范，事实上，这款规定就是源自 GATT 第 20 条例外引言中的规定（GATT 第 20 条例外引言中的规定为"对情况相同的各国，实施的措施不得构成武断的或不合理的差别待遇，或构成对国际贸易的变相限制"），只是用词不完全相同而已。

有学者认为，根据这一条款，《联合国气候变化框架公约》明显反对单方面的贸易限制措施（谢来辉，2008）。也有学者认为，《联合国气候变化框架公约》既不支持缔约方将单边贸易措施作为其应对气候变化问题的策略，也没有明文禁止单边气候贸易措施。还有学者认为，碳关税不符合《联合国气候变化框架公约》的理由如下：①进口国无权单边评估第三国的减排措施。例如，《联合国气候变化框架公约》第 3 条就规定，每一缔约方采取的行动应根据它们共同但有区别的责任和各自的能力。②惩罚性的单边贸易措施并不是应对气候变化的有效措施。针对气候变化采取单边贸易措施会阻碍各国在应对全球气候变化方面的合作，因为惩罚性的贸易措施会影响至关重要的全球性气候变化协商。③惩罚性的单边贸易措施不一定能够预防碳泄漏和减缓气候变化（O'Brien，2009）。有研究表明："中国所排放的碳总量的 1/4 主要源于产品的出口，

而出口的产品主要用来满足那些不再生产相应产品的发达国家的消费者。"(ICTSD，2008)

　　上述认为碳关税违反了《联合国气候变化框架公约》的观点在论证上存在着一定的缺陷。《联合国气候变化框架公约》第 3 条第 5 款规定，"为应付气候变化而采取的措施，包括单方面措施，不应当成为国际贸易上的任意或无理的歧视手段或者隐蔽的限制"。这一表述必须从两方面来理解，第一，可以采取单方面措施以应付气候变化；第二，所采取的措施不应当成为国际贸易上的任意或无理的歧视手段或者隐蔽的限制。在解释这一条文时不能只取第二种含义而对第一种含义选择性失明。如果说该条文的立法意图是不允许采取应对气候变化的单方面措施，就应该在起草时把"包括单方面措施"的措词删掉。而且，即使该条款没有"包括单方面措施"的措词，也不能认为该条款禁止碳关税等单方面措施，因为"为对付气候变化而采取的措施"的外延是很广的，在解释时不能人为地将"单方面措施"排除在外。在对条约进行解释时，应尽量使每一个条文有其存在的价值。因此，不能说该条款禁止了单边气候贸易措施，也不能说该条款既不禁止单边气候贸易措施，也不允许单边气候贸易措施，因为没有既不禁止也不允许的中间状态，不禁止即允许。据此，《联合国气候变化框架公约》第 3 条第 5 款是允许采取碳关税等单边气候贸易措施的。

　　以碳关税等单边措施不是应对气候变化的有效措施、影响全球气候变化协商、不一定能够预防碳泄漏为理由认为其违反了《联合国气候变化框架公约》则更是站不住脚。因为这些理由都是一些模棱两可的描述，都不能构成法律上的理由。而且，《联合国气候变化框架公约》第 3 条第 3 款还有规定，"不应当以科学上没有完全的确定性为理由推迟采取这类措施"。因此，即使碳关税预防碳泄漏的效果还具有不确定性，也不能以此作为碳关税不符合《联合国气候变化框架公约》的理由。

　　因此，《联合国气候变化框架公约》并不禁止碳关税等单边措施，但碳关税措施不得成为国际贸易上的任意或无理的歧视手段或者隐蔽的限制。而碳关税是否构成这种国际贸易上的歧视或限制，要根据碳关税的具体实施情况来进行判断。

　　(2)碳关税是否侵犯了他国的环境主权。《联合国气候变化框架公约》前言规定，"各国根据《联合国宪章》和国际法原则，拥有主权权利按自己的环境和发展政策开发自己的资源"。据此，O'Brie(2009)认为，碳关税针对的是外国企业的生产实践，侵犯了外国选择经济与环境政策的主权。国际环境协议一贯尊重属地管辖权，强调一国有权追求自己的发展方式。使用惩罚性的单边环境措施影响其他国家的环境或发展政策不符合主权原则。我国学者王慧(2010)也认为，国际环境协议尊重各国的主权，即各国有权选择自己的发展道路。因此，通过采取碳关税措施来影响其他国家的气候变化政策或发展政策无疑在一定程度上侵犯了其他国家的主权。

　　以碳关税影响了其他国家的气候变化政策或发展政策，从而侵犯了其他国家的主权为理由认为其违反了《联合国气候变化框架公约》也是不具说服力的。这一论证方式同样犯了选择性失明的错误。《联合国气候变化框架公约》序言中的原文是，"各国根据《联合国宪章》和国际法原则，拥有主权权利按自己的环境和发展政策开发自己的资源，也有责任确保在其管辖或控制范围内的活动不对其他国家的环境或国家管辖范围以外地区的环境造成损害"。认为碳关税侵犯了他国主权的观点只看到了上述序言内容的前半句，而无视后半句，只提到了出口国的主权，而无视进口国的主权。虽然出口国有权确定自己的温室气体排放政策，但也有责任确保其境内的温室气体排放不对该国以外的环境造成损害。由于温室气体排放所造成的损害并不限于出口国境内，而是对全球的气候变化造成了影响，因此，出口国的温室气体排放政策就不仅仅是其主权事项，同时还要受到国际法的约束。

此外，根据"领土内的一切都属于领土"的法律格言，国家对其领土范围内的一切人、物和事享有完全的和排他的管辖权，即国家的属地优越权，也称领域管辖权。所有处于一国境内的人和财产以及在一国境内发生的一切事件都处于该国的管辖之下（王铁崖，1995）。我国也有学者认为，美国的碳关税法案并不涉及"域外法权"争议，因为碳关税直接作用的对象是向美国出口的产品，而不是外国企业在产品生产过程中的碳排放行为；任何国家都具有对本国贸易行为及进出口产品的管辖权，这符合国际法上的"属地原则"（陈立新，2009）。根据属地管辖原则，一国实施什么样的气候变化政策或发展政策，只要不违反其条约义务，当然是其主权事项，但当其产品一旦进入进口国的领土，就立即处于进口国的管辖之下，进口国对进口产品采取何种措施，都是进口国的主权。

只有进口国的措施违反了国际强行法或该国的条约义务，才能说该措施违反了国际法。如果没有 WTO 规则的约束，世界各国即使闭关锁国，采取高关税甚至禁止任何进口，不管其征收高关税或禁止进口的理由是什么，这都是进口国的主权。因此，实施碳关税是进口国的主权，并没有侵犯其他国家的主权。相反，如果禁止进口国实施碳关税，则是侵犯了进口国的主权。李寿平（2004）从环境主权的角度进行分析，也认为国家为了保护本国环境与自然资源，基于国家环境主权可以通过国内立法实施单边贸易措施，这并不违背国际法的规定，应定性为合法行为。由于温室气体的排放所造成的后果是全球性的，并不局限于排放国境内，因此防止全球气候变暖也属于保护本国环境与自然资源的范围之内。

（3）碳关税是否符合"共同但有区别的责任"原则。"共同但有区别的责任"原则是国际环境法的一项基本原则，指的是各国对全球环境保护承担有共同的但是又有区别的责任。共同的责任意味着各国不论其大小、贫富等方面的差别，都对保护全球环境负有责任。有区别的责任指的是各国虽然负有保护全球环境的共同责任，但在发展中国家和发达国家之间，责任的分担不是平均的，而是与它们的社会在历史上和当前对地球环境造成的破坏和压力成正比的(王曦，2005)。《联合国气候变化框架公约》也规定了"共同但有区别的责任"原则。有一种观点认为，碳关税违反了《联合国气候变化框架公约》中的"共同但有区别的责任"原则(孟凡娟，2011)。持这种观点者不在少数。

然而，以碳关税不符合"共同但有区别的责任"原则而认为其违反了《联合国气候变化框架公约》是不严谨的。《联合国气候变化框架公约》不仅在序言和第 3 条"原则"中明确提出了"共同但有区别的责任"，而且在第 4 条关于"承诺"的规定中体现了"共同但有区别的责任"原则，即仅对附件一所列的发达国家缔约方规定了减排承诺，而发展中国家并没有减排承诺。由于碳关税有可能对进口自发展中国家的产品实施，也有可能对进口自附件一缔约方的产品实施，如欧盟的碳关税提议就主要是针对美国，而美国是附件一所列的发达国家缔约方。如果附件一国家没有采取减排措施，其产品被采取了减排措施的缔约方征收了碳关税，附件一国家就没有任何理由援引"共同但有区别的责任"来证明进口国的碳关税不合法。认为碳关税不符合"共同但有区别的责任"原则的观点是基于一个虚假的前提，即碳关税只能对发展中国家的产品征收。

因此，碳关税本身并不违反"共同但有区别的责任"，只有对从发展中国家进口的产品实施碳关税时，才涉及是否违反"共同但有区别的责任"问题。正如一个外国学者所分析的，根据《联合国气候变化框架公约》所确定的共同但有区别的责任原则，一国实施碳关税的做法是否合法还取决于碳关税征收国和产品出口国之间的关系。如果碳关税所涉及的两个国家都是工业化国家且两国的人均碳排放量相当，那么两国的气候变化减缓能力可能相当；如果其中的一个国家没有做出减缓气候变化的国际承诺，没有实施相应的措施来减缓气候变化，那么没有实施相应措施的国家在国际竞争中就可能处于优势地位，这种情况下实施减排措施的国家对没有实施减排措施的国家的产品征收碳关税便具有合理性。但是，如果发达国家针对发展中国家的产品征收符合发达国家碳排放标准的碳关税，便会产生公平问题。这是因为，这种碳关税显然只以发达国家的气候变化政策为出发点，只反映了发达国家自己对于国际公平竞争的理解，却没有顾及发展中国家所承担的低于碳关税征收国的经国际社会认可的气候变化减缓责任。因此，无视发展中国家实际国情的碳关税条款违反了《联合国气候变化框架公约》所确定的共同但有区别的责任原则(O'Brien，2009)。

综上所述，碳关税本身并不违反《联合国气候变化框架公约》，只是要受到一定的限制，即不得成为国际贸易上的任意或无理的歧视手段或者隐蔽的限制，不得对发展中国家进口的产品实施，如果对发展中国家进口的产品实施，则违反了"共同但有区别的责任"原则。

4.2.2　碳关税在《京都议定书》下的合法性

4.2.2.1　《京都议定书》与碳关税有关的规定

1997 年 12 月 1 ~ 11 日，在日本京都举行了《联合国气候变化框架公约》第三次缔约方会议。此次会议的宗旨是在温室气体的减排目标和期限上达成有约束力的协议，以使发达国家更有效地减少温室气体的排放量，尽快抑制全球变暖的趋势。会议各方经过激烈和艰难的谈判磋商，通过了具有里程碑意义的《京都议定书》。2005 年 2 月 16 日，《京都议定书》正式生效。截至 2011 年 9 月 6 日，已经有 175 个国家和地区签署了该议定书。《京都议定书》为发达国家与发展中国家规定了非常具体的不同义务，这些不同义务对判断碳关税是否合法非常重要。《京都议定书》的主要内容如下：

（1）量化减排指标。《联合国气候变化框架公约》的一个重大缺陷就是没有规定量化的温室气体减排指标，使得公约在温室气体减排上的效果有限。而《京都议定书》最重要的成果就是规定了量化减排指标，为附件一缔约方的温室气体排放量做出了具有法律约束力的定量限制。按照规定，附件一缔约方应该个别地或共同地确保其温室气体排放总量（以二氧化碳当量计）在 2008 ~ 2012 年的第一承诺期内在 1990 年的基础上至少减少 5%。在此基础上，《京都议定书》为附件一缔约方分别确定了具体的减排指标，如欧盟 8%，美国 7%，加拿大、日本各 6%，俄罗斯、乌克兰、新西兰维持零增长，澳大利亚、冰岛的排放量则可以增长 8% 和 10%。《京都议定书》没有对发展中国家规定量化减排要求，但应"在适当情况下和可能范围内制定国家或区域规划，改进排放目标和模式"。

（2）京都三机制。《京都议定书》的另外一项具有创造性的成果是规定了三个灵活机制，即第 6 条所确立的"联合履行机制"（JI）、第 12 条所确立的"清洁发展机制"（CDM）和第 17 条所确立的"排放贸易机制"（ET）。联合履行机制是指欧盟各成员国可作为一个整体，只要排放总量达到减排任务。清洁发展机制旨在促进发达国家和发展中国家的合作，以达到共同减排的效果。在清洁发展机制下，承担减排义务的附件一缔约方可在发展中国家投资能够减少排放量的项目，而减下来的排放量可返还投资国，用以冲抵其本身的减排义务。排放贸易机制则是指发达国家之间的排放额度可以进行交易，不能完成减排任务的国家可从超额完成减排任务的国家买入其需要的排放额度。

（3）资金机制。资金机制的目的是解决发展中国家在适应与减缓气候变化上所需的资金。为了保证发展中国家在适应与减缓气候变化上所需的资金，《京都议定书》第 11 条规定，发达国家缔约方应提供新的和额外资金帮助发展中国家缔约方支付履行有关承诺所引起的全部增加费用。

（4）遵约机制。遵约机制的目的是确保缔约方履约，减少或杜绝不遵约情况的出现。"不遵守程序"是《京都议定书》遵约机制的核心之一。《京都议定书》第 18 条规定，作为本议定书缔约方会议的《联合国气候变化框架公约》缔约方会议应在第一届会议通过适当且有效的程序和机制用以断定和处理不遵守本议定书的情势，包括就后果列出一个指示性清单，同时考虑到不遵守的原因、类型、程序和次数，依本条可引起拘束性后果的任何程序和机制应以本议定书修正案的方式通过。

《京都议定书》第 2 条第 3 款规定，"附件一所列缔约方应以下述方式努力履行本条中所指政策和措施，即最大限制地减少各种不利影响，包括对气候变化的不利影响、对国际贸易的影响以及对其他缔约方——尤其是发展中国家缔约方和《公约》第 4 条第 8 款和第 9 款中所特别指明的那些缔约方的社会、环境和经济影响，同时考虑到《公约》第三条。作为本议定书缔约方会议的《公约》，缔约方会议可以酌情采取进一步行动促进本款规定的实施。"《公约》第 4 条第 8 款和第 9 款中所特别指明的那些缔约方就包括"其经济高度依赖于矿物燃料和相关的能源密集产品的生产、加工和出口所带来的投入，和/或高度依赖于这种燃料和产品的消费的国家"。而碳关税正是对这些国家的经济和社会产生了不利影响，因此这些规定在分析碳关税的合法性时应予考虑。

4. 2. 2. 2 碳关税在《京都议定书》下的合法性

《京都议定书》是《联合国气候变化框架公约》的议定书，是《联合国气候变化框架公约》的具体化，维持了"共同但有区别的责任"原则，对特定国家的温室气体排放量做出了具有法律约束力的定量限制，要求附件一缔约方在 2008～2012 年的第一承诺期内将温室气体的排放量从 1990 年的水平至少减少 5%，对于发展中国家，则没有规定硬性的减排指标。有学者指出，《京都议定书》的生效使欧盟征收碳关税具有了合法性。也有学者认为，《京都议定书》并没有关于贸易措施来保证履约的条款（谢来辉，2008）。

有学者认为，由于《京都议定书》并没有偏离《联合国气候变化框架公约》，而是对《联合国气候变化框架公约》的具体化，因此，对碳关税在《联合国气候变化框架公约》下的合法性的分析同样适用于《京都议定书》。但是，《京都议定书》具有法律约束力的具体规定，使没有履行减排义务的附件一缔约方更加没有理由否认对其产品实施的碳关税的合法性，而发展中国家则有更充分的理由证明对其产品实施的碳关税的非法性（黄文旭，2011）。

有学者认为，《京都议定书》并不支持履行了减排义务的发达国家以碳泄漏问题为由而针对发展中国家采取碳关税等边境调节措施。其理由是，《京都议定书》谈判之时，各国代表已经都意识到了碳泄漏问题的存在，而且都认为这并不是严重的问题，并愿意接受在这种背景下的减排成本。而且，包括清洁发展机制在内的弹性机制为降低减排成本实现南北共赢提供了途径（谢来辉，2008）。如果附件一缔约方对非附件一缔约方的产品征收碳关税，则相当于要求原本不承担强制减排义务的非附件一缔约方承担强制减排义务，违反了《京都议定书》为附件一缔约方和非附件一缔约方确定的不同责任。

此外，《京都议定书》只对附件一国家国内生产过程产生的温室气体排放进行量化减排约束，并没有对其进口产品生产过程中的温室气体排放做出规定。因此，附件一国家可以通过进口替代的方式从非附件一国家进口相关产品来满足国内需求，而不把进口产品生产过程的排放计入本国排放清单（Ahmad et al，2003）。可见，对发展中国家采取的碳关税措施在《京都议定书》中是找不到合法依据的。

需要注意的是，由于《联合国气候变化框架公约》的普遍性和"共同但有区别的责任"原则，对没有加入《京都议定书》或后京都协议的发达国家采取的碳关税措施也具有合法性基础，而对没有加入《京都议定书》或后京都协议的发展中国家采取的碳关税措施则不具有合法性。

4.2.3 碳关税在气候公约下的合法性总结分析

碳关税在气候公约下是否合法不能一概而论，要分情况进行分析。对发达国家缔约方实施的碳关税措施、对发展中国家缔约方实施的碳关税措施和对非缔约方实施的碳关税措施的合法性是不一样的。

（1）对发达国家缔约方征收碳关税是否合法。由于采取碳关税措施是一国的主权事项，如果要主张碳关税措施不合法，必须要有国际法上的依据。而《联合国气候变化框架公约》或《京都议定书》对附件一中的发达国家规定了强制减排的义务，如果某附件一中的发达国家没有履行减排义务，其产品被其他国家征收碳关税，该发达国家就不能援引《联合国气候变化框架公约》或《京都议定书》主张该碳关税措施不合法。但此处要注意的是，有些发达国家并没有列入附件一，这类发达国家没有强制减排义务，若其产品被其他国家征收碳关税，该国就能主张该碳关税措施不合法。因此，根据《联合国气候变化框架公约》或《京都议定书》，对发达国家缔约方征收碳关税是否合法要分情况，对附件一中的发达国家缔约方征收碳关税是合法的，对没有列入附件一中的发达国家征收碳关税是不合法的。

（2）对发展中国家缔约方征收碳关税是否合法。根据《联合国气候变化框架公约》或《京都议定书》中的"共同但有区别的责任"原则及其他具体规定，发展中国家缔约方没有减排义务，当发展中国家缔约方没有在国内实施减排措施时，其他缔约方不得对其产品采取碳关税措施，否则就违反了《联合国气候变化框架公约》或《京都议定书》。但是，如果某个国家不是《联合国气候变化框架公约》或《京都议定书》的缔约方，那么该国就不受"共同但有区别的责任"原则的约束，该国对发展中国家缔约方采取碳关税措施时，发展中国家就不能以"共同但有区别的责任"原则来主张碳关税措施不合法。

因此，对发展中国家缔约方征收碳关税是否合法也要分情况，《联合国气候变化框架公约》或《京都议定书》的缔约方对发展中国家采取的碳关税措施不合法，但非缔约方对发展中国家缔约方采取的碳关税措施不受《联合国气候变化框架公约》或《京都议定书》调整。

美国不是《京都议定书》的缔约方，但仍然是《联合国气候变化框架公约》的缔约方。美国参议院决定不予批准《京都议定书》，美国总统布什又宣布退出该议定书，这些都是作为当代国际法分支的条约法赋予美国这个主权国家的正当权利。每个国家享有自主缔约权，包括参加谈判、签署、批准、加入条约的全部缔约程序的权利，也包括成为某个条约的缔约方后，退出该条约的权利。所以，美国退出《京都议定书》的行为，虽然是多数国家不乐意看到的，但其在国际法上则是无可指责的（周洪钧，2006）。然而，美国仍然要受《联合国气候变化框架公约》中的"共同但有区别的责任"原则约束，因而其对发展中国家实施碳关税的行为就是不合法的。

如果"共同但有区别的责任"原则发展成为了国际习惯法规则，则任何国家对发展中国家实施的碳关税都是不符合国际法的。

（3）对非缔约方征收碳关税是否合法。在传统国际法上，有一个根深蒂固的原则，即条约的相对效力原则，根据该原则，一个条约对第三国既无损，也无益，这是基于国家主权平等原则的必然结果（朱文奇等，2008）。《维也纳条约法公约》第三十四条规定，"条约未经第三国同意，对第三国既不创立义务，亦不创立权利"。条约相对效力原则已成为国际习惯法。有学者据此认为，根据国际条约效力的相对性原则，基于国际环境条约而实施的单边贸易措施所针对的对象只能是条约的缔约方，因此，如果国家或地区采取单边贸易措施所实施的对象是非缔约方，该措施显然是没有法律依据的（李寿平，2004）。这里仅赞同这一观点中关于条约效力相对性的内容，但并不赞同其他内容。因为碳关税等单边贸易措施不需要基于国际环境条约而实施，是否实施碳关税等单边贸易措施是一个国家的主权事项，不需要取得额外的国际法依据（黄文旭，2011）。实施碳关税不需要额外的国际法依据，但主张碳关税不合法却一定要有明确的国际法依据。因此，《联合国气候变化框架公约》或《京都议定书》的缔约方对非缔约方的产品采取碳关税措施是合法的，非缔约方无权以《联合国气候变化框架公约》或《京都议定书》中的规定为依据主张碳关税不合法。即使是发展中国家，如果其不是《联合国气候变化框架公约》或《京都议定书》的缔约方，也不能根据其中的"共同但有区别的责任原则"主张对其实施的碳关税措施的非法性。

此外，还有一种观点认为，限制温室气体排放的义务已构成国际强行法，在这一前提条件下，可以对没有采取有效减排措施的国家实施碳关税，不论该国是否加入《京都议定书》（包括后京都协议）或《联合国气候变化框架公约》（Quirico，2010）。这一结论的前提条件是存在问题的，因为限制温室气体排放的义务还没有被普遍认为构成国际强行法。因此，这一结论是站不住脚的，也是与"共同但有区别的责任"原则相违背的。如果共同但有区别的责任原则已构成国际习惯法，则没有加入《京都议定书》（包括后京都协议）或《联合国气候变化框架公约》的发展中国家可根据这一国际习惯法规则主张对其适用碳关税不符合国际法。然而，"共同但有区别的责任"原则是否取得国际习惯法的地位还存在争议（黄文旭，2011）。

4.3　小　结

本章对碳关税在世界贸易组织规则下的合法性和在气候公约下的合法性进行了分析。

从 WTO 的宗旨方面来看，碳关税违反了 WTO 自由贸易的宗旨，但符合 WTO 保护环境的宗旨。从 WTO 的具体规则来看，碳关税并不等于关税，有可能表现为一种与碳排放有关的进口环节边境调节税，并不违反 WTO 的关税减让原则。碳关税存在着违反取消数量限制原则的可能性。碳关税本身违反 WTO 国民待遇的可能性非常大，但存在着不确定性，将碳关税定性为对进口产品本身所征收的税费还是对进口产品生产过程中排放的二氧化碳所征收的税费是判断碳关税是否违反国民待遇原则的关键。由于碳关税采取来源地原则，对进口自未实施碳减排措施的国家的产品征收碳关税，而进口自实施了减排措施的国家的产品免征碳关税，这就在实施碳减排措施的国家与未实施碳减排措施的国家间造成了歧视，从而可能违反 WTO 最惠国待遇原则。即使碳关税的征收违反了国民待遇原则和最惠国待遇原则，碳关税还可以从 GATT 第 20条例外来寻找合法性依据。目前比较公认的观点是，碳关税很可能违反国民待遇原则，但构成 GATT 第 20 条（b）项或（g）项的例外。碳关税并不当然违反 WTO 规则，碳关税是否符合 WTO 规则取决于碳关税的设计与具体实施。

碳关税在气候公约下是否合法也不能一概而论，要分情况进行分析。根据《联合国气候变化框架公约》或《京都议定书》，对发达国家缔约方征收碳关税是否合法要分情况，对附件一中的发达国家缔约方征收碳关税是合法的，对没有列入附件一中的发达国家征收碳关税是不合法的。对发展中国家缔约方征收碳关税是否合法也要分情况，《联合国气候变化框架公约》或《京都议定书》的缔约方对发展中国家采取的碳关税措施不合法，但非缔约方对发展中国家缔约方采取的碳关税措施不受《联合国气候变化框架公约》或《京都议定书》调整。《联合国气候变化框架公约》或《京都议定书》的缔约方对非缔约方的产品采取碳关税措施是合法的，非缔约方无权以《联合国气候变化框架公约》或《京都议定书》中的规定为依据主张碳关税不合法，即使是发展中国家。

第5章 碳关税减碳效果分析

5.1 二氧化碳减排的技术方法及其评价[1]

气候变暖已经成为了一个全球性的气候问题，受到越来越多的人的关注。而二氧化碳是目前全球最主要的温室气体，在京都议定书中所约定的六种温室气体中二氧化碳约占总量的64%。二氧化碳的排放主要来源于能源、交通、工业生产等部门大量化石燃料的燃烧及动物的新陈代谢。大多数科学家普遍认为人为活动所释放的大量的二氧化碳是引起全球变暖的主要原因，二氧化碳主要在以化石燃料为主要能源的电力生产中产生，煤燃烧的污染物排放控制一直是环境保护中关注的焦点问题。因此，控制二氧化碳的排放是解决温室效应的关键。

国内外对二氧化碳的减排主要有以下几种方案：一是提高能源利用效率和节能，开发清洁燃烧技术和燃烧设备；二是二氧化碳的固定；三是开发核能、风能和太阳能等可再生能源和新能源；四是提高植被面积、保护生态(初济显，2012)。

5.1.1 提高能源利用效率

我国各行业能源利用效率都较低。据统计，我国绝大部分工业炉窑的热效率都不到50%，常规火电厂的发电效率仅为32.2%，通过采用先进技术实现节能减排潜力巨大。

(1)清洁燃煤技术。清洁燃煤技术是一个从煤炭开采到利用的全过程中旨在减少污染物排放、提高利用效率的加工、转化、燃烧及污染控制等的新技术群，是使煤作为一种能源达到最大限度的潜能利用，实现煤的高效、洁净利用的技术体系。目前我国在用的各种工业锅炉约50万台，年耗煤量超过4亿t，平均热效率仅为55%~65%，平均排放当量为1.136t CO_2/t 煤。其中，浙江大学将1台10t/h的链条炉改造成循环流化床锅炉，改造后锅炉性能测试显示，底渣含碳量小于2%，飞灰含碳量小于10%，锅炉效率由原来的65%提高到85%，二氧化碳排放减少20%。

---

[1] 本部分内容主要编引自初济显的研究。

（2）化学链燃烧技术。化学链燃烧技术的基本原理是将传统的燃料与空气直接接触反应的燃烧借助于载氧体的作用分解为 2 个气固反应，燃料与空气无需接触，由载氧体将空气中的氧传递到燃料中。由于化学链燃烧系统降低了传统燃烧的损失，提供了提高能源利用率的可能性，同时在还原反应器内生成的二氧化碳和水不会被过量的空气和氮气稀释，分离回收二氧化碳只需将水蒸气冷凝、去除，无需消耗能量和二氧化碳分离装置。

从中长期来看，继续研究化石能源转化与利用的新方法和新装置，进一步提高系统的能源转化效率，减少化石燃料消耗和二氧化碳的排放，是实现可持续性二氧化碳减排的重要途径。催化燃烧和化学链燃烧都是优势明显的高效环保能源利用新技术，但其要真正走向实际应用都要解决热能在时间和空间上的分配问题，相变蓄热技术在此方面正是有益的补充。结合了化学链燃烧和蓄热技术各项优点的熔融盐无烟燃烧技术，在燃烧过程中不仅彻底杜绝了大气污染物 NOx 的排放，而且解决了燃烧热量的存储和高效利用问题，同时在燃烧尾气中仅通过简单的冷凝就能得到高纯度的二氧化碳，从而以较低的能源消耗实现二氧化碳零排放，应用价值极高。

5.1.2　二氧化碳的固定

温室气体的固存和转化成为目前各国实现二氧化碳减排的研究热点。依据现行技术的特性分类，大致可分为物理二氧化碳固定法、化学二氧化碳固定法和生物二氧化碳固定法三大类。

（1）物理固定法。二氧化碳物理固定法主要有：海洋深层储存法和陆地蓄水层（或废油、气井）储存法等。地下和海洋深处固存具有巨大的潜力，可阻止或显著减少二氧化碳向大气中的人为排放，对减少二氧化碳人为排放、控制全球气候变化起到重要的作用。

（2）化学固定法。二氧化碳化学固定技术主要有以下几类：①利用乙醇胺类吸收剂对二氧化碳进行分离回收；②CO_2 与 H_2、CH_4、H_2O、CH_3OH 等反应分别合成甲醇、C_2烃、合成气、碳酸二甲酯等许多有价值的化学品；③将二氧化碳插入到金属、碳、硅、氢、氧、氮、磷、卤素等元素组成的化学键中，以制备各种羧酸或羧酸盐、氨基甲酸酯、碳酸酯、有机硅、有机磷化合物；④二氧化碳和环氧化物共聚合成新型二氧化碳树脂材料。

（3）生物固定法。生物二氧化碳固定法是地球上最主要和最有效的固碳方式，在碳循环中起决定作用。植物、光合细菌以及藻类通过光合作用进行生物固碳，尤其是利用微藻进行生物固碳具有光合速率高、繁殖快、环境适应性强、处理效率高、可调控以及易与其他工程技术集成等优点，且可获得高效、立体、高密度的培养技术，同时固碳后产生大量的藻体具有很好的利用价值，因此具有高度的工业化潜力。故微藻二氧化碳固定有望成为一种具有相当可行性和经济价值的二氧化碳固定方法。

我们还应看到，二氧化碳排放源分布广泛，涉及工业、交通、建筑、农业和管理等各个领域，由于各二氧化碳排放源不同，很难用单一的方法分离回收，而且不论采用哪种二氧化碳分离方法，分离过程的能耗都很高，这不仅意味着额外增加了单位发电量或产品的二氧化碳排放量，而且大幅降低了能源系统效率。从持续发展的角度来看，生物二氧化碳固定技术，尤其是微藻减排二氧化碳技术，更具环保、经济、彻底、符合自然界循环的独特优势。生物二氧化碳固定法是符合自然界循环和节省能源的理想方式。

5.1.3　开发新能源

以核能、风能和太阳能、潮汐能、生物质等清洁能源来代替传统化石能源，是减少二氧化碳排放最直接有效的减排途径。核能是低碳能源，成本相对其他新能源低，技术也相对成熟，具有一个良好的应用基础。但由于各种因素作用，核能的发展仍存在不确定性。例如目前德国已经禁止了新建核电站，并且现有核电站会逐渐关闭。日本福岛地震核泄露对世界核能的发展造成明显的影响，世界各地核电站新建计划在一个相当长的时间内都会受到这个因素的影响。公众由于对核电站核辐射的暴露风险和发电用核废料危害的恐惧，使得民众对核电站的接受程度还比较低。

从 20 世纪 90 年代中期开始，可再生能源比例越来越大，陆地风电和海上风电发展也都非常迅猛，同时包括填埋气体发电、垃圾发电和生物质发电也都有了更大的发展。但风能、太阳能和潮汐能等可再生能源整体上还都处于发展的初级阶段，由于其本身的局限性以及受技术水平和成本的限制，新型能源在短期内还无法满足经济增长的需求而代替传统的能源。例如海上风电对公众生活的影响较小，项目建设和推进相对容易，但由于海上电力输送的技术难度和成本也很高，是海上风电场的一个巨大挑战。生物质总量巨大、可储存、能进行碳循环，是取代化石燃料，从源头减排二氧化碳的理想能源，但是生物质利用是一个系统工程，从原料的选择和种植、原料转化工艺的开发，到生物质产品高效利用技术和设备的研究都有大量的工作去做，因此其在相当长一段时间内对二氧化碳减排的贡献比较有限。

5.1.4　提高植被面积

开展植树造林以生物固碳形式减少二氧化碳排放无疑是最理想的减排途径。科学研究表明：林木每生长 $1m^3$，平均吸收 1.83t CO_2，放出 1.62t O_2，全球森林对碳的吸收和储量占全球每年大气和地表碳流动量的 90%。森林不仅可以大量吸收大气中的二氧化碳，而且是最经济有效的吸碳器。国内专家研究指出，在中国种植 $1hm^2$ 森林，每储存 1t 二氧化碳的成本约为 122 元人民币，相对于通过技术改造，提高能源利用效率，减少温室气体排放的直接减排措施，通过以森林为主体的生物吸收二氧化碳，将温室气体固定下来，减少大气中温室气体含量的间接减排，成本低、易施行、综合效益大，是目前应对气候变化最经济、最有效的途径。特别是对于工业减排技术创新能力有限、技术资金匮乏的发展中国家来讲，以森林为主体的间接减排对降低二氧化碳的净排放量起着更为重要的作用(田明华等，2010)。但提高植被面积，保护生态环境的措施更是一个循序渐进的过程，在今后相当长的时期内仍将以燃煤为主要能源的现实情况下，很难在短时间内获得明显的减排效果。

5.2　二氧化碳减排的政策工具及其评价[①]

5.2.1　各种碳减排政策工具

二氧化碳减排政策工具多种多样，按是否通过市场机制为手段可以分为市场化工具和非市场化工具，也可以按其作用的范围划分为国际和国内层面的政策工具(刘小川等，2009)。这里主要分析和介绍国内层面的市场化工具，其他类型的政策工具作为相关比较的补充。

由于温室效应的全球性特征，二氧化碳的减排措施从理论上被认为只有在一个全球性的国际框架体系中才能得到有效的控制。因此二氧化碳的减排政策首先是建立在一个国际协作的框架体系之中。实践中的国际层面政策工具主要有两种，一种是基于目标和时间表的京都议定书模式，另一种是欧盟实施的排放权交易体系。各国需要在国际性协作框架内采取各自的政策措施。比如对于大部分发达国家来说，京都议定书规定了其碳减排的目标和时间表，那么他们就需要根据这些既定的目标，运用相关的政策工具去制定各自国内的政策。而发展中国家，虽然并无具体的目标和时间表，但也摆脱不了碳减排的国际责任，可以采用一些经济可承受范围之内的减排政策工具，比如制定相关的产业政策，或是制定排放标准等，也可以通过国际协作来达到减排的效果，比如参与全球性的清洁发展机制(CDM)。目前国际上的各种碳排放政策工具有以下几方面。

5.2.1.1　碳　税

以石化能源的含碳量为计税依据，对石化能源征收的消费税为碳税。碳税的征收会提高石化能源产品的价格，价格的提高会促进资源的节约利用，让非石化能源价格上更具有竞争优势，从而最终使得温室气体排放的减少。这里说的石化能源包括煤

[①]　本部分内容主要编引自刘小川、汪曾涛的研究。

炭、石油、天然气及其相关产品，碳税的征收即提高了这类产品的价格水平。

对所有经济主体征收的碳税被大多数经济学家所支持，认为碳税是达到既定碳减排目标成本最小的减排政策工具。当碳税税率逐步提高时，经济主体就能够根据其自身的特点，首先选择一些低成本的改进，然后逐步扩展到一些高成本的改进。也就是说，一个逐步推进的碳税制度会给各经济主体一个持续、稳定的压力，使经济主体能够依据自身情况选择最优的减排路径。

碳税面临的最大问题是政治上的可接受性，主要表现在三方面：第一，碳税不像其他政策那样具有隐蔽性，而能够直接被纳税人所感觉到，因而往往会受到很强烈的反对；第二，碳税本身一般具有累退性，低收入者税收负担占可支配收入的比例大于高收入者；第三，碳税相比排放权交易制度来说，会对一些能源密集型企业带来较大的负面影响。所以，采用碳税会与政府希望的明确数量控制目标经常出现不一致。因为经济主体的差异性，要想根据总体减排目标来确定合适的税率是非常困难的。虽然可以通过税率的逐渐调整来达到既定数量目标，但会降低碳税的可预测性。当然碳税的支持者认为碳税制度能够通过其税收收入的运用和相关制度的配合来减弱甚至消除部分负面的影响。

5.2.1.2　排放权交易

二氧化碳排放权交易制度的基本内容是：首先设定二氧化碳排放水平的总额度，然后将这一额度分解成一定单位的排放权，通过一定的方式将排放权分配给排放二氧化碳的经济主体，并且允许将排放权进行出售。一个企业如果排放了少于初始分配的额度，那么就可以出售剩余的额度，并得到回报，而如果排放量超过初始分配的额度，它就必须购买额外的额度，以避免政府的罚款和制裁。

排放权交易制度的核心是事先固定碳排放的总水平，并使得单位排放的价格随供求而变动。碳税刚好相反，是确定单位排放的价格，而总体上的排放水平是不确定的。正是因为这样，排放权交易面临的一个问题就是其排放权交易价格的不确定性和易变性，这让企业无法依据减排成本的大小来安排其技术创新和相关的投资决策行为，使得市场上能源及能源密集型产品的价格难以预料。

碳排放权交易制度的关键点是排放权初始的分配方式，比如排放权可以依据历史排放水平免费配给，也可以用拍卖的方式。为了给企业灵活性，排放权也可以允许储备和预支等等。碳排放权初始的免费配给相当于将能源密集型产品的最终消费者的收入无偿转移给能源密集型企业。这种方式会得到能源密集型企业的强烈支持，但却损害了广大低收入者和非能源密集企业的实际利益。虽然相比碳税制度，排放权交易会给经济整体带来更大的负担，但政治上的可行性一般认为优于碳税。然而，如果排放权不是免费供给而是拍卖的方式的话，其政治上的可接受性与碳税相比就没有什么优势了。

排放权交易制度最大的困难就是总体减排量水平的确定。由于各个企业的减排成本是很难估计的，并且减排成本的大小具有非常大的不确定性，如果减排标准太低，那么会给企业带来难以承受的负担，相反，如果标准太高，企业可能对一些低成本的减排措施都不会实施，那么就降低了可能达到的环境效益。

5.2.1.3 复合排放权交易体系

经济学家对一般的排放权交易体系进行了一些改进，将以价格为基础碳税和以数量为基础的一般排放权交易制度结合起来，这就是复合排放权交易体系(mckibbin-wil-coxen)。这一交易体系一共有两种类型的排放权。一种被称之为永久排放权，它的多少决定了拥有它的经济主体在每一年能够排放的二氧化碳量的多少。排放权的总额度一般为长期的减排目标。这一排放权可以通过免费配给、拍卖或其他方式进行分配。永久排放权可以在排放权交易市场上自由买卖。另一种被称之为年度排放权，它的多少决定了拥有它的经济主体在一个特定年份允许排放的额度。年度排放权以某一个固定的价格出售，但并不限制数量。由于某一个经济主体总能够以固定价格买到这种类型的排放权，因此年度排放权就没有交易的必要。一个经济主体某一年允许排放的总量就等于这两种类型排放权的总量。

同碳税相比，复合排放权交易体系给企业一定的永久排放权，如果是免费配给的话，自然能够增加其政治上的可行性。因为企业能够购买无限数量的年度排放权，那么永久排放权在交易市场上变动的幅度是有限的。同一般的排放权交易制度相比，复合排放权制度为企业的排放成本设定了一个上限，即年度排放权的价格，因此即使在永久排放权设置过低的情况下，通过设定一个较小的年度排放权价格就能够缓解对企业不合理的负担。同时政府能够通过调节年度排放权的价格以反映各经济主体的真实减排成本，缓解对能源需求过大的波动，实现减少二氧化碳的排放目标。另外，通过复合排放权制度政府还能够获得收入，可以运用这些收入降低其他扭曲性税收或是用来减少对低收入者的负面影响。

5.2.1.4 财政补贴

财政补贴是国家为了实现特定的政治经济目标，由财政安排专项基金向企业或个人提供的一种资助。在我们探讨对能源进行控制，促进二氧化碳减排时，国家财政对能源及其相关产品补贴是不容忽视的一环。由于补贴的对象不同，其政策效果是不一样的。对可再生能源，节能技术投资与开发等项目的补贴等会减少二氧化碳排放；如果通过定价政策规定能源的低价格，然后对石化能源企业或是电力进行价格补贴或亏损补贴一般会增加二氧化碳的排放。

5.2.1.5 政府规制

政府规制又称政府管制，即政府运用公共权力，通过制定特定的规则，对个人和组织的行为进行限制与调控。与二氧化碳减排相关的政府规制工具一般有政府定价和指令标准两种。政府定价就是对能源产品价格的直接设定。指令标准是对一些高能耗行业所制定的准入标准、产业能耗限额标准、高能源设备的能耗标准、汽车能耗标准等等。政府规制是我国也是世界上其他国家经常用到的一种方法，经济学家们普遍认为政府规制的成本要远远大于其他以市场为基础的手段。

当采用政府定价工具时，低于或高于市场均衡价格都会带来效率损失，因此，在市场条件下，只对极少数资源稀缺、自然垄断和公用性、公益性等关系国计民生的重要生产资料价格和居民生活消费价格运用政府直接定价手段。另外，直接定价会形成相关的利益集团并增加腐败发生的可能性，阻碍市场的形成和人为制造垄断。在市场经济转型期，一方面由于缺乏竞争主体，难以形成竞争性价格，需要政府定价；另一方面，如果政府定价过低，使得私人资本无利可图，无法进入该行业，即使强行进入，必然要以增加二氧化碳排放来降低成本，造成所谓的财政负外部性。指令标准也会带来一些副效应。如果政府规定汽车能耗标准，那么一方面会使得一些高能耗的汽车被逐渐淘汰掉，汽车能耗降低。但另一方面，能耗降低使得每公里行驶的成本更低，这样人们就会行驶更多的里程，比如在工厂选址的决策中将倾向选择离原材料购进地或离市场销售地较远，但地价相对便宜的地方。这样虽然单位里程的能耗降低了，但行驶的需求却上升了。

5.2.2　各种碳减排政策工具的比较

在公共政策的运用上，由于各种政策工具都有它们各自的适用范围和利弊，往往需要做出抉择。在碳减排方面，衡量一个政策的好坏，需要从其经济成本、管理成本以及政治上的可行性等多方面加以综合考虑。这里就各种政策工具作用的范围、借助市场力量的方式、减排成本的确定性和可预测性、管理成本的大小、政治上的可接受性以及对收入分配的影响进行以下简略的比较（表5-1）（刘小川等，2009）。

（1）作用的范围。在达到既定减排目标时，作用经济领域的范围越广，对单个经济主体的影响就越小，整个社会所付出的代价也越小。由于各个经济主体的减排成本曲线一般都是递增的，随着减排量的增加而增加，所以，其作用的范围越广，每个经济主体的单位减排成本也越低，社会总减排成本也就越小。从所列举的各种政策工具来看，碳税、财政补贴和政府定价等工具可以直接改变能源的相对价格，作用于整个经济体系，范围较广；对于排放权交易工具而言，受到直接影响的主要是受管制的一些大型企业，它们是减排成本的直接负担者，作用范围次之；减排投资的配套补贴、政府指令标准等受到直接影响的是特定企业或居民的特定行为，作用范围较小。

表5-1   各减排政策属性的比较

编号	碳减排政策		作用的范围	借助市场力量的方式	减排成本的确定性和可预测性	管理成本	对收入分配的影响	可接受性
1	碳税		广，整个经济	以价格为基础外部成本内部化	高	低	较复杂，取决于税收收入的使用	低
2	排放权交易	拍卖	较窄，大型企业	以数量为基础外部成本内部化	低	中	较复杂，取决于拍卖收入的使用	低
3		无偿配给		同2	低	中	加剧收入分配不公	高
4	复合排放权交易	拍卖	较窄，大型企业	1、2的组合	中	中	介于1、2之间	低
5		无偿配给		1、3的组合	中	中	介于1、3之间	中
6	补贴	减排投资的配套补贴	窄，部分企业，居民	外部收益内部化	中	不确定	不确定	高
7		对可再生能源的补贴	广，整个经济	外部收益内部化	中	不确定	不确定	高
8	政府规制	政府定价	广，整个经济	无	低	中	不确定	不确定
9		指令标准	窄，特定部门、行业或居民的特定行为	无	低	不确定	不确定	不确定

资料来源：刘小川，汪曾涛. 二氧化碳减排政策比较以及我国的优化选择. 上海财经大学学报，2009，11(4)：73~80.

(2)借助市场力量的方式。在表5-1中所列举的政策工具中，政府规制是非市场化工具，在我们讨论的范围之外。其余的7种政策工具都利用了市场机制，但方式有些区别。补贴是将外部收益内部化，而碳税和排放权交易是将外部成本内部化。碳税对单位温室气体排放征税，通过改变能源产品的相对价格实现外部成本的内部化，是以价格为基础的市场化政策工具。排放权交易制度是利用市场机制进行的交换，使得所有被管制企业总体减排成本达到最小化，是以数量为基础的市场化政策工具。

(3)减排成本的确定性和可预测性。减排成本的确定性和可预测性决定了经济主体的遵从成本。在成本确定可预测时，经济主体就能够合理地安排其生产并优化其投资决策，反之，经济主体为了防止各种不可预测因素不得不采用一些次优的方案。减排成本的不确定会增加整个经济运行的成本。在各个政策工具之中，碳税具有法定性和固定性。一般性的排放权交易体系的一个很大的特点就是排放权价格的波动性，增加了整个经济的遵从成本。复合排放权交易体系综合了碳税和排放权的特点，其价格波动是有上限的，即年度排放权的价格。其他减排措施，如财政补贴、政府定价、行政标准等，具有很大的不确定性，取决于具体标准与环境等因素。

(4)管理成本。各国碳税的征收一般是依据各国税制自身的体系，比如可以利用消费税体系，在石化能源的产生环节，进口环节征收消费税。因此碳税实际就是增加几个消费税的税目，并调整相应税目的税率，因此碳税管理成本较低。对于排放权交易来说，初始排放权的分配需要经过一个较长时期的谈判，还需要建立相应的排放权交易市场以及建立参与企业能源使用的报告机制、监控机制与惩罚机制等，因此需要额外的成本。其他政策的管理成本与其具体的规定关系很大，可繁可简。

（5）对收入分配的影响。收入分配会影响到社会的公平目标的实现和社会正义的要求。在各项公共政策之中，碳税本身一般被认为具有累退性，如果利用碳税收入来对低收入者进行弥补，能够让低收入者的损失减少甚至有可能有收益。初始排放权拍卖的排放权交易制度与碳税相似，但累退性没有碳税强，因为居民没有因减排直接支付现金，只是间接由企业产品价格的上涨承担部分减排成本。初始排放权免费配给的排放权交易体系可以视为将全社会的收入，通过有价值的排放权无偿赠送给排放大户。由于排放大户多是具有垄断地位的大型企业，其员工在社会上属于收入较高者，因此不利于收入的公平分配。

（6）政治上的可接受性。政治上的可接受性主要从两个方面加以考虑：第一，政策引起的分配效应是否损害了很多我们认为不能损害的那部分人的利益，比如低收入者；第二，是否会损害那些有较强政治谈判能力人的利益。在分析政治上可接受性时我们有必要将政策区分为两种类型，一种是推动型政策，比如税收、行政指令标准等；另一种是拉动型政策，比如一般很受欢迎的财政补贴。拉动型政策是非常受欢迎的，在实施的过程中往往受到的阻力较少，推动型政策往往要受到各方面的阻碍。

碳税本身的累退性是推行实施阻力大的原因之一。此外，在不同类型企业之间的分配方面，税负主要集中在能源密集型企业。由于碳税相比无偿配给的排放权交易制度和行政指令标准，多了一块可利用的碳税收入，碳税制度可以通过其收入的运用来增加其政治上的可行性，可以用碳税收入来弥补对低收入者的负面影响。也可以通过补贴，促进企业、居民进行减排投资和减排技术的改进等。初始排放权免费配给的排放权交易制度往往会得到受管制企业的支持。但是，将有价值的排放权免费交给企业，实际等同于将全社会的收入免费送给了这些排放大户们，其公平性是受到质疑的。但是由于大型企业是强势的利益主体，所以在政治上它具有较强的可行性。如果初始排放权不是免费，而是拍卖等方式获得的话，那么它政治上的可行性就不那么高了。政府定价、指令标准不同的规定差异性很大，但都取决于政府的公共目标，与相关利益集团的谈判和博弈。

5.3　二氧化碳减排的其他工具及其评价

5.3.1　碳认证与碳标签

碳足迹是企业、团体或个人的碳消耗量，这个碳消耗量最主要以二氧化碳等温室气体的形式表现出来。产品的碳足迹包含了产品生命周期内，从原材料取得、产品生产、使用到产品废弃为止所产生的温室气体排放总量。所谓低碳产品认证，是以产品为链条，吸引整个社会在生产和消费环节参与到应对气候变化。通过向产品授予低碳标志，从而向社会推进一个以顾客为导向的低碳产品采购和消费模式。以公众的消费选择引导和鼓励企业开发低碳产品技术，向低碳生产模式转变，最终达到减少全球温室气体的效果。市场上贴有低碳标识与认证标签的产品更有竞争优势，同时也是商家的竞争手段，可以让老百姓相信其产品品质。正是由于低碳产品认证的这种作用，国外低碳产品认证项目在近两三年如雨后春笋，不断涌现，目前，已经有德国、英国、日本、韩国等十几个国家开展低碳产品认证。许多著名企业已将"低碳"作为其供应链的必需条件。

世界上已发布的温室气体管理标准主要有：温室气体排放报告标准（ISO 14064），温室气体认证要求标准（ISO 14065）和《商品和服务生命周期温室气体排放评估规范》（PAS2050）。此外，还有诸如世界资源研究所（WRI）及世界可持续发展工商理事会（WBCSD）等组织发布的产品碳足迹评价方法等。在国际上关于碳排放评价的方法和标准繁多，且多处于边探索、边实践的阶段，还未形成统一的国际标准。目前，国际上有 4 个主要的碳足迹评估标准：英国的 PAS 2050：2008 标准、世界可持续发展商业协会和世界资源研究院共同发起制定的 GHG 议定书、日本的标准社样书 TSQ 0010 标准和 ISO 14067 标准。其中，PAS 2050 是第一部通过统一的方法评估组织产品生命周期内温室气体排放的标准，对产品碳足迹的定义、温室气体排放的相关数据以及如何评价产品的碳足迹作了详尽的分析介绍；以 PAS 2050 为主要参考依据的国际标准化组织的产品碳足迹标准 ISO 14067 已处于草案拟定阶段，计划于 2014 年发布。2013 年 2 月 18 日，中国出台《低碳产品认证管理暂行办法》，鼓励社会公众使用低碳产品，激励企业产品结构升级，从消费端控制温室气体排放。为控制温室气体排放，我国将大力提升温室气体排放清单编制水平，提高数据的准确性和可靠性，建立温室气体清单数据库，一旦建成后将对公众开放。

碳认证有利于企业管理温室气体风险并找出减量机会；提升能源与物料使用效率，降低营运成本；树立良好社会责任形象；加入温室气体排放权交易市场；规避未来温室气体总量超标限额风险。一旦碳足迹认证国际标准出台，商品加注碳足迹标签将不可避免。有专家预言，未来三五年内，旨在衡量二氧化碳排放量的碳足迹标签，必将成为发达国家对发展中国家产品实施贸易壁垒的又一大利器。也有人表示，再过三五年，碳足迹标签也许会成为一项强制性措施，是任何企业都必须去做的一件事情。因此，低碳认证的意义在于：第一，低碳产品认证起到门槛的作用，为进入到流通和消费领域的产品提供客观的评价体系和标准。第二，从企业的角度出发，需要对产品按照认证体系进行评价，在参与国际贸易的时候能够避免一些国际贸易争端，提高在国际市场中的竞争力（李瑾，2011）。

5.3.2　低碳消费

"低碳消费"的概念是随着低碳经济理念形成应运而生的。目前学术界对于低碳消费的研究尚处于起步阶段，并未就低碳消费这一概念形成统一的定义。陈晓春认为，低碳消费方式是一种基于文明、科学、健康的生态化消费方式，在消费过程中积极实现低能耗、低污染和低排放，低碳消费着力于解决人类生存环境存在的危机，其实质是以"低碳"为导向的一种共生型消费方式（陈晓春等，2009）。其他学者认为，低碳消费是低碳经济发展的不可或缺的重要环节之一，它是一种消费态度，首先应该摆正消费态度，然后形成良好的消费习惯，最后将其定型为一种正确的消费价值观。曹昭煜认为，低碳消费是一种以可持续消费为目标，以低排放、低能耗和低污染为特征，崇尚健康舒适、追求消费的高度理性、人与自然和谐共生的消费方式（曹昭煜，2012）。

众所周知，低碳经济通过能源技术的改革及创新、新型清洁能源的开发和利用，降低高碳能源消耗率，在实现经济发展的同时进行生态环境保护的新型发展方式。低碳经济不仅要求人们改变能源消费方式，还要从根本上改变人们的生活方式。它是一种使人类发展和环境保护和谐共生的经济发展方式，低碳消费也是一种崇尚健康、文明、科学的生态化消费模式，它追求生态消费、物质消费和精神消费之间的平衡。同时，低碳消费特别关注如何在保证实现气候目标，实现维护个人基本需求得到满足的基本权利，最终实现代内公平和代际公平。随着低碳消费需求的增加，必将推动低碳生产的不断发展，从而促进低碳生产力的不断提高。从这一意义上来说，低碳消费既是低碳生产的最终目的，也是低碳再生产新的需求起点。低碳生产力和低碳消费力就是在这种相互促进的关系下良性循环并共同提高。实践证明，市场的低碳消费需求是拉动低碳生产发展和低碳经济增长的强大动力。因此，要把培育低碳消费需求，促进低碳消费作为拉动低碳经济增长和促进低碳生产发展的一项重大举措。因此，促进低碳消费是发展低碳经济的必由之路（曹昭煜，2012）。

英国是世界上最早提出低碳经济概念和发展低碳经济、低碳消费的倡导者和实践者。其低碳政策主要分为三个方面：低碳能源、低碳制造以及英国政府所倡导的低碳生活方式。美国作为世界第一经济、技术大国，是世界发展低碳经济、低碳消费的关键因素。虽然美国拒绝承担京都议定书规定的减排责任，但它却毫不放松地致力于发展低碳技术和增强低碳竞争力。例如，提高美国家电市场的能效标准，利用税收鼓励民众对高能效低排放的家电、交通工具、生活用品的购买和使用，刺激美国低碳消费市场的发展。目前与未来温室气体排放倡议（Current and Near-Term Greenhouse Gas Reduction Initiative）、行业自主创新行动计划（Climate VISION）、国家清洁能源与环境计划（Clean Energy-Environment State Partnership）、气候领袖计划（Climate Leaders）；能源之星计划（Energy Star）、热能与电力结合计划（Combined Heat and Power）、绿色能源计划（Green Power Partnership）等一系列计划的提出和执行，在很大程度上表明了美国政府对节能减排、发展低碳消费的坚决态度和战略方向。美国在发展低碳技术，刺激低碳消费上从不落于人后。

目前，虽然低碳经济和低碳消费开始日益受到人们的关注和重视，加上政府、企业、社会非营利组织与媒体的宣传与推动，低碳消费的概念和意识已慢慢深入人心，人们逐渐认识到了低碳消费方式的重要性以及促进低碳消费对于改善生态环境、转变世界经济发展方式的关键性。但是，在居民实际生活和企业生产、运作中，人们并未采取低碳的生产和消费方式，高碳消费现象仍屡见不鲜。这在一定程度上导致了不合理的经济增长方式和发展结构，不利于世界经济、生态环境和人类社会的可持续发展。由此可见，从根本上建立低碳消费方式是经济发展方式转变的根本动力，有效促进低碳消费是实现经济、环境、社会可持续发展的根本途径。因此，政府必须致力于建设和确立低碳消费方式，优化居民消费结构，合理引导企业和居民的生产与消费，鼓励低碳消费产品的研发、生产及销售，促进整个社会的低碳消费，逐渐形成一种节约、健康和文明的可持续低碳消费方式（曹昭煜，2012）。

5.4 碳关税与其他国际性碳税方案的比较[①]

由于碳泄漏的存在，单边的碳减排措施，无论是碳税还是碳排放交易，都无法实现全球范围内的碳减排目标。并且许多发达国家还有着单边碳减排会增加国内生产成本从而降低其国际竞争力的担忧。因此，如何在世界各国之间进行碳减排的协调成为气候问题全球合作的一个重点和难点。在碳关税被提上议程之前，许多学者就倡导在世界范围内实行碳税。这是由于碳排放交易制度的建立需要一定的基础，因此在世界范围内建立该制度难以实现，故学者们倡导的世界性减排措施主要是碳税。从 20 世

---

① 本部分内容主要编引自王珲的研究。

纪 90 年代初就出现了对国际性碳税的设想和论证。但是即便是同样主张在世界范围内实行碳税，不同的学者也提出了不同的方案。如 Hoel（1992）提出在全球实行统一的国际碳税；Nordhaus（2006），Aldy 等（2008）主张实行统一的国内碳税；Gersbach（2008）提出了关于国际碳税的全球性返还制度（a global refunding system，GRS）。那么，这些方案各自有何特点？能否代替碳关税成为协调世界碳减排的手段？为此，有必要对已有的国际性碳税方案进行梳理和比较，以寻求答案。

5.4.1　国际性碳税方案梳理

国际性碳税是对国际层面的碳税的称谓。这里的国际性碳税包含国际机构针对国家征收的碳税、国际达成协议而由协议国征收的碳税以及以国内税的形式征收但对国际市场具有重大影响的碳税等所有延伸到国际层面的碳税。这里将已提出的国际性碳税方案归纳为以下四种（王珏，2012）。

5.4.1.1　方案 I：统一的国际碳税

统一的国际碳税方案由 Hoel 在 20 世纪 90 年代初提出。Hoel（1992）认为有效的碳税应该实行统一的国际税。在其设计的方案中，国际碳税由参与国成立一个专门的国际机构来征收，税基为各国二氧化碳排放量，税率在各国保持一致，所征收的碳税按照某种事先达成的返还比例返还。其操作方式是：在每个征收周期（可能是 1 年也可能是 3～5 年）末，国际机构根据各国的二氧化碳排放量，一国应上缴的国际碳税税额记入借方，将该国从扣除了国际机构管理成本后的税收总收入中应获得的返还额记入贷方。因此，各国在每期上缴给国际碳税征收机构的净税额为其应缴税额与应得返还额之差。这一净税额有可能是正，也有可能是负。若忽略管理成本，各国净税额之和应等于 0。

假设统一国际碳税组织用 U 表示，协定的国际碳税税率为 t，r 表示协定的一国的返还比例，V 表示碳排放量，则成员国 i 在第 n 期末应上缴给国际机构的税额为：

$$T_i^n = t \times V_{n_i}$$

假设国际机构在第 n 期管理成本为 C，则 i 国在第 n 期末应获得的返还额为：

$$R_i^n = r_i \times \left(\sum_{i \in U} T_j^n - C \right) = r_i \times \left(t \sum_{j \in U} V_j^n - C \right), i \in U$$

i 国在第 j 期末实际需上交给国际机构的金额为：

$$P_i^n = T_i^n - R_i^n = t \times V_i^n - r_1 \times \left(t \sum_{j \in U} V_j^n - C \right), i \in U$$

这一国际碳税方案的特征是：①按统一的税率对每个国家依据其排放量征收碳税。②由独立的国际机构来征收并按一定的规则来分配税收收入。

5.4.1.2　方案 II：有差异的国际碳税

有差异的国际碳税方案由 Murty 于 1996 年提出，其认为一国对碳密集型产品征收的最优税收应包括三个部分，即收入税、国内碳税和国际碳税。该最优税率及其各部分税收的税率可以利用多人—多国拉姆塞模型计算求得。Murty 主张各国的国际碳税税率取决于该国的二氧化碳排放量、对生产者征收的利润税、碳密集型产品生产量等变量，而不必要相同。他提出国内碳税由各国自行征收，国际碳税由参与国成立独立的国际机构来征收和管理，并且根据各国的每期的大气状况来返还国际碳税额。

Gersbach 设计的全球性返还制度（GRS），实际上也属于有差异的国际碳税方案。该返还制度的具体内容包括：由最大的 20 个发达国家注入启动资金组成全球基金（the Global Fund），其他各国自行决定是否加入；各成员国自行设定碳税税率，将每期（一年或更长时间）的碳税收入上交全球基金；全球基金根据各成员国比上一期的碳减排量占所有成员国总减排量的份额来同比例地分配全球基金，其中在开始阶段，可能只将税收收入的一部分用于返还，待到基金额度累积到一定金额且保持稳定时，返还的金额就等于税收收入总额加上基金的利息收入（Gersbach，2008）；成员国可以自由退出 GRS，惩罚是失去当年的返还基金。

假设在基金运行初期，GRS 成员国协定税收收入的返还比例为 P，V 表示一国的碳排放量，t 表示一国的碳税税率，则成员国 i 在第 n 期末需上缴的税额为：

$$T_i^n = t_i \times V_i^n$$

i 国应获得的返还额为：

$$R_i^n = \beta \times \sum j \in GRS\, t_j V_j^n \times \frac{V_i^{(n-1)} - V_i^n}{\sum_{j \in GRS} V_j^{(n-1)} - \sum_{j \in GRS} V_j^n}, \; i \in GRS$$

成员国 i 在第 n 期末实际需上缴给全球基金的金额即为（$T_i^n - R_i^n$）。

当全球基金金额稳定后，若用 F^m 表示第 m 期的基金额度，r^m 表示 m 期的利息率，则成员国 i 在第 m 期末获得的返还额为：

$$R_i^m = \left(\sum_{j \in GRS} t_j V_j^m + r^m F^m \right) \times \frac{V_i^{(m-1)} - V_i^m}{\sum_{i \in GRS} V_j^{(m-1)} - \sum_{j \in GRS} V_j^m}, \; j \in GRS$$

成员国 i 在 m 期末实际需上缴给全球基金的金额即为（$T_i^m - R_i^m$）。

这一方案的特征是：①全球实行有差异的国际碳税，差异性体现在对各国征收的税率可以不同，并且没有明确以二氧化碳排放量作为统一的税基。②需要专门的机构和制度来执行税收的征收和实现税收收入的返还。

5.4.1.3　方案Ⅲ：统一的国内碳税

近年来，国外一些学者倡导以统一的碳税取代京都议定书的减排机制，认为京都议定书的实施机制不能很好地起到减排作用，全球统一的碳税能更好地实现减排目标。他们所倡导的统一碳税，实际上是要求各国通过达成协议而实行统一的国内碳税。

Stiglitz(2006)提出对碳排放实行全球统一的环境税，要求每个人都支付等同于碳排放的社会成本的税收。税收的设计要使得二氧化碳的减排量能达到京都议定书的减排目标，并且要根据技术的发展和全球变暖的形势及时调整税率。对于税收收入，可以通过协议建立专项基金用来投资全球的公共事业，但更现实的做法是各国自己保管和使用税收收入。

Nordhaus(2006)也提倡各国实行统一的碳税。他认为各国应该就二氧化碳排放税达成国际性的一致协议。他认为碳税是一种动态有效的庇古税，使得排放的边际社会成本等于边际社会收益。理论上各国各行业的碳税应一致，实施中可能无法实现这种一致性，但在设计制度时应该以理想方案为指导。

Aldy 等(2008)出于对实施难易程度的考虑，认为统一的国内碳税比由专门机构征收国际碳税更容易被接受，各国可就国内碳税达成协议，征收统一税率的碳税并各自处置碳税收入。由于统一碳税可能违背公平原则，因此需要资源的转移支付，即发达国家根据一定的原则给予发展中国家转移支付，或者是发达国家将碳税收入用于资助零碳技术项目的研发和发展中国家的减排项目等。对于统一国内碳税有失公平的问题，Aldy 等(2010)提出在短期内只要求收入水平达到一定额度的国家征收碳税，或者根据各国的人均收入和历史排放量得出一定的规则来实行发达国家对发展中国家的单边支付。

假设 i 国原有的碳税税率是 t_i($t_i \geq 0$，$t_i = 0$ 表示未征收碳税)。各国就碳税税率达成一致后，设定碳税税率为 t^*。

如果 i 国是发达国家，则 i 国碳税税率应为 $t_i = t^*$；如果 i 国是发展中国家，则 i 国碳税税率为 $t_i = t^*$，同时 i 国会收到来自发达国家 m 国的转移支付或资金援助 X(在该制度中，转移支付没有明确的规则)。

统一国内碳税方案的特征可以归纳为：①各国就国内碳税达成国际协议，税率在理论上要求一致，但实施中可考虑各国具体情况。②不需要专门的国际机构来征收和管理碳税，各国自行征收碳税并处置碳税收入。③为了实现公平，国际协议需附加发达国家对发展中国家实行转移支付或其他帮助的规则。

5.4.1.4　方案Ⅳ：碳关税

许多学者担忧发达国家单边征收碳税会降低其国内产业的市场竞争力，并导致碳泄漏，认为边境调节碳税是保护碳税实行国的产业竞争力和防止碳泄漏的有力手段。

边境调节碳税包括对进口的调节(征税)和对出口的调节(退税)，因出口调节的碳关税不具有超越国界的减排效力，因此，假设本章中的碳关税是进口调节碳税，即根据税收中性原则，对未征收碳税的进口产品征税，使其与国内征收了碳税的同类产品税率相当。这一假设与目前已实施的碳关税和拟定的碳关税调节形式相符。

Baranzini 等(2000)在研究碳税设计时，提出可以利用边境调节税制度来减轻国内碳税对本国竞争力的不利影响。碳税实行国可以对进口品征收等同于国内同类产品的碳税，从而使得国内产品能与进口品公平竞争。

Metcalf 等(2009)在研究美国碳税的设计时，将边境调节税作为碳税设计的一部分，拟对来自未征收碳税的国家的进口品征收边境调节碳税。

假设 a 国国内碳税税率为 $t_a(t_a>0)$，则其可将碳关税税率设置为 $t_f(t_f \leq t_a)$，b 国国内碳税税率为 $t_b(t_b>0)$，c 国为发展中国家，未征收碳税，即其国内碳税税率 $t_c=0$。则按照碳关税边境调节的原则，a 国征收碳关税的情况是：①若 $t_a>t_b$，a 国将对来自 b 国的商品征收 (t_a-t_b) 的碳关税；②若 $t_a \leq t_b$，a 国对来自 b 国的商品不征收碳关税；③a 国对来自 c 国的商品征收 t_a 的碳关税。

虽然碳关税并非在国际范围内普遍推行，但目前世界上已有瑞典、挪威、芬兰、丹麦、荷兰等十几个国家开征碳税。如果已征收碳税的国家陆续对进口品开征边境调节碳税，将形成一个以国内碳税为基础，对贸易产品征收碳税为拓展的碳税网络。这一碳税网络具有超越国内市场而延伸到国际市场的影响力，因此也可将其归纳为一种国际性碳税模式。

可以总结出这一国际碳税方案的特征是：①一部分发达国家实行碳税，并对来自未实行国的进口品征收碳税。②不需要独立的国际机构负责税收问题，也不存在转移支付。

5.4.2 碳关税与其他国际性碳税方案的定性比较

Aldy 等(2007)指出，国际气候合作要成功需满足若干条件，如成本效益、公平、广泛参与、协议目标容易实行、对成员遵守协议的验证以及国内有实现协议目标的制度能力等。

Nordhaus (2009)提出，设计一个有效的政治或经济手段来控制气候变化需要考虑若干因素，如经济影响、减排的成本、减排的力度和时效，以及造成不可逆转的损害的风险、实施减排的政策工具等。

戴维·赫尔德(David Held)(2011)指出，全球性议题强调团结合作、社会公平、民主和政策有效性，这四个方面反映了全球治理的属性与充分治理的标准。

Persson 等(2010)指出碳关税不同的设计将影响到它实现目的的效率和对 WTO 规则的适应性，同时，不同的设计方案也会面临不同的实施成本，并对公众和私人部门造成不同的挑战。并以"贸易便利化原则"的透明度、简单化、标准化、协调性四个指标来比较三种碳关税方案的实施成本。Fischer 等(2009)比较单边国内碳税与四种不同的边境调节方案时，比较的是其对美国国内竞争力和碳泄漏的不同影响，同时也提出不同的碳关税方案对于 WTO 规则的挑战也不同。曹静等(2010)对各种碳关税方案的比较中提及的是其对中国经济福利的影响及其环境效益。

根据学者们的观点和研究，可以看出由于基于碳减排措施的比较层面不同，在国际性碳税层面和碳关税各方案层面比较的标准有所差异，但有四个标准是两个层面的比较共有的，即减排效果、减排成本、公平性及对经济的影响。而国际性碳税层面的比较还考虑了国际合作或是参与度，碳关税各方案层面的比较则考虑了对 WTO 的符合性。这里在借鉴已有观点的基础上，确定减排效果、可操作性、公平性、经济影响作为各国际性碳税方案和各碳关税方案比较的共同标准，且各国际性碳税方案的比较另加参与度一标准。

5.4.2.1　减排效果比较

减排效果是指通过实行某种制度实现减少碳排放量的作用。外部性理论和国际外部性理论证明了不论是国内碳税、碳排放交易制度还是跨国碳税、碳排放交易制度，都是在特定区域内处理碳排放引起的负外部性的重要手段。早期对欧洲减排政策的研究和评估也论证了碳税的减排作用，如 Larsen 等（1997）通过实证研究表明，挪威通过征收碳税使得其在 1991～1993 年期间，制造业部门、服务业部门以及居民的碳排放量减少了 3%～4%，而这三个部门的碳排放量占挪威总的排放量 40% 左右；又如，1997 年瑞典国家环保局关于气候变化的国家报告指出，与假定维持 1990 年以前的环境政策相比，至 1995 年，征收碳税使瑞典的二氧化碳排放量减少了 15%（陈洪宛等，2009）。各国实行减排制度最根本的目的即是减少碳排放量。为此，要对各国际性碳税方案以及各碳关税方案进行比较，减排效果是首选的标准。

由于拟比较的各方案都还未实施或是刚实施，故在比较各方案的减排效果时，不便以减排量的大小作为衡量减排效果的依据，而以该方案是否具有特定的激励或约束机制促使碳排放主体采取减排措施或促进世界总排放量减少作为衡量减排效果的依据。据此，对各方面的减排效果进行比较分析（王珲，2012）。

方案 I 由独立的国际机构执行，要求世界各国根据其碳排放量以统一的税率上缴碳税，并根据一定的比例返还，而且返还比例不仅根据各国减排的效果，还设计为对发展中国家有利，这对于实施减排的发达国家和承担不同减排责任的发展中国家都有减排的激励，并且由于该方案要求世界所有国家参与，对世界总排放量的减少最有力度。因此方案 I 有很好的减排效果。

方案 II 也由独立的国际机构执行，要求成员国上缴碳税，并根据一定的比例返还，而且返还比例也是不仅根据各国减排的效果，还设计为对发展中国家有利，这对于成员国有减排的激励。但该方案不要求世界各国的参与，并且各国可以自主设定碳税税率，因此该方案对世界总排放量的减少不如方案 I 有效。

方案 III 要求各国之间达成统一的碳税协议，各国自行处理碳税收入，并且发展中国家可以得到发达国家的转移支付或资金资助等，一旦各国达成协议，世界范围内皆有较强的减排激励。但由于是在国内实行，可能存在实际碳税税率与协议碳税税率不一致，因此该方案对世界总排放量的减少力度可能高于方案Ⅱ，但低于方案Ⅰ。

方案Ⅳ对碳关税实行国和其进口产业有激励减排的作用，但由于目前征收碳税的国家数量和产品范围有限，该方案对世界总排放量的减少作用较小。因此，在减排效果方面，方案Ⅰ是最优的，方案Ⅳ是最劣的，方案Ⅲ略优于方案Ⅱ。

5.4.2.2 可操作性比较

可操作性是指制度的可实施性和实施成本的大小。制度的可实施性可进一步解释为该制度确定执行主体、执行客体和执行规则的可能性。制度的实施成本可细分为：①机构设立成本，即设置相关职能机构的成本；②信息收集成本，即收集制度运行所需的相关信息和数据的成本；③规则制定成本，主要表现为为制定规则而进行的谈判和协商的难易程度以及需耗费的时间；④管理监督成本，即对制度运行实行监管所需的成本；⑤其他成本，如税费成本、碳认证成本等。

方案的可操作性直接关系到其能否被付诸实践以及其实现目标的效果和程度。"制度的效率不在于其设计的制度效率，而在于它实施的效率"（卢现祥，2011），一种方案尽管理想完美，但如果缺乏可操作性，以致无法实施或实施遥遥无期，则再好的方案也没有实际价值。因此，可操作性对于碳减排方案尤其是国际性碳减排方案是至关重要的，在比较各国际性碳税方案和各碳关税方案时，可操作性都应被作为最重要的标准。

比较各方案的可操作性可以分成两个步骤：第一，首先判断各方案的可实施性，即各方案能否确定执行主体、执行客体和执行规则。执行主体是指执行方案的机构；执行客体是指二氧化碳，具体地是指与碳排放相关的信息；执行的规则是指经国际协商所达成的或一国法案确定的减排制度和收入管理制度等。对于以上三个要素，某方案可确定的要素越多，它的可实施性就越大；反之，就越小。第二，对于可实施性基本一致的方案再进一步比较其实施成本的大小。比较时，可依据制度实施成本的具体内容一一进行分析。最终得出的总实施成本越小，方案的可操作性就越大；反之，则越小（王珲，2012）。

方案Ⅰ需要专门的国际机构来执行，且需要各国协商达成统一的税率，但这二者就目前的国际合作态势而言，都难以确定。因此该方案的执行主体和执行规则不确定，故其可实施性很小。

方案Ⅱ需要专门的国际机构和国际碳税制度。国际机构和国际碳税制度，尤其是制度中的收入返还方式，都需经长期的协商谈判来构建，短期内难以实现。因此该方案的执行主体和执行规则都不确定，其可实施性很小。

方案Ⅲ不需要独立的国际机构，由各主权国征收碳税和处理税收收入，所以执行的主体可以确定。但是要在各国之间达成统一的碳税协议，需历经长期的过程。由于该方案还涉及发达国家对发展中国家的转移支付问题，在相关制度的制定和执行上也将困难重重。因此，方案Ⅲ不能确定执行规则，其可实施性较小，但大于方案Ⅰ和方案Ⅱ。

方案Ⅳ虽然也存在诸多不确定性因素且受到发展中国家的极力反对，但部分发达国家一直致力于该方案具体实施环节的设计和研究，已经基本具备实施的理论条件。在执行上，它不需要经过各国的协商和一致认定，决定权操于主权国之手，虽然可能导致贸易摩擦，但就方案本身来讲是最易操作的。并且，欧盟拟在 2012 年对航空业实行边境碳排放权调节的举措，将为边境碳税调节的实行提供借鉴。因此，方案Ⅳ能确定执行的主体、客体以及规则，其可实施性最大。

对于方案Ⅰ和方案Ⅱ，还要进一步比较其实施成本。方案Ⅰ和方案Ⅱ主要的成本差别体现在规则制定成本上，方案Ⅰ要求各国协商达成统一的税率，而方案Ⅱ不需要各国达成统一的税率，起始阶段的协商主要在发达国家之间。可以比较容易地判断，方案Ⅱ的规则制定成本比方案Ⅰ小。

因此，最终可以判定，方案Ⅳ的可操作性最大，方案Ⅲ次之，方案Ⅰ的可操作性最小，方案Ⅱ略优于方案Ⅰ。

5.4.2.3　公平性比较

在碳减排问题上，发达国家和发展中国家对于公平有着不同的观点。发达国家认为单边的减排手段一方面由于"碳泄漏"等现象的存在会导致减排失效，另一方面会增加减排实施国的产品价格从而导致其国内竞争力的损失，所以发展中国家必须参与减排才公平。发展中国家主要以其与发达国家不同的经济情况、历史责任和国际分工义务为出发点，认为发展中国家在解决全球二氧化碳问题上承担更少的责任才公平。发展中国家的立场被国际法所支持。《联合国气候变化框架公约》确立了在处理全球二氧化碳问题上发达国家和发展中国家"共同但有区别的责任"原则，之后的《京都议定书》进一步确认对各国减排的义务只适用于发达国家而不适用于发展中国家。2011 年 11 月底的德班气候大会虽未达成实质性的减排议案，但《京都议定书》第二承诺期得以保障，发达国家承担主要减排责任的原则没有动摇。这说明，至今而言，有关气候问题的国际公约和相关法律文件都支持发展中国家短期内不承担强制性减排义务。

因此，对于全球碳减排问题，公平性是指发达国家和发展中国家应承担"共同但有区别的责任"，发展中国家短期内不承担强制性减排义务。

公平是全球治理面临的一个重大挑战。国际合作制度的公平性关系着各国参与国际合作的积极性，尤其是发展中国家的积极性。因此，公平性也是比较各方案的一个重要标准。可以从以下两个方面判断某方案的公平性：第一，由于公平性要求发达国家与发展中国家承担不同的减排责任，且发展中国家短期内不承担强制性减排义务，因而，使发展中国家承担强制性减排责任越多的方案越不公平；反之，则越公平。第二，如果发展中国家承担强制减排责任，但发达国家对发展中国家进行资金资助、转移支付或技术支持等，可以视为公平。并且某方案关于发达国家对发展中国家进行资金资助、转移支付或技术支持等的设计对发展中国家越有利，则该方案越公平；反之，则越不公平（王珲，2012）。

根据判断公平性的 2 个原则，发达国家与发展中国家承担不同的减排责任，如果发展中国家承担强制减排责任，则要求发达国家对发展中国家进行资金资助、转移支付或技术支持等。

方案 I 对各国征收统一的国际碳税，并按照各国协定的比例返还。其公平性取决于税收返还的比例能否反映发达国家和发展中国家不同的减排责任。

方案 II 是按一定的协定或指标对各国的碳排放征收不同税率的国际碳税，并按协定对国际碳税收入进行分配。其公平性体现在对不同经济状况的国家可征收不同的税率（不参与国可以看作是 0 税率），还取决于税收返还制度能否真实反映发达国家和发展中国家不同的减排责任。

方案 III 要求各国实行统一的国内碳税，协调公平性的方式是发达国家对发展中国家转移支付。因此，该方案的公平性主要取决于协议的转移支付制度能否真实反映发达国家和发展中国家不同的减排责任，且能否切实实行。

可以看出方案 I、II、III 的公平性主要取决于待协商的制度设计，因此，在没有详细的设计和具体的实施之前，很难判断上述三种方案在公平性方面的优劣。但从上述方案的粗略设计和构想来看，都考虑了公平性问题，如果其处理公平性问题的制度机制能实施，就都具有公平性。

方案 IV 表面上看是发达国家承担了主要的碳税成本，发展中国家只有出口到发达国家的产品才承担碳税成本，但实际上最可能违背公平性原则。因为发展中国家不仅变相地承担了减排义务，而且在税收上是净损失，不能得到税收返还或转移支付，与前三个方案相比，发展中国家很可能承担更多的净成本负担。同时，由于增加了出口成本或者减少了出口竞争力，发展中国家的出口产业将受到打击，这进一步增加了发展中国家的损失。

5.4.2.4   经济影响比较

经济影响通常指对经济增长、经济福利以及其他经济变量产生的影响。经济影响可分为纵向和横向两个向度（王珲，2012）。纵向的经济影响主要指长期的经济增长和社会福利的变化，横向的经济影响指国际范围内的配置效率和国别之间的福利影响。

对经济增长的影响一直是碳减排问题的重要议题。研究表明碳减排措施对经济增长的负面影响并没有许多人想象的可怕。Patuelli（2005）归纳大量实证研究结果得出结论：碳税短期来看对 GDP 增长有较小的副作用，但长期来看有利于 GDP 增长。Bruvoll 等（2008）根据挪威自 1991 年征收碳税后 10 年的数据进行实证研究，结果显示挪威的 GDP 只减少了 0.06 个百分点。相关研究表明，实施碳税仅使日本 GDP 年增长率降低 0.01 个百分点（陈洪宛等，2009）。还有大量研究对不进行减排而导致气候变化对经济增长产生的影响进行了预测。《气候变化 2007》在回顾已有研究之后得出结论：气候变暖 4℃造成的 GDP 全球平均损失可能是 1% ~ 5%，其中一些地区损失可能更严重（IPCC，2007）。而沃森的研究对"无所作为"导致的后果的估计更为悲观，认为未来全球 GDP 年均损失将高达 5% ~ 20%（托马斯诺尔等，2011）。

因此，碳减排对经济增长的影响可以定论为：短期内对经济增长有较小的负面作用，长期内会促进经济增长，并且不减排可能严重损害经济的长期增长。至于福利的变动，则基本与经济增长的趋势一致。在短期内，由于增加了经济成本，各经济主体可能遭受福利损失，但长期看，一方面经济增长会导致经济福利增加，另一方面，环境改善将导致福利增加，进而人类社会的总福利增加。

纵向的经济影响是个长期的过程。这里不试图从纵向经济影响方面比较各方案的优劣，而假定从长期来看，各方案都符合上一定论，即有利于长期的经济增长和社会福利改善。这里以横向的经济影响作为比较标准。由于横向的经济影响指国际范围内的配置效率和国别之间的福利影响，比较简便。

所谓配置效率，即国际减排制度能否使各国减排的边际成本相等从而实现帕累托最优。即如果 i 国减排的边际成本为 MC_i，j 国减排的边际成本为 MC_j，配置效率的判断标准为能否实现：$MC_i = MC_j$。因为如果减排的边际成本不相等，说明还可以将碳排放配置到减排边际成本更高的国家，从而增加社会总福利。而当各国减排的边际成本相等时，就实现了国际间资源的帕累托最佳配置。

贸易福利效应是指因贸易政策引起的贸易两国贸易量的变动和价格的变动，从而导致的两国总福利水平的变动，通常用消费者剩余的变动、生产者剩余的变动和政府收入的变动来表示。碳关税的贸易福利效应，即分析碳关税的征收会给贸易的发展中国家和发达国家双方造成怎样的福利影响。

以配置效率为标准比较国际性碳税方案的经济影响，主要依据其能否实现各国减排的边际成本相等。

方案 I 主张以各国的二氧化碳排放总量为征收对象，虽然与各国具体的减排措施不挂钩，但对应于一定的国际碳税，一国为实现收入最大化，会选择使其碳减排的边际成本等于国际碳税税率的减排量。因为一国获得的返还是给定的（因为返还比例一定，且由于该国上缴税收的变动而引起的该国获得的返还额的变动很小，可忽略不计），如果一国的减排边际成本大于国际碳税，该国可选择减少减排量以增加收入，反之，该国可选择增加减排量以增加收入，只有选择使碳减排的边际成本等于国际碳税税率的减排量时，该国才能实现收入最大化。因此，在此方案中，各国减排的边际成本都将等同于一致的国际碳税，这就实现了各国减排的边际成本相等。

方案Ⅱ实行差异税率，使得世界各国减排的边际成本不一致。

方案Ⅲ虽然是各国实行相同的碳税，但因为各国的税收体系不同，同样税率的碳税也可能使各国加在碳排放上的实际成本不一致。同时，还可能存在一些国家通过减少其他环境税或增加相关补贴抵消了碳税的作用，使得各国实际的碳税不能统一。因此，方案Ⅲ中各国减排的边际成本实际上难以实现统一。

方案Ⅳ在部分国家实行碳税，并对该国的进口产品征收边境调节碳税，虽然在国内市场实现了国内产品和进口品减排成本的统一，但在国际远远未实现减排的边际成本统一。

因此，在经济影响方面，方案Ⅰ最优，方案Ⅲ略优于方案Ⅱ，方案Ⅳ最劣。

5.4.2.5　参与度比较

参与度指参与的广度与深度，具体体现为参与成员数量的大小以及成员对所参与规则的遵守情况。参与度是影响国际性减排方案减排效果的一个重要标准。广泛而有效的参与不仅直接促进大范围的减排，同时也可以减少因能源密集型企业从减排国转移到非减排国而引起的碳泄漏风险。因此，参与度是比较各国际性碳税方案的一个应选指标。

判断某方案的参与度，需将参与的广度和参与的深度两点结合起来判断。第一，参与的广度主要看参与方案的国家数量。由于各方案都处于设计阶段，因此判断方案的参与广度不能仅看该方案要求的参与国数量，还需看该方案有没有实现其要求的参与国数量的激励机制。第二，参与的深度则取决于参与国是否遵守协议，进而取决于方案设计中是否有对参与国的执行监督，及对违反协议的惩罚。根据对参与度的判断标准，各方案在参与度标准上的表现可做以下分析：

参与的广度是指参与方案的国家数量。由于各方案皆处于设计阶段，不能仅看一方案要求的参与国数量，还需看该方案有没有实现其要求的参与国数量的激励机制。方案Ⅰ和方案Ⅲ基本要求世界每个国家都参与，但其激励各国参与的手段主要是通过各国协商，可见其参与度存在很大的不确定性。方案Ⅱ要求发达国家先行参与，由于发达国家本身承担减排义务，因而其参与具有来自减排的动力，之后发展中国家的参与基本上是利大于弊，因此该方案在激励性方面优于方案Ⅰ和Ⅲ，最终的参与度可能胜过方案Ⅰ和Ⅲ。方案Ⅳ是发达国家提出的单方举措，可能形成由主要发达国家组成的非正式联盟，参与度低于前三种方案。

参与的深度取决于参与国是否遵守协议，进而取决于方案设计中是否有对参与国的执行监督，及对违反协议的惩罚。方案Ⅰ和Ⅲ没有违约方面的详细设计，方案Ⅱ有对违约行为处罚的设计，如退出协议者将损失当期的返还税额。方案Ⅳ不是通过协议形成的正式联盟，因此不涉及违约行为。

总的来说，在现有已知的条件下，方案Ⅱ参与的广泛性优于其他三种方案，方案

Ⅳ 的参与度是最差的。

5.4.3 最优国际性碳税方案选择——基于层次分析模型

前面梳理了四种国际性碳税方案，并以减排效果、可操作性、公平性、经济影响、参与度五个指标对四种国际性碳税方案进行了比较分析。由于定性分析难以得出最终的结果，这里利用层次分析模型，对定性分析进一步赋值计算，以得出最优的国际性碳税方案（王珲，2012）。

5.4.3.1 建立层次结构模型

在此建立层次结构模型的目的是寻找最优的国际性碳税方案。比较的指标是减排效果、可操作性、公平性、经济影响以及参与度，可供选择的方案即为上节中梳理的四种国际性碳税方案，则层次结构模型的三层分别为：

目标层：最优的国际性碳税方案。

指标层：减排效果、可操作性、公平性、经济影响、参与度。

方案层：方案Ⅰ，统一的国际碳税；方案Ⅱ，有差异的国际碳税；方案Ⅲ，统一的国内碳税；方案Ⅳ，碳关税。

则可建立层次结构模型如下：

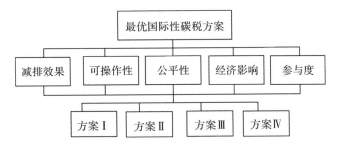

5.4.3.2 构造成对比较矩阵和计算

针对以上层次结构模型，依次建立五个成对比较矩阵。

（1）成对比较矩阵Ⅰ：指标——最优国际性碳税方案。首先要明确五个指标对于确定最优国际性碳税方案的不同的重要性。

对于国际性碳税方案，最大的挑战是可操作性，因为国际性碳税方案有别于国内碳税方案，它面临着各种复杂的国际政治和经济关系，其可操作性直接关系到方案能否实现。因此，在比较国际性碳税方案时可操作性比其他指标都重要。

实行国际性碳税方案最主要的目的是减少碳排放，因此，减排效果对于最优方案的选择是最基本的标准，与公平性、经济影响和参与度指标相比更重要。而参与度指标对于实现碳减排而言比公平性和经济影响指标更重要。因为参与度的高低表示合作的程度，直接影响着全球碳减排的效果，而公平性对碳减排的影响更多的是通过影响参与度间接地表现出来。相比而言，经济影响指标是最不重要的。

由此，对于最优国际性碳税方案的选择，可以认为五个指标两两之间的重要性存在以下关系：

可操作性比减排效果：略重要；

可操作性比公平性：介于重要与重要得多之间；

可操作性比经济影响：重要得多；

可操作性比参与度：重要；

减排效果比公平性：重要；

减排效果比经济影响：介于重要与重要得多之间；

减排效果比参与度：介于略重要与重要之间；

公平性比经济影响：介于相同重要与略重要之间；

参与度比公平性：介于相同重要与略重要之间；

参与度比经济影响：略重要。

依据 Saaty 提供的 1~9 的赋值标度，可构建成对比较矩阵 I，并运用软件进行计算，得出各指标的权重。

通过 yaahp 软件计算出的各指标的权重 W_i 是对各指标对总目标重要性的综合评价。可以看出权重最高的是可操作性，权重值为 0.4942，权重最低的为经济影响，权重值为 0.0451（表5-2）。这些权重是后文确定最优国际性碳税方案的前提。

表5-2　成对比较矩阵 I

	减排效果	可操作性	公平性	经济影响	参与度	W_i
减排效果	1.0000	0.3333	5.0000	6.0000	4.0000	0.2847
可操作性	3.0000	1.0000	6.0000	7.0000	5.0000	0.4942
公平性	0.2000	0.1667	1.0000	2.0000	0.5000	0.0690
经济影响	0.1667	0.1429	0.5000	1.0000	0.3333	0.0451
参与度	0.2500	0.2000	2.0000	3.0000	1.0000	0.1070

判断矩阵一致性比例：0.0424；对总目标的权重：1.0000。

（2）成对比较矩阵 II（表5-3）：方案——减排效果指标。依据上节对各国际性碳税方案的减排效果定性比较得出的结论，即方案 I 是最优的，方案 IV 是最劣的，方案 III 略优于方案 II，可以认为对于减排效果这一指标，四个方案两两之间的优势的比较存在以下关系：

方案 I 比方案 II：略有优势；

方案 I 比方案 III：介于优势相同与略有优势之间；

方案 I 比方案 IV：有优势得多；

方案Ⅲ比方案Ⅱ：介于优势相同与略有优势之间；

方案Ⅲ比方案Ⅳ：有优势；

方案Ⅱ比方案Ⅳ：介于略有优势与有优势之间。

同样的，依据2.4节中 Saaty 提供的1~9的赋值标度，可构建成对比较矩阵3-2，并运用 yaahp 软件计算得出各指标的权重。

表5-3　成对比较矩阵 Ⅱ

	方案Ⅰ	方案Ⅱ	方案Ⅲ	方案Ⅳ	W_i
方案Ⅰ	1.0000	3.0000	2.0000	7.0000	0.4863
方案Ⅱ	0.3333	1.0000	0.5000	4.0000	0.1726
方案Ⅲ	0.5000	2.0000	1.0000	5.0000	0.2856
方案Ⅳ	0.1429	0.2500	0.2000	1.0000	0.0555

判断矩阵一致性比例：0.0170；对总目标的权重：0.2847。

通过 yaahp 软件计算出的各方案的权重 W_i 是对各方案对于减排效果指标的重要性的综合评价。

以下三个成对比较矩阵的构建皆是根据前文中定性分析的结果，并依据 Saaty 提供的1~9的赋值标度进行赋值所得。不再一一说明。

（3）成对比较矩阵 Ⅲ（表5-4）：方案——可操作性指标。

表5-4　成对比较矩阵 Ⅲ

	方案Ⅰ	方案Ⅱ	方案Ⅲ	方案Ⅳ	W_i
方案Ⅰ	1.0000	0.5000	0.3333	0.1111	0.0591
方案Ⅱ	2.0000	1.0000	0.5000	0.1429	0.0985
方案Ⅲ	3.0000	2.0000	1.0000	0.2000	0.1676
方案Ⅳ	9.0000	7.0000	5.0000	1.0000	0.6748

（4）成对比较矩阵 Ⅳ（表5-5）：方案——公平性指标。

表5-5　成对比较矩阵 Ⅳ

	方案Ⅰ	方案Ⅱ	方案Ⅲ	方案Ⅳ	W_i
方案Ⅰ	1.0000	1.0000	1.0000	6.0000	0.3158
方案Ⅱ	1.0000	1.0000	1.0000	6.0000	0.3158
方案Ⅲ	1.0000	1.0000	1.0000	6.0000	0.3158
方案Ⅳ	0.1667	0.1667	0.1667	1.0000	0.0526

判断矩阵一致性比例：0.0000；对总目标的权重：0.0690。

（5）成对比较矩阵 V（表5-6）：方案——经济影响指标。

表5-6　成对比较矩阵V

	方案I	方案II	方案III	方案IV	W_i
方案I	1.0000	5.0000	4.0000	8.0000	0.6126
方案II	0.2000	1.0000	0.5000	3.0000	0.1275
方案III	0.2500	2.0000	1.0000	4.0000	0.2048
方案IV	0.1250	0.3333	0.2500	1.0000	0.0550

判断矩阵一致性比例：0.0297；对总目标的权重：0.0451。

（6）成对比较矩阵 VI（表5-7）：方案——参与度指标。

表5-7　成对比较矩阵 VI

	方案I	方案II	方案III	方案IV	W_i
方案I	1.0000	0.5000	1.0000	3.0000	0.2395
方案II	2.0000	1.0000	2.0000	4.0000	0.4327
方案III	1.0000	0.5000	1.0000	3.0000	0.2395
方案IV	0.3333	0.2500	0.3333	1.0000	0.0883

判断矩阵一致性比例：0.0077；对总目标的权重：0.1070。

5.4.3.3　结　果

根据上述六个成对比较矩阵，运用软件计算得出各方案对总目标——最优国际性碳税方案的组合权重见表5-8。

表5-8　各方案的组合权重

备选方案	权重
方案I	0.2427
方案II	0.1716
方案III	0.2208
方案IV	0.3649

可以看出方案IV的组合权重最高，为0.3649，方案I低于方案IV且略高于方案III，方案II最低。由此，可以判断最优的国际性碳税方案是方案IV，即碳关税。

该结果可能会受到质疑。因为其他三个国际性碳税方案在减排效果、公平性、经济影响和参与度方面都优于碳关税方案，并且对于国际性碳税方案而言，最被看重的通常是减排效果，因此方案I往往被认为是最优的，而碳关税会被认为是最劣的。问题的关键就在于前三种方案都是建立在一系列假设前提之上，如具备专门的国际机构、合理的转移支付制度，严格的监督机制等，但这些机构和体制的构建本身就存在极大的障碍。一种方案的实现需要足够的推动力，否则只能停留在构想阶段。碳关税方案虽然在其他三个指标方面的表现都不及另外三种方案，但由于其具有最强的可操作性，短期内最可能实现。而减排效果更优的其他三种方案由于缺乏内在的动力，难以直接实现。因此，就目前的条件而言，最优的国际性碳税方案就是碳关税。

进而言之，碳关税有可能为其他在减排效果方面更优的国际性碳税方案提供演进的动力。因为发达国家强制性的减排义务为其实行碳税提供了动力，而保护国内产业竞争力的目的为其对进口品征收边境调节税提供了动力。因此，边境调节税一旦在WTO 通过，将可能迅速在发达国家蔓延开来。随着实行国内碳税加边境调节税的国家增多，未征收碳税的发展中国家在出口时可能频繁地被迫征收碳税。由此，部分发展中国家可能考虑实行碳税以减少出口遭受的净损失。随着越来越多的国家征收碳税，最终全球性的碳税网络形成。由于各国都征收碳税，边境调节已显得多余。由简化贸易程序、减少贸易成本的动力推动，各国将开始商讨一定的国际规则来协调各国之间的碳税并取消边界调节税，经过协商最终可能形成统一的国内碳税以及一定规则的转移支付。这样，方案Ⅳ就演进为方案Ⅲ。而由于统一国内碳税模式存在的问题，如成本效益差，该模式难以一直延续，一些国家或环保组织将倡导成立专门的制度来管理全球碳税问题。鉴于实施难度，在初期会要求发达国家率先成立国际机构并交纳国际碳税，而给于发展中国家激励并征收较低的税率，从而方案Ⅱ逐渐成形。最后，由于良好的制度激励以及来自于国际的压力，发展中国家陆续参与，及至所有国家参与。为简化程序，国际机构可能对各国实行统一的国际碳税税率，并重新设计税收返还制度来处理公平性问题，于是方案Ⅰ得以实现。如此而来，终将实现以减排效果为标准的最优的国际性碳税方案。

因此，虽然碳关税与其他三种国际性碳税方案相比，对全球碳排放的控制是最劣的，但由于其具有很强的可操作性，在短期内确实是必然的选择，也是别的方案不可替代的，它的实施将会为最优减排效果的国际性碳税方案提供动力。

同理，对于国际碳排放权交易体系，边境碳排放权调节也是一个必不可少的过渡，由其推动全球碳排放权交易体系的演进。这一"演进论"已经被目前欧盟航空碳关税的情况初步证实。2012 年 1 月欧盟将飞经欧盟的航空器纳入其碳排放交易体系，随后的几个月非欧盟国家与欧盟的抗争从未中断。为缓和欧盟与非欧盟国家僵持的局面，国际民航组织于 2012 年 3 月底提出了航空碳税的替代方案，但尚未出台实施细则（王珲，2012）。虽然各国表示对替代方案的接受仍具有相当难度，而且也认为国际性的替代方案在短期内实施的可能性不大，但不少人相信这为全球航空碳减排走上平等协商的道路提供了机会。这充分说明欧盟的航空碳关税措施实际上起到了推动全球范围内航空业减排协商与合作进程的作用。

5.5   小 结

本章介绍和评述了二氧化碳减排的技术方法、二氧化碳减排的政策工具以及其他工具，并对国际性碳税方案进行了归纳和比较分析。

国内外对二氧化碳的减排主要有以下几种方案：一是提高能源利用效率和节能，开发清洁燃烧技术和燃烧设备；二是二氧化碳的固定；三是开发核能、风能和太阳能等可再生能源和新能源；四是提高植被面积、保护生态。目前这些技术在国际上都有应用，其中提高能源利用效率和节能、开发可再生能源和新能源是目前各国实现二氧化碳减排的主要技术方法，提高植被面积很难在短时间内获得明显的减排效果，是一种辅助手段，温室气体的固存和转化目前还仅仅是各国实现二氧化碳减排的研究热点。

二氧化碳减排政策工具多种多样，目前国际上的各种碳排放政策工具有碳税、排放权交易、复合排放权交易体系、财政补贴、政府规制，它们有各自的适用范围和利弊。本章根据各种政策工具作用的范围、借助市场力量的方式、减排成本的确定性和可预测性、管理成本的大小、政治上的可接受性以及对收入分配的影响进行了比较。碳税对单位温室气体排放征税，通过改变能源产品的相对价格实现外部成本的内部化，是以价格为基础的市场化政策工具，作用于整个经济体系，范围较广，具有法定性和固定性，管理成本较低，尽管对收入分配的影响较复杂，但应用得当可保证社会公平，虽然推行实施阻力大，但相比而言是一种比较好的政策工具。故学者们倡导的世界性减排措施主要是碳税。

已提出的国际性碳税方案归纳为统一的国际碳税、有差异的国际碳税、统一的国内碳税和碳关税四种。碳关税的表现形式之一是将碳税适用于进口产品。本章以减排效果、可操作性、公平性、经济影响和参与度作为比较标准，首先将碳关税与其他国际性碳税方案进行定性比较，然后运用层次分析模型对定性的比较进行了数量化处理，得到综合性的评价结果：碳关税是最优的国际性碳税方案。虽然碳关税与其他三种国际性碳税方案相比，对全球碳排放的控制是最劣的，但由于其具有很强的可操作性，在短期内确实是必然的选择，也是别的方案不可替代的，它的实施将会为最优减排效果的国际性碳税方案提供动力。

第6章 碳关税对中国影响的定性分析

6.1 中国经济发展的特点和碳排放现状

6.1.1 中国经济发展的特点

（1）中国经济增长仍处于上升通道中。自改革开放以来，我国经济实现了持续快速发展，国内生产总值（GDP）由 1978 年 3645.2 亿元增加到 2011 年 471564 亿元（中华人民共和国国家统计局，2012）（图6-1），其成就是举世瞩目的。图6-2 显示了中国国内生产总值的增长情况。可以看到在改革之初，1978～1984 年期间的增长速度是很缓慢的。1985 年以后国内生产总值快速上升。1997 年亚洲金融风暴后亚洲周边国家及西方主要国家经济逐步陷入困境，在 1998 年中国又经历百年不遇的特大洪涝灾害，中国的经济也受到影响，国内生产总值增长速度有所下降。进入 21 世纪以来，经济增长速度增长较快，根据 2011 年国民经济和社会发展统计公报，2011 年国内生产总值

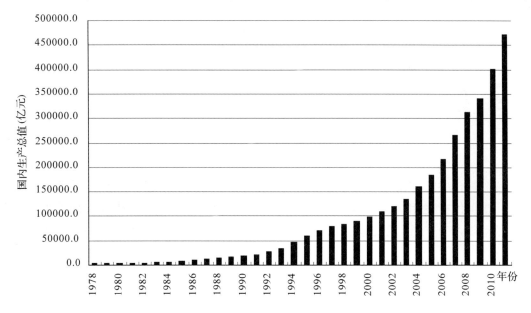

图6-1 1978～2011 年中国国内生产总值

资料来源：中国统计年鉴 2012。

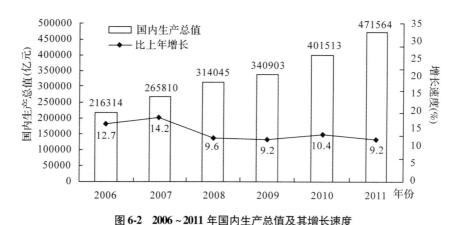

图6-2 2006~2011年国内生产总值及其增长速度

资料来源：中华人民共和国2011年国民经济和社会发展统计公报。

471564亿元，比上年增长9.2%，几乎是2000年的5倍。虽然经初步核算2012年全年我国国内生产总值519322亿元，按可比价格计算，比上年增长7.8%，增速有所降低，但中国经济增长仍处于上升通道中。

（2）人均GDP呈现迅速增加势头。作为福利指标的人均GDP也呈现出与国内生产总值类似的特征。1978~1986年，人均GDP增长十分缓慢，人均GDP未突破1000元。随着改革效应的逐步体现，人均GDP从1987年之后提高较快，至2003年首次突破万元，达10542元。伴随着国民经济的快速增长，人均GDP至2011年提高到35181元，比改革之初高出90多倍(图6-3)。

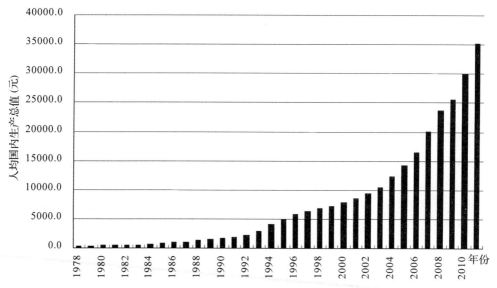

图6-3 1978~2011年人均国内生产总值

资料来源：中国统计年鉴2012。

（3）第二产业尤其是工业仍占有经济较大比重。中国在经济总量上提高的同时，三大产业也得到了极大的发展，三大产业结构逐步改善和提高。1978～2011 年，第一产业从 1027 亿元提高到 47712 亿元，以现价计算的年平均增长速度为 12.32%，第二产业从 1745 亿元提高到 220592 亿元，年均增长速度为 15.79%，第三产业从 872 亿元提高到 203260 亿元，年均增长速度为 17.99%（中华人民共和国国家统计局，2012）。可见，在过去的 30 多年里，第二和第三产业的蓬勃发展对整个国民经济的发展起了极大的促进作用，同时，这也是中国走现代化和工业化道路及大力发展第三产业的成果。在各个产业高度增长的同时，三大产业的结构也得到很大的改善和优化。1978 年，三大产业的比例为 28.2∶47.1∶23.9，到 2011 年，这一比例变为 10.1∶46.8∶43.1（中华人民共和国国家统计局，2012）。第一产业产值在国民经济中的比重逐年下降，第三产业产值比重逐年上升，第二产业基本稳定。但是，第二产业尤其是工业仍占有经济较大比重。2011 年，第二产业比重为 46.8%，其中工业占第二产业的 85.51%。根据 2011 年国民经济和社会发展统计公报，2011 年第二产业增长 10.6%，高于国内生产总值增长的 9.2%，高于第三产业增长的 8.9%，第一产业增长的 4.5%。目前日本第一产业 1%，第二产业不到 30%，第三产业 70% 多；美国的第一产业只占 GDP 的 1%，而第二产业也就 20% 微微出点儿头，第三产业高于 75%。相比之下，中国第二产业比重明显较大。

（4）经济发展严重依赖对外贸易，尤其是出口贸易。20 世纪 80 年代以来，随着中国经济融入世界经济一体化的进程，对外贸易快速增长。根据 2011 年国民经济和社会发展统计公报，2011 年全年货物进出口总额 36421 亿美元，比上年增长 22.5%。其中，出口 18986 亿美元，增长 20.3%；进口 17435 亿美元，增长 24.9%。进出口差额（出口减进口）1551 亿美元，比上年减少 264 亿美元。

伴随着外贸的增长，中国的对外贸易依存度也不断提高。对外贸易依存度是衡量一国国民经济对对外贸易的依赖程度的重要指标，它以该国对外贸易总额在该国国内生产总值中所占的比重表示。1985 年，中国对外贸易依存度为 23.1%，其中出口依存度为 9.02%，进口依存度为 14.08%，1990 年中国对外贸易依存度首次达到 30%，其中出口依存度为 16.05%，进口依存度为 13.84%，中国出口慢慢赶上并超过进口。1990～2000 年，中国劳动密集型产业崛起，加工贸易的开展，使出口快速增长，出口依存度超过进口依存度，推动外贸稳步上升，中国的对外贸易依存度也于 1994 年突破40%。虽然 1996～1999 年 4 年内，中国的对外贸易依存度有所滑落，但仍在 35% 左右徘徊，2000 年再次达到 43.9%。随着中国加入 WTO，经济全球化进一步加深，对外贸易对经济增长的作用日益明显，2004 年中国进出口贸易总额历史性地突破万亿美元大关，超过日本，名列世界第三位，对外贸易的增长速度，远远高于中国国内生产总值的增长和世界贸易的增长。中国对外贸易依存度快速增加，2002 年突破 50%，2005

年已经高达63%，2006年更是达到67%的高点，此后受我国经济转型、内外需求结构调整以及国际金融危机的影响，从2007年开始对外贸易依存度逐步回落，2008年为60.2%，到2011年更是低至50.1%，仅比2002年高0.1%。

尽管中国对外贸易依存度逐步回落，但仍高于世界平均水平。据WTO和IMF的数据测算，1960年全球外贸依存度为25.4%，1970年为27.9%，1990年升至38.7%，2000年升至41.7%，2003年已接近45%。尤其是中国作为世界第二大经济体，远远高于发达大国和发展中大国的水平，据统计，1980~2001年，美国、日本、印度、德国的外贸依存度大体稳定在14%~20%的范围内（张燕，2005）。

6.1.2　中国的碳排放现状

改革开放后，我国经济进入到大发展阶段。伴随着经济的快速发展，碳排放呈现以下主要特征。

（1）二氧化碳排放总量居全球第一，仍处于上升阶段，增长迅速。改革开放以来，我国在经济发展取得显著成效的同时，也出现了资源消耗、碳排放增加等问题。二氧化碳排放总量从1978年的14.22亿t增加到2010年的83.33亿t，年均增长2.15亿t。我国碳排放量存在阶段性。1980~1996年是碳排放量的迅速增长阶段，年均增长5.65%，1996~1999年碳排放趋于平稳（严思佳，2010），2000~2010年是碳排放的急速增长阶段，年均增长达到8.58%，期间仅在2008年有所缓和。这期间，我国二氧化碳占世界二氧化碳排放量的比值从7.47%上升到25.11%（表6-1），可见世界上二氧化碳排放量的1/4是我国排放的。而且随着我国经济的发展，二氧化碳的排放总量还在不断增加（张何英，2011）。

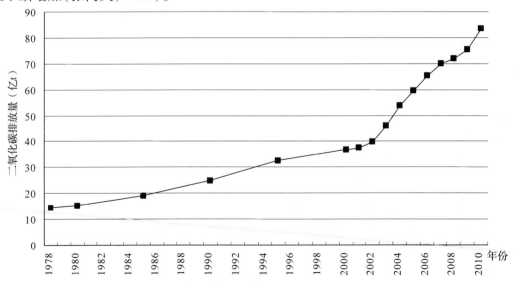

图6-4　中国1978~2010年二氧化碳排放量变化

表 6-1　中国 1978~2010 年二氧化碳排放量及其占世界排放比

年份	排放总量 （亿 t）	占世界排放比 （%）	年份	排放总量 （亿 t）	占世界排放比 （%）
1978	14.22	7.47	2003	46.14	16.77
1980	15.00	7.76	2004	53.57	18.55
1985	18.86	9.32	2005	59.32	19.89
1990	24.59	10.88	2006	65.20	21.26
1995	32.63	13.88	2007	69.79	22.06
2000	36.59	14.31	2008	71.85	22.51
2001	37.37	14.48	2009	75.47	24.08
2002	39.70	15.09	2010	83.33	25.11

资料来源：BP 世界能源统计 2011。

2010 年，我国二氧化碳排放占全球排放的 25.11%，居全球第一。排放第二位的美国，排放量为 61.45 亿 t，占全球排放的 18.52%，我国排放是美国的 1.37 倍。同 2009 年的排放量相比，我国的排放增长率是 10.41%，仅次于巴西。巴西和我国都是发展中国家，但是巴西 2010 年的二氧化碳排放量占世界排放量的 1.40%，居于第十二位，我国的排放量是巴西的 17.96 倍（表 6-2）。可以预见，在今后的几年里，我国的二氧化碳排放量将长期处于世界第一（张何英，2011）。一旦我国被列入减排国家，势必面临很大的减排压力。

表 6-2　2010 年二氧化碳排放总量前 12 位的国家

国家	2010 年排放 （亿 t）	比 2009 年 增长（%）	占世界排放比 （%）	国家	2010 年排放 （亿 t）	比 2009 年 增长（%）	占世界排放比 （%）
中国	83.33	10.41	25.11	韩国	7.16	8.51	2.16
美国	61.45	4.08	18.52	加拿大	6.05	2.59	1.82
印度	17.07	9.18	5.14	沙特阿拉伯	5.62	7.04	1.69
俄罗斯	17.00	6.10	5.12	伊朗	5.58	2.68	1.68
日本	13.08	6.77	3.94	英国	5.48	3.59	1.65
德国	8.28	3.72	2.50	巴西	4.64	11.40	1.40

资料来源：BP 世界能源统计 2011。

（2）二氧化碳排放强度保持下降的趋势，但仍居世界前列。中国的碳排放强度在 20 世纪 50 年代末、60 年代初达到了顶峰，之后开始下降，但在 70 年代中后期又开始上升，达到另一个顶峰，之后一直保持下降的趋势。从现价看，万元 GDP 二氧化碳排放量从 1978 年的 39.01t 下降到 2010 年的 2.09t（图 6-5）。

从图 6-5 中可以看出，改革开放以来，我国的二氧化碳排放强度一直在降低。其中，1978~1996 年，二氧化碳的排放强度高于 5t/万元，并且下降的幅度很大，1996

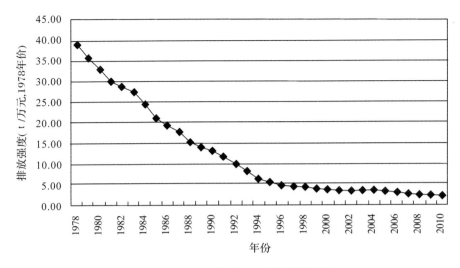

图 6-5　1978～2010 年我国二氧化碳排放强度

资料来源：二氧化碳排放量的数据来自《BP 世界能源统计 2011》，历年 GDP 数据来自《中国统计年鉴 2011》。

年以后二氧化碳的排放强度一直低于 5t/万元，下降幅度逐渐减缓且趋于平坦，2002 年出现了轻微反弹，2005 年后继续持续下降。

　　尽管中国二氧化碳排放强度保持下降的趋势，但仍居世界前列。2008 年，世界平均单位 GDP 二氧化碳排放 5.27t/万美元，我国 16.61t/万美元，是世界平均水平的 3.15 倍，在世界大国中，处于第一位（表 6-3）。美国、日本、德国、英国、法国等

表 6-3　世界主要国家的二氧化碳排放强度（t/万美元）

国家	1990	2000	2001	2002	2003	2004	2005	2006	2007	2008
世界	10.37	7.99	8.24	8.01	7.46	6.98	6.59	6.27	5.76	5.27
中国	68.90	30.53	31.79	27.31	28.12	27.73	26.53	24.53	20.64	16.61
巴西	5.14	5.43	7.08	7.76	7.10	6.13	4.31	3.54	3.05	2.69
加拿大	8.49	8.17	8.50	8.24	7.39	6.42	5.64	4.99	4.87	4.51
丹麦	4.11	3.63	3.61	3.32	2.93	2.36	2.08	2.26	1.86	1.61
法国	3.31	3.23	3.25	2.88	2.40	2.12	2.01	1.86	1.62	1.47
德国	6.01	4.75	4.93	4.45	3.72	3.28	3.16	3.07	2.59	2.34
印度	18.31	20.70	20.05	19.78	17.15	16.10	14.48	13.36	11.28	11.85
日本	3.84	2.84	3.18	3.33	3.21	2.99	3.07	3.15	3.18	2.83
英国	6.25	4.08	4.18	3.72	3.31	2.83	2.69	2.52	2.12	2.19
美国	9.46	6.53	6.22	6.03	5.79	5.53	5.25	4.88	4.74	4.46
瑞典	2.60	2.4	2.75	2.55	2.09	1.78	1.67	1.60	1.32	1.21
俄罗斯	45.34	60.18	51.35	45.83	37.53	29.44	21.16	16.79	13.01	10.64

资料来源：BP 世界能源统计 2011。

发达国家二氧化碳排放强度都很低，我国暂时不能达到这样的水平。但是作为发展中国家，我国可以和俄罗斯、巴西、印度相比较，因为这四国被称为"金砖四国"。可以看出，同为发展中国家，巴西、印度、俄罗斯的二氧化碳排放强度均比我国低。这可以看出我国单位 GDP 耗能量最高，生产效率最低。原因可能有三方面：一是能源结构的问题，这与我国能源以煤炭为主有关，2010 年，我国煤炭消费在能源消费中占70%（表6-4），无论是和发达国家还是其他发展中国家比起来，都是最高的；二是生产效率的问题，与我国的科学技术不先进有关；三是产业结构的问题，我国主要是以高耗能产业为主（张何英，2011）。同时，也说明目前我国的二氧化碳排放强度是存在降低空间的。

表6-4　2010 年世界主要国家能源消费情况（百万吨油当量）

国家	石油	天然气	煤炭	核能	水电	可再生能源	总计	煤炭占比（％）
中国	428.57	98.14	1713.52	16.72	163.15	12.11	2432.20	70
巴西	116.95	23.83	12.41	3.28	89.60	7.85	253.92	5
印度	155.49	55.72	277.58	5.22	25.20	5.02	524.23	53
俄罗斯	147.62	372.73	93.85	38.54	38.09	0.11	690.94	14
美国	849.97	621.02	524.58	192.21	58.75	39.13	2285.65	23
德国	115.11	73.16	76.53	31.79	4.32	18.56	319.46	24
日本	201.58	85.06	123.71	66.15	19.25	5.12	500.87	25
英国	73.67	84.46	31.16	14.06	0.80	4.93	209.08	15

资料来源：BP 世界能源统计2011。

（3）人均二氧化碳排放量相对较低，但呈现显著的递增趋势。虽然中国从整体上跨越了碳排放强度的高峰，但是目前人均碳排放还在保持较快的增长势头。人均排放量从 1978 年的 1.48t/人增长到 2010 年的 6.08t/人（图 6-6），平均每人每年增长 0.143t（张何英，2011）。

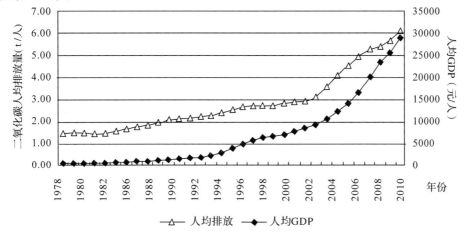

图 6-6　中国 1978～2010 年二氧化碳人均排放量和人均 GDP

　　从图6-6中可以看出，我国的人均二氧化碳排放量一直是增加的。从改革开放以来，大致分为三个阶段：1978～1987年为第一阶段，这期间人均二氧化碳排放量大于1t小于2t，跨越了10多年。这期间，人均二氧化碳排放量缓慢增长。1988～2001年，人均二氧化碳排放量也增长较为平缓，介于2～3t之间，跨越13年。从2002～2010年，人均二氧化碳排放量快速增长，其中，在3～4t之间跨越2年，分别是2002年、2003年。这可以看出，从2002年开始，我国的人均二氧化碳排放量呈现显著的递增趋势。

　　根据人均二氧化碳排放量＝二氧化碳排放强度×人均GDP，在二氧化碳排放强度递减的时候，人均二氧化碳排放量的增加只能是由人均GDP的增加引起的。从图6-6中可以看出，人均GDP的变化趋势确实和人均二氧化碳的排放情况很一致。我国人均GDP呈现迅速增加势头，而二氧化碳排放强度递减趋缓，因此人均二氧化碳排放量今后仍将呈现显著的递增趋势。

　　我国和发达国家相比，人均排放量都比较低。2008年，我国人均排放量为5.42t/人，而美国为20.83t/人，是我国的3.84倍。其他如加拿大18.94t/人、丹麦10.03t/人、德国10.40t/人、日本10.88t/人，都比我国的大。主要原因是我国的人口数量多，人均GDP比较小的缘故，并不代表我国的经济效率高。同金砖四国相比较，我国的人均二氧化碳排放量比俄罗斯(12.07t/人)小，比印度(1.27t/人)、巴西(2.26t/人)大。之前的分析已经看出我国的二氧化碳排放强度比其他三国大，属于发展效率最低的国家。我国的人均二氧化碳排放量比俄罗斯小，主要是人均GDP比俄罗斯小造成的。巴西人均GDP比我国大，但人均二氧化碳排放量比我国小，主要是由于二氧化碳排放强度远远比我国小的缘故(表6-5、图6-7)。

表6-5　世界主要国家人均二氧化碳排放量(t/人)

国家	1990	2000	2002	2003	2004	2005	2006	2007	2008
世界	4.30	4.22	4.24	4.39	4.53	4.63	4.71	4.78	4.77
中国	2.15	2.90	3.09	3.57	4.13	4.55	4.97	5.29	5.42
巴西	1.61	2.01	2.05	2.03	2.01	2.04	2.04	2.14	2.26
加拿大	17.79	19.24	19.09	20.01	19.64	19.82	19.54	19.64	18.94
丹麦	10.85	10.88	10.58	11.46	10.53	9.92	11.51	10.64	10.03
法国	7.26	7.29	7.06	7.18	7.18	7.08	6.92	6.79	6.75
德国	12.97	10.98	10.92	11.03	10.91	10.71	10.85	10.45	10.40
印度	0.68	0.94	0.95	0.97	1.04	1.07	1.10	1.18	1.27
日本	9.37	10.46	10.38	10.79	10.81	10.94	10.81	10.90	10.88
英国	10.81	9.90	9.83	10.03	10.06	10.02	10.02	9.63	9.42
美国	21.81	22.60	21.83	21.81	22.04	21.91	21.45	21.65	20.83
瑞典	7.42	6.63	6.90	7.04	6.84	6.76	6.93	6.57	6.30
俄罗斯	15.8	10.68	10.99	11.33	11.32	11.30	11.69	11.81	12.07

资料来源：BP世界能源统计2011。

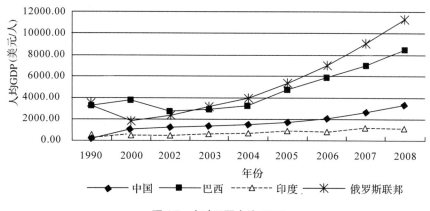

图6-7　金砖四国人均GDP

(4)工业碳排放为主要排放来源。在研究碳排放问题时，我们可以用碳排放量指标、也可以用二氧化碳排放量指标，两者可以互相转化，当生产某种产品时排放了1个单位的碳即等于排放了3.67个单位二氧化碳。从我国1980~2005年碳排放总量以及工业生产所占比重表中可以看出，总的碳排放量中，工业排放所占比重达到71%~84%之间，并且有不断上升的趋势，这说明快速的工业化过程推动了碳排放量的增长，而我国仍处于工业化发展阶段，在一段时间内，工业碳排放量仍然会占据绝大部分比重(表6-6)。

表6-6　1980~2005年我国碳排放总量与工业碳排放量

年份	碳排放总量(万t)	工业碳排放量(万t)	工业所占比例(%)
1980	40502.99	29209.39	72
1985	51713.34	36895.3	71
1990	66477.8	49848.38	75
1991	69803.64	52954.44	76
1992	72628.48	56497.55	78
1993	77425.51	60688.99	78
1994	81704.71	65731.8	80
1995	87510.67	71102.78	81
1996	92442.54	75031.02	81
1997	91472.85	74993.58	82
1998	86440.26	71080.43	82
1999	85898.42	69596.6	81
2000	90202.34	73604.55	82
2001	92297.31	75327.69	82
2002	97525.49	79792.91	82
2003	114420.01	95197.46	83
2004	131500.9	109713.14	83
2005	144884.06	121661.89	84

数据来源：中国能源统计年鉴(1996~1999年，2006年)和中国统计年鉴(2006年)。

（5）出口产品生产的二氧化碳排放占比接近 4 成。我国经济规模的扩大很大一部分是由出口引起的，而出口产品很大一部分是高耗能产品，高耗能必然导致高的二氧化碳排放，所以，由出口产品的生产而产生的二氧化碳排放明显占了很大的比例。2007 年，我国二氧化碳排放量为 69.79 亿 t。根据张何英的计算，2007 年出口产品的二氧化碳排放总量为 26.82 亿 t，占全年排放量的 38.42%。进口产品的二氧化碳减排总量为 20.82 亿 t，占全年排放的 29.83%（张何英，2011）。2007 年我国整体出口额大于进口额，同时出口产品二氧化碳排放量大于进口产品二氧化碳减排量。从总体上来说，对外贸易增加了我国的二氧化碳排放量，2007 年净出口排放 6.00 亿 t（表 6-7），占全年排放量的 8.60%。由于出口商品的生产而在我国产生的二氧化碳排放占比接近 4 成，并随着出口规模的扩大呈现扩大的趋势。当发达国家对我国出口产品增收碳关税时，总的税额会比较高，而且还有增加的趋势。

表 6-7 2007 年各部门出口产品二氧化碳排放量和进口产品二氧化碳减排量

序号	部门	出口额 （亿元）	进口额 （亿元）	出口排放 （万 t）	进口减排 （万 t）	差额 （万 t）
1	农、林、牧、渔业	665.98	2327.96	861.99	3013.13	−2151.14
2	煤炭开采和洗选业	233.76	192.17	836.77	687.91	148.87
3	石油和天然气开采业	173.56	5768.27	399.51	13277.51	−12877.99
4	金属矿采选业	82.29	4078.00	242.07	11996.61	−11754.54
5	非金属矿采选业	150.44	300.44	391.87	782.58	−390.71
6	食品制造业及烟草加工业	1912.11	1581.53	3014.13	2493.01	521.12
7	纺织业	8215.89	818.29	23107.72	2301.50	20806.23
8	纺织服装鞋帽皮革羽绒及其制品业	5672.64	608.77	11200.53	1202.01	9998.53
9	木材加工及家具制造业	2424.47	270.48	5130.28	572.35	4557.92
10	造纸印刷及文教体育用品制造业	2264.42	828.63	6130.84	2243.48	3887.36
11	石油加工、炼焦及核燃料加工业	767.84	1450.15	2806.40	5300.20	−2493.80
12	化学工业	7237.92	9105.17	29270.00	36821.14	−7551.14
13	非金属矿物制品业	1483.69	377.30	6978.98	1774.74	5204.24
14	金属冶炼及压延加工业	5155.49	4320.51	28464.52	23854.40	4610.12
15	金属制品业	3558.52	584.69	13234.40	2174.51	11059.89
16	通用、专用设备制造业	5736.85	7043.33	17488.56	21471.31	−3982.75
17	交通运输设备制造业	3282.16	3003.20	9042.03	8273.54	768.49
18	电气机械及器材制造业	6825.66	3435.20	22851.71	11500.75	11350.96
19	通信设备、计算机及其他电子设备制造业	21377.51	16298.74	49407.83	37669.74	11738.09
20	仪器仪表及文化、办公用机械制造业	3237.40	3929.82	7907.23	9598.44	−1691.21
21	工艺品及其他制造业	1309.72	221.88	3700.86	626.98	3073.91

（续）

序号	部门	出口额 （亿元）	进口额 （亿元）	出口排放 （万 t）	进口减排 （万 t）	差额 （万 t）
22	废品废料	31.73	1408.59	9.62	427.15	-417.52
23	电力、热力的生产和供应业	65.11	17.99	248.70	68.70	180.01
24	建筑业	408.87	221.26	1293.64	700.05	593.59
25	交通运输及仓储、邮政业	4031.55	1103.89	12433.51	3404.47	9029.05
26	批发零售、住宿餐饮业	4744.09	523.35	6068.86	669.49	5399.37
27	其他行业	4491.33	4200.96	5681.96	5314.61	367.35
	总计	95540.99	74020.55	268204.56	208220.29	59984.27

资料来源：张何英. 碳关税和碳税的征收对中国产业影响的比较研究. 华东理工大学, 2011.

综上可以看出，我国的二氧化碳排放处于二氧化碳排放强度下降、人均二氧化碳排放量和二氧化碳排放总量的上升阶段。在这个阶段，人均 GDP 的变化或者经济增长对碳排放量的贡献基本上起主导作用（张何英，2011）。虽然工业发展和对外贸易推动了经济的高速发展，提高了人民生活水平，但对能源的需求也快速增长，工业碳排放为主要排放来源，出口产品生产的二氧化碳排放占比较大。但是，相对于美国等工业发达国家，我国的人均以及历史累计排放量仍然较低。研究表明，自工业革命以来到 2005 年，发达国家的累积排放量占全球累积排放量的 75%，而 2005 年其人口只占全球人口的 20%。能源利用的二氧化碳排放，发达国家人均累积排放量到 2005 年已高达 940.2t，发展中国家只有 223.5t，相差 4.2 倍（严思佳，2010）。

6.2 碳关税对中国经济的影响

6.2.1 中国出口贸易将受到极大限制

欧美等发达国家对来自发展中国家的进口商品征收碳关税，必将对现有的国际贸易格局产生影响，改变国际贸易商品结构，使低碳产品在国际贸易商品结构中的比重上升，而高碳产品则将受到极大的限制，甚至淘汰出局。这对我国对外贸易极为不利。如何应对"碳关税"，变被动为主动，减少"碳关税"对我国经济带来的冲击，已成为我国迫在眉睫、急需解决的问题。

（1）增加我国出口产品的成本，减弱我国出口产品的竞争优势。目前国际上开征碳关税以及碳关税本身规定的不协调性，这必然增加我国高碳业出口成本，严重削弱我国产品在国际市场上的竞争力，这是对我国出口产品最直接的影响。众所周知，我国产品最大的优势就是低成本，在这一点上，其他国家是不能比拟的，这与我国人口众多而导致的劳动力低廉是密不可分的，我们正是依靠这种特殊的国情劣势来赢得了低成本产品独一无二的国际竞争优势。然而，一旦开征碳关税，这种竞争优势就会被无情的磨灭，也就是碳关税迫使我国产品采用升级技术从而降低能耗，减少碳排放，这样势必会增加我国出口产品的生产成本，结果只有一个，那就是减弱了我国出口产品的竞争优势（张巧进，2011）。通过各项研究结果表明，中等或较高水平的碳关税已超出了我国现有的高碳企业所能承受的范围。例如，某项来自中国社会科学院的研究结果显现，2002 年，我国的电力和建材、钢铁和有色金属、轻工和纺织、石化和化工等八项高碳产业，如果以每吨 10 美元的碳关税来计算，我国碳税将近有 108.5 亿元，相当于贸易额的 1.28%。另一项研究结果则表现出，如果对我国生产能源密集型产品的生产部门分别按丹麦每千升 281.9～369.0 欧元的轻质燃料油税和按瑞典每千立方米 241.8～300.6 欧元的天然气税来征收，所合计的碳税最高额度可占我国出口总额的 32.8%，而且，在行业总主营业务的成本中就有 13.4% 是碳税成本总额，这将导致我国的出口企业几乎无利可图，其中这些产品主要指的是非金属矿物制品业以及有色金属的冶炼与压延加工业，黑色金属的冶炼与压延加工业以及造纸与纸制品业。而如果碳关税的征收按照诸如德国这类以中等水平来征收，即以每千升 61.4 欧元的轻质燃料油税，每千立方米 59.6 欧元的天然气税来计算，在出口总额比重中，碳税总额将最高可占达 10%；如果碳关税的征收按照诸如美国或英国这类以较低等水平来征收碳税及能源税的，在出口总额比重中，碳税总额可能占 3%～7%。2008 年以上所描述 4 个行业呈现的 3.61%、7.95%、6.17% 以及 4.34% 的成本费用利润率就是一个鲜明的例子（李沁璇，2011）。

（2）我国出口贸易额会有很大程度的下降。1999 年，我国出口贸易额仅在世界排名第九，而 2009 年，我国已经超过美国成为世界第一大贸易出口国。从我国出口产品的国别看，发达国家是我国出口产品的主要目标市场，美国、日本和欧盟是我国前三大出口国家，2008 年对这三个国家出口额占我国总出口的 46.3%（严思佳，2010）。发达国家提出对进口产品征收碳关税，这对于我国出口贸易必将是一个巨大打击。刘小川等在课题《美国征收"碳关税"对中国经济的影响》中，对征收碳关税对中国经济的影响进行了专门研究后得出：30 美元/t 碳的关税，将导致我国出口总额下降 0.715%，拖累我国 GDP 下降 0.021%；如果碳关税税率提高至 60 美元/t 碳，对我国出口总额的负面影响相应增加，出口总额将下降 1.244%，GDP 下降 0.037%（刘小川，2009）。显而易见，美国征收碳关税，将会导致我国出口贸易规模的极大缩减，也将影响我国经济的正常运行。另一方面，高耗能、高碳排放的劳动密集型产业构成了我国出口企业的主力大军，而碳关税正是专门对付高碳排放的杀手锏，这一天敌必然会降低我国高碳密集型企业的市场占有率，出口规模备受打击，出口额也就不可遏制地迅速下降

(张巧进，2011)。一份来自世界银行的研究报告表明，假设发展中国家和发达国家一起减排，到 2020 年，发达国家减排为 2005 年基准的 30%；同时，发展中国家在不打乱正常交易活动的前提下，以减排 30% 为前提，相对于正常的交易水平，到 2020 年，在排放权可以交换，并且在可以通过排放交易以及公共转移支付来与减排的成本相抵消的情况下，我国工业出口将会由于减排而下降的幅度达 11.7%；相对于世界工业的出口 1.9 个百分点的平均降幅，我国已远远超出了这个百分点；但是欧盟与美国的工业出口率不减反增，其中，增幅分别为 6.5%、5.0%。另一个研究表明，按照每吨碳征收 30 ~ 60 美元的标准计算，我国对美国的出口产品将会因为其碳排放量而减少 3 ~ 6 个百分点(李沁璇，2011)。

　　(3)改变我国出口商品和贸易方式结构。我国出口商品结构的改变，以及贸易方式的改变，是我国的出口结构受碳关税影响而呈现的两个方面。一方面，碳关税将降低高耗能产品在出口中的比重。从我国出口产品结构看，我国一半以上的出口将受到碳关税的影响。碳关税的征收对象主要集中在机电产品、化工产品、钢铁制品等"高碳产品"，而这些"高碳产品"占我国出口产品中的大部分。2008 年中国对美国出口机电产品 1528.6 亿美元，约占中国对美国出口总额的 61%，而机电产品的出口额达到我国总出口额的 57.6%(严思佳，2010)。至今，我国火电和钢的单产能耗分别是世界平均水平的 1.17 倍和 1.15 倍，其中高耗能的水泥、玻璃和石化、碱分别是 1.53 倍、1.47 倍和 1.45 倍、1.34 倍。而单位能耗已经是发达国家的 3 ~ 5 倍的是纺织印染行业。2000 年以来，能源密集型产品在我国出口的速度迅速增长，仅仅在 2004 ~ 2008 年期间，化工产品、钢铁和纺织品的出口在世界总量的所占比例呈明显上升趋势，数据分别从 2.68%、5.12% 和 16.98% 立马上升到 4.65%、12.09% 和 26.08%。所以，碳关税的征收短期内必然会对上述行业造成严重负面影响，将促使我国在产品出口中高耗能行业的产品比例严重下滑。另一方面，加工贸易出口也会因为碳关税在总额中所占的比重中下降。我国企业在加工贸易中所赚取的利润比研发和销售等类似环节所获得利润低很多，而今，这个利润如此低的行业在 2007 年时所占比例竟达 50.71%，在 2008 年时达到 47.19%。例如，苹果公司的 ipod，中国在为其组装出口后，一件在美国的销售价为 150 美元，其中，竟有超过 90% 的利润由美国设计部门以及营销部门所得，剩下的仅仅 4 美元是中国的企业组装一件后所获得的增加值；倘若美国将碳关税提高到每件 150 美元，中国的组装企业就不用再运营了。而据统计，大约到 2015 年，我国全部出口中将降低加工贸易出口所占的比重，调整到 40% 以下(李沁璇，2011)。所以，面临碳关税的挑战，中国应从战略以及企业实践两个层面上下工夫，来促进本国出口产品的升级，这样才能改变现状，重新获得高额利润。

　　(4)在一定程度上恶化出口环境，可能引发新的贸易摩擦。世界金融危机席卷全球后，碳关税作为新一轮的贸易保护主义的领头羊卷土重来。碳关税的随意性很大，不论是其征收标准还是额度都没有规定统一的标准，碳关税产生影响涉及的范围要广得多，它征收的对象是所有出口产品，且耗时长，这无疑比持续时间不长、仅仅针对个别商品、企业以及行业的反补贴以及反倾销等类似活动更能使产品出口的环境恶化，很容易导致新的、相对较严重的贸易摩擦以及贸易报复（李沁璇，2011）。据悉，美国商会已经和其他主要的企业联合组织起来，警告参议院"碳关税会引发一场绿色贸易之战"（张巧进，2011）。碳关税的征收将会导致贸易摩擦金额逐渐增大，贸易摩擦种类逐渐增多、贸易摩擦数量逐渐上升。例如，自《美国清洁能源安全法案》通过以后，2009年10月27日至11月6日的短短11天时间内，美国连续对我国钢格栅板、金属丝网托盘、钢绞线、无缝管、油井管、焦磷酸钾、铜版纸、磷酸二氢钾和磷酸氢二钾等9种高碳排放产品发起贸易救济调查和征惩罚性关税（樊晓，2011）。由此可见，在发达国家大力宣扬"环境保护主义"的背景下，我国高碳产业将成为贸易纠纷的靶子，成为世界各国征收碳关税的主要目标，中国的经济结构到目前为止依然是以出口为导向，而不是以国内需求为主脉，中国作为甚至长期作为全球第一的出口大国，碳关税使中国对外贸易关系趋向紧张，国际贸易纠纷、摩擦愈演愈烈，出口环境日愈恶化。引发新的贸易大战。

6.2.2　中国制造业将受到重创

（1）中国制造业出口额可能快速并明显减少。由于碳关税是针对整个产品生产过程的全部碳排放，而不是仅限于产品最终的生产环节，所以很多并不属于碳密集型的行业也不得不成为碳关税的征收对象。例如，生产用于制造汽车的中间投入品钢铁所排放的二氧化碳，同样是汽车出口时碳关税的课征对象。由此可见，像电气机械和仪器仪表等非碳密集型行业也会受到碳关税的影响，碳关税对出口产品的影响之广不容小觑（严思佳，2010）。世界银行和美国彼得森研究所发布研究报告预测，一旦实行碳关税，中国制造业出口额将削减20%，所有中低收入国家出口将削减8%（王利，2009）。众所周知，中国被公认为"世界第一大工厂"，标识着"中国制造"这四个字的中国产品遍布全球的各个国家，当之无愧地成为制造业出口第一大国，而伴随"中国制造"而至的温室气体的排放量也自然而然的跃居世界第一。碳关税所针对的众多的比较高的制造业行业，其覆盖面之广前所未有，中国制造业必然会受到重磅打压，而体现在最终结果上就是制造业出口额的急剧下降。中国社科院发表的调研结果显示：利用动态CGE模型对30美元和60美元两组碳关税情景下15个工业品生产部门的生产、出口和就业状况进行模拟，结果显示：在30美元的碳关税征收标准下，第一年工业品出口减少3.53%，总产量下降0.62%，第二年出口减少3.01%，总产量下降0.49%；在60美元征收标准下，第一年出口减少6.95%，总产量下降1.22%，第二年出口减少5.97%，总产量下降0.97%。在30美元征收标准下，中国制造业需要5年以上时间才能逐渐消化开征碳税对产量造成的负面影响，需要经过 7 年以上的时间才能逐步消除对制造业产品出口造成的冲击(沈可挺等，2009)。

(2)削弱中国制造业的国际竞争力。中国制造业的发展几乎与中国工业化的进程是并肩前行的，尚且处于发展的前期，如果在这种状态下遭遇碳关税的全面实施，那么将会面临前所未有的、极为严峻的挑战。况且我国的制造业主要集中于高能耗、高排放、高污染的产业，美国提出的碳关税直接对准了我国的化工、水泥、建材、玻璃、钢铁、铝制品等高能源消耗行业(金慧华，2009)，那么想要短期内对这些行业进行低碳化升级改造又几乎是不可能实现的事情，因为这些行业在我国经济中占据了很大的比重，同时低碳化升级转型所要求的大量资金和高端技术都是会受到各方面约束的，那么中国制造业的国际竞争力被严重削弱是毫无疑问的。

此外，中国制造业本身存在的诸多致命弱点使得其国际竞争力在面临碳关税时更是急剧下降。总体来看，中国制造业发展虽然迅速，产业基础也在不断壮大和牢固，但是最主要的就是其总体科技含量较低，大多处于中低端，再加之高能耗、高排放等劣势，与碳关税所要求的标准是相差甚远的，必然会受到碳关税的重磅打压，在国际上的竞争力也就不可避免的受到恶劣影响(张巧进，2011)。

综上所述，碳关税通过影响中国出口贸易进而影响中国经济。然而，也不能夸大碳关税对中国经济的影响。House(2009)在美国众议院能源与商业委员会的证词中指出，中国生产的碳密集型产品绝大多数都是在中国境内消费的，对中国产品征收碳关税对中国 GDP 只能造成不到 0.1％ 的影响。由于我国是人口大国，国内市场非常大，碳关税引起的出口下降将可能由中国的国内需求弥补。因此，碳关税对我国的经济影响不会太大，并有可能给中国国内消费市场带来机会(朱永彬等，2010)。也有学者认为，就中国而言，随着国际分工、国内产业结构调整以及社会的低碳化进程，出口产品结构也会相应进行调整，高碳产品出口比重可能下降，能源使用效率进一步提高，社会经济的快速发展也可能使得今天看来是某些限制性条件，十年之后其实际约束意义会比较有限(王谋等，2010)。此外，从中长期看，由于碳关税打压了高碳产业的生存空间，迫使我国企业降低碳排放，从而加速我国传统产业的升级转型和新兴产业的崛起(黄水灵等，2011)。但是，我们应谨记欧盟 REACH 指令带来的沉痛教训，从提出起长达十余年的时间，中国企业始终心存侥幸和观望心理，但到 2007 年正式实施时，中国与欧盟 1400 亿欧元的贸易都或多或少受到影响。因此在"碳关税"问题上，应及早分析其可能对我国的影响，并提前采取适当应对措施。

6.3 碳关税对中国的其他影响

6.3.1 中国就业率将会大幅度下降

中国人口众多，廉价的劳动力成本在劳动密集型产业中凸显出了绝对的优势，甚至成了打败竞争对手的制胜法宝。据统计，中国的劳动力成本甚至不及欧美等一系列西方发达国家的十分之一，而且中国的劳动密集型产业在中国又占据了半壁江山。以低碳为特色的碳关税一旦开始实施，一方面，因为出口竞争力降低，我国众多劳动密集型的出口企业将会受到重创，从而就业率会受到非常大的影响；另一方面由于众多企业需要进行产业升级转型以提升竞争力和降低能耗，劳动密集型企业更多地会进行战略转型，因此劳动力需求将会大大减弱，这在一定程度上也会拖累就业率（樊晓等，2010）。也就是说，中国众多企业必须被迫进行产业升级和贸易格局的转型来提高市场竞争力，那么，劳动力的需求将会大大减少，必将有不计其数的工人面临失业的处境，这也将不可避免地影响到中国的就业率，导致就业率大幅度下降（张巧进，2011）。

对于美国、欧盟等一些西方发达国家和地区来说，地广人稀，技术发达，发展低碳经济既可以节省能源，又可以创造就业机会，在一定程度上对就业率也会起到积极的推动作用，无疑是一个双赢的局面。然而，中国的国情却大不相同，中国人口众多，劳动力低廉，企业技术性含量低，高耗能产业分布广泛且占有绝大多数的劳动力，资本密集型产业和技术密集型产业所解决的劳动力极少，大量的劳动力都集中在高耗能的产业群中，很显然，碳关税所要求的节能减排与我国就业形势是极不相容的。据中国社会科学院人口学所统计，自 2004～2007 年，由于减排所造成的就业岗位损失已经达 40 多万个，而且主要集中在较贫困的中西部地区（谢来辉，2009）。因此，对于中国来说，就业是关系民生的头等大事，如果以牺牲就业率为代价，那么对于中国经济社会的长远发展是极为不利的。征收碳关税对于中国这样一个处于发展的低级阶段，绿色技术尚未充分具备的国家来说，节能减排、发展绿色经济所能创造的新的就业机会远不及其所造成的就业岗位的大量损失，碳关税一旦开征，将会构成对中国就业形势的重磅打压。有研究表示，一旦欧美国家征收碳关税，税率为 30 美元/t 碳的碳关税将造成我国大约 100 万工人失业，税率为 60 美元/t 碳的碳关税将导致我国失业工人数达到 200 万左右（朱永彬等，2010）。

6.3.2　影响中国的能源安全

中国是世界上煤炭储藏量最丰富的国家之一，中国能源结构以煤炭为主，煤炭在中国一次性能源结构中长期占 70% 以上，煤炭是最廉价的发电燃料，是维持中国产品在世界市场上具有价格竞争优势的因素之一。但煤炭又是最不清洁的化石能源，是化石燃料中碳含量最高的品种，煤炭的碳含量是天然气的两倍。发达国家征收碳关税，不仅限制了中国的出口，也弱化了中国的廉价能源基础(归秀娥，2010)。因此，碳关税还将影响中国的能源安全。

6.3.3　促进国内碳税或碳排放权交易制度的实施

发达国家征收碳关税的对象是那些国内未对高能耗产品征收碳税的国家，对其国内已被征收过碳税的产品将不再二次征税。目前，瑞典、丹麦、意大利，以及加拿大的不列颠和魁北克已经开始在国内征收碳税，我国目前还未对出口产品征收碳税。从产品利润链上看，无论国内征收碳税还是进口国家征收碳关税，都会使出口企业成本增加，利润降低，而与其使其利润以碳关税形式流于国外，不如通过国内征税把这部分利润留在国内，国家可以通过其他方式补贴回企业。因此，在碳关税的压力下，我国有可能实施碳税或碳排放权交易机制等强制减排制度。国内征收碳税或建立碳排放权交易机制还可以增加我国在国际气候谈判中的筹码，提高我国国际形象。但是，这些强制减排制度不可能只适用于出口产品，所有的碳排放密集型产业都将受到影响。对国内企业征收碳税，必然会引起相关行业的强烈反对，所以，制定国内税收政策时应根据国内实际情况合理确定税率，并用税收收入帮助国内企业升级与新能源的开发与利用(严思佳，2010)。

6.3.4　中国在气候谈判中面临两难境地

一些国家提出碳关税的目的是迫使发展中国家在后京都协议中承担强制减排义务。比如，舆论普遍认为，奥巴马政府提出碳关税的目的之一是在国际上为气候谈判增加筹码以迫使中国和印度等发展中大国让步(陈莹莹，2010)。当年欧盟提出碳关税也是针对美国退出《京都议定书》的行为，希望通过对美国征收碳关税来迫使美国承担《京都议定书》中的减排义务。

如今，美国也提出了碳关税，矛头直指中国和印度等发展中排放大国。在这种情况下，中国在气候谈判中将面临两难境地。如果坚持共同但有区别的责任，不接受与美国等发达国家具有可比性的减排义务，则出口产品就可能被外国征收碳关税。如果接受与发达国家具有可比性的减排义务，则之前坚持的谈判原则，所做的谈判努力都付诸东流，国内经济也将不堪减排重负。因此，在碳关税的威胁下，如何在气候谈判中维护中国的国家利益需要高度的智慧（黄文旭，2011）。

6.4 小 结

本章在对中国经济发展的特点和碳排放现状分析的基础上对碳关税对中国的影响进行了系统的定性分析。

本章第一部分分析了中国经济发展的特点和碳排放现状。分析认为，中国经济增长仍处于上升通道中；人均 GDP 呈现迅速增加势头；第二产业尤其是工业仍占有经济较大比重；经济发展严重依赖对外贸易，尤其是出口贸易。伴随着经济的快速发展，中国的碳排放形势不容乐观：二氧化碳排放总量居全球第一，仍处于上升阶段，增长迅速；二氧化碳排放强度保持下降的趋势，但仍居世界前列；人均二氧化碳排放量相对较低，但呈现显著的递增趋势；工业碳排放为主要排放来源；出口产品生产的二氧化碳排放占比接近 4 成。

本章第二部分分析了碳关税对中国经济的影响。首先碳关税将使中国出口贸易受到极大限制，表现为：增加我国出口产品的成本，减弱我国出口产品的竞争优势；我国出口贸易额会有很大程度的下降；改变我国出口商品和贸易方式结构；在一定程度上恶化出口环境，可能引发新的贸易摩擦。碳关税不仅因为对出口的影响而影响我国的经济，而且会因为我国采取的碳减排措施而影响我国的整体经济。碳关税将使中国制造业受到重创，削弱中国制造业的国际竞争力。然而，也不能夸大碳关税对中国经济的影响。

本章第三部分分析了碳关税对中国的其他影响。碳关税将使中国就业率大幅度下降，对我国的能源安全产生不利影响，促进国内碳税或碳排放权交易制度的实施从而对我国的经济发展带来很大的压力，将使中国在气候谈判中面临两难境地。

综上所述，在中国经济迅速发展、碳排放压力巨大的情况下，碳关税对中国的影响整体是不利影响大于有利影响，短期影响超过长期影响，在碳关税问题上应及早采取适当应对措施。

第7章 碳关税对我国国民经济影响的实证分析

要了解碳关税对我国国民经济的影响，就要从出口产品被征收的碳关税税额来评估国民经济各个部门可能遭受到损失，而碳关税征收的基础又是产品中所含有的隐含碳，因此要测算各种产品可能被征收的碳关税就必须测算该种产品所含的隐含碳，即各种产品在生产过程中消耗的能源所产生的碳排放，而碳排放的测算可以通过国民经济对能源消耗的数量来测定，即通过对国民经济能耗强度的测算可以测定国民经济各个部门的碳排放，进而求得各个部门所遭受到的碳关税税额。因此，要测算碳关税对国民经济的影响首先要测定国民经济的能耗强度。

7.1 国民经济能耗强度的测算

7.1.1 数据来源及研究思路

2005 年 42 部门投入产出数据来源于国家统计局，2005 年行业能源消耗数据来源于《2006 年中国统计年鉴》。2007 年数据来源于《2007 年中国投入产出表》及《2009 年中国统计年鉴》。

主体数据包括投入产出数据和行业的能源消耗数据，为了保持投入产出数据的分类与行业的能源消耗数据分类保持一致，本研究采取结合投入产出分类与行业能源消耗分类的方法，将国民经济分类统一调整为 30 类(调整标准见附表 1：2005 年及 2007 年行业分类调整表)，使得各行业的投入产出数据和各行业的能源消耗数据分类相对应(杨会民，2009)。同时，再根据调整后的 30 部门(行业)的投入产出数据，计算得到调整后 30 部门中各行业的直接消耗系数，制作直接消耗系数矩阵，再利用直接消耗系数矩阵计算完全消耗系数矩阵，从而得到调整后的 30 部门的完全消耗系数。

由于国民经济的各个部门生产产品是都会消耗一定的能源资源，从这些产品的生产过程中，到最后的消费过程中，都或多或少地消耗了能源资源；同时在产品的生产时不仅要直接消耗一些能源来保证产品的顺利生产，并且产品的生产过程必然伴随着中间产品的消耗，而这些中间产品的生产也是需要消耗一定能源的，这就形成了最终产品对能源的间接消耗。因此，产品的生产过程不仅包含着直接能源消耗过程也伴随着因中间产品消耗而形成的间接能源消耗;产品的直接能耗和间接能耗加总起来直接构成了产品的总的完全能耗。在目前的研究中,我们一般用单位价值产品所消耗的能源来衡量该产品能源消耗水平,即产品的完全能耗系数,同时也延伸出产品的直接能耗系数和间接能耗系数,也叫直接消耗系数和间接消耗系数。

深入研究各部门产品的单位产出的能耗强度对了解该部门产品受碳关税影响的程度有极其重要的意义,能源消耗系数大的产品部门,在相同的碳关税税率下其付出的关税成本可能更大,所受的影响必然更大,因此有必要测定各个部门的能源消耗系数,来预测在碳关税征收的条件下其所面对的成本上升压力,计算对其盈利水平的影响程度。

7.1.2　本研究采用的模型介绍

本研究采用著名的投入产出方法,利用相对应的数学方法来建立数学模型,计算国民经济调整后的 30 个部门的直接能耗强度和间接能耗强度,从而得到各个部门的单位产出总能耗强度(单位产出完全能耗强度 = 单位产出直接能耗强度 + 单位产出间接能耗强度)。

直接消耗系数:是指在国民经济中第 j 部门生产单位产品直接消耗第 i 部门的产品数量,称为 j 部门对 i 部门的直接消耗系数;

若记为 a_{ij},则有: $a_{ij}=x_{ij}/x_j$,所有的 a_{ij} 构成了直接消耗系数矩阵 A;

完全消耗系数:直接消耗系数加上全部间接消耗系数,表示 j 部门每生产一单位最终产品时,对 i 部门产品的直接和全部间接消耗之和;

若记为 b_{ij},所有的完全消耗系数构成完全消耗系数矩阵 B;

A 和 B 满足以下关系: $B=(E-A)^{-1}-E$,其中 $(E-A)^{-1}$ 被称为列昂惕夫逆矩阵(魏本勇、方修琦、王媛、杨会民、张迪,2010)。

若假设

$$e_j = E_j/X_j \tag{7-1}$$

$$f_j = \sum_{i=1}^n b_{ij}e_i(i,j=1,2,3,\cdots,30) \tag{7-2}$$

即矩阵

$$\begin{pmatrix} f_1 \\ f_2 \\ \vdots \\ \vdots \\ f_{29} \\ f_{30} \end{pmatrix} = \begin{pmatrix} b_{11} & b_{12} & b_{13} & \cdots & b_{128} & b_{129} & b_{130} \\ b_{21} & b_{22} & b_{23} & \cdots & b_{228} & b_{229} & b_{230} \\ \vdots & \vdots & \vdots & \vdots & \vdots & \vdots & \vdots \\ \vdots & \vdots & \vdots & \vdots & \vdots & \vdots & \vdots \\ b_{291} & b_{292} & b_{293} & \cdots & b_{2928} & b_{2929} & b_{2930} \\ b_{301} & b_{302} & b_{303} & \cdots & b_{3028} & b_{3029} & b_{3030} \end{pmatrix}$$

式 7-1 中 e_j 表示 j 部门单位产出直接能耗，单位为 tce[①]/万元；E_j 表示 j 部门当年的总能源消耗，单位为 tce；X_j 表示 j 部门的总产出，单位为万元；f_j 表示 j 部门单位产出间接能耗，单位为 tce/万元；式 7-2 中，b_{ij} 表示完全消耗系数，表示提供 j 部门单位产品对第 i 部门产品的完全消耗量；投入产出方法中主要利用投入产出表中的完全消耗系数来计算间接能耗，因此完全消耗系数计算所得的只是完全能耗中的间接能耗部分（陈红敏，2009）。

通过对国民经济中各个产业部门的单位产出的直接能耗强度和间接能耗强度的测算，可以分析出各个产业部门的完全能耗强度，进而分析出国民经济中的高能耗行业，为我国在节能减排行业的政策制定提高一定的参考依据。

7.1.3　国民经济单位产出能耗强度的计算

本节先根据 2005 年和 2007 年的投入产出数据计算调整后的国民经济的 30 个部门的直接能耗系数和完全能耗系数（2005 年直接能耗系数和间接能耗系数见附表 2 和附表 3，2007 年直接能耗系数和间接能耗系数见附表 4 和附表 5），再利用公式 7-2 计算得到 30 个部门的单位产出间接能耗，结合公式 7-1 得到的各个部门的单位产出直接能耗，进而求得各个产业部门单位产出的完全能耗。

如图 7-1 所示，若 $\beta_j = e_j + f_j$，则 β_j 表示 j 部门单位产出的总计能耗，2005 年和 2007 年各部门的直接能耗和间接能耗详见附表 6。

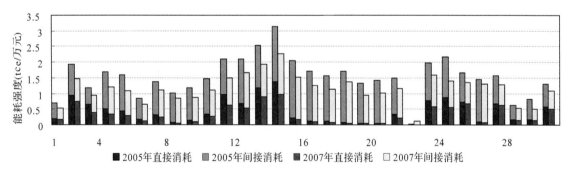

图 7-1　2005 年和 2007 年 30 部门各部门单位产出直接能耗和间接能耗强度比较

根据现有的投入产出表测得了 2005 年和 2007 年的各部门单位产出总的能源消耗，并且测得 2005～2007 年各部门能源平均下降速度，并以各部门平均下降速度来估算对应各部门在 2008 年和 2009 年的单位产出总的能源消耗，见表 7-1。

---

① tce 为吨标准煤的英文缩写，下同。

表 7-1 对 2008 年和 2009 年单位产出能耗强度的估算

部门	2005 年 (tce/万元)	2007 年 (tce/万元)	2008 年 (tce/万元)	2009 年 (tce/万元)	年均降速(%)
01 农业	0.6915	0.5343	0.4696	0.4128	12.10
02 煤炭开采和洗选业	1.9425	1.4753	1.2857	1.1204	12.85
03 石油和天然气开采业	1.1794	0.9471	0.8488	0.7606	10.39
04 金属矿采选业	1.6786	1.2132	1.0314	0.8768	14.99
05 非金属矿采选业及其他采矿业	1.5834	1.0766	0.8877	0.7320	17.54
06 食品制造及烟草加工业	0.8416	0.6502	0.5715	0.5023	12.11
07 纺织业	1.3699	1.1119	1.0018	0.9025	9.91
08 服装皮革羽绒及其制品业	1.0091	0.8414	0.7683	0.7016	8.69
09 木材加工及家具制造业	1.1888	0.8719	0.7467	0.6395	14.36
10 造纸印刷及文教用品制造业	1.4668	1.1114	0.9674	0.8421	12.95
11 石油加工、炼焦及核燃料加工业	2.1062	1.4982	1.2636	1.0657	15.66
12 化学工业	2.0937	1.6578	1.4752	1.3127	11.02
13 非金属矿物制品业	2.5436	1.9293	1.6802	1.4633	12.91
14 金属冶炼及压延加工业	3.1308	2.2610	1.9214	1.6328	15.02
15 金属制品业	2.0506	1.5281	1.3191	1.1387	13.67
16 通用、专用设备制造业	1.7081	1.2548	1.0755	0.9218	14.29
17 交通运输设备制造业	1.5701	1.1344	0.9642	0.8196	15.00
18 电气机械及器材制造业	1.7116	1.3752	1.2327	1.1049	10.36
19 通信设备、计算机及其他电子设备制造业	1.3374	0.9504	0.8012	0.6755	15.70
20 仪器仪表及文化办公用机械制造业	1.4186	1.0052	0.8462	0.7123	15.82
21 工艺品及其他制造业	1.4917	1.1562	1.0179	0.8962	11.96
22 废弃资源和废旧材料回收加工业	0.0277	0.1254	0.2667	0.5670	-112.62
23 电力、热力的生产和供应业	1.9680	1.5937	1.4341	1.2906	10.01
24 燃气生产和供应业	2.1645	1.3965	1.1218	0.9011	19.67
25 水的生产和供应业	1.6600	1.3509	1.2187	1.0994	9.79
26 建筑业	1.4603	1.3004	1.2272	1.1580	5.63
27 交通运输、仓储和邮政业	1.5697	1.2739	1.1477	1.0339	9.91
28 批发、零售业和住宿、餐饮业	0.6292	0.5362	0.4950	0.4569	7.69
29 其他行业	0.8100	0.5092	0.4037	0.3201	20.71
30 生活消费	1.3113	1.0808	0.9812	0.8908	9.21

注：能耗强度保留四位小数。

7.1.4　对国民经济单位产出能耗强度的分析

(1)对2005年各个产业部门单位产出能耗强度的分析。由表7-1可以看出，在我国国民经济的发展过程中，能源消耗强度差异比较大。在2005年各个产业部门中，部门14(金属冶炼及压延加工业)和部门13(非金属矿物制品业)的能源消耗强度为3.13 tce／万元和2.54 tce/万元，为所有部门中能耗强度最高的两个部门，这由两个部门生产的产品决定的，金属冶炼及压延加工业在其工艺生产过程中需要消耗大量的能源，并且其所消耗的中间产品本身都是金属制品，这些材料在其加工过程中自身需要消耗大量的能源，这些直接导致了金属冶炼及压延加工业成为能耗强度最高的部门；非金属矿物制品业主要包括石膏、水泥、陶瓷、玻璃制品等，这些产品在生产过程中本身需要极高的温度来达到自身形成的条件，对能源的消耗极大，并且水泥产业本身就是所谓的"三高"行业。因此征收碳关税可能会对这些行业造成比较大的影响，具体的影响程度还需结合各部门的出口金额定量计算。

其次部门24(燃气的生产和供应行业)、部门11(石油加工炼焦及核燃料加工业)、部门12(化学工业)、部门15(金属制品业)、部门23(电力热力的生产和供应业)、部门2(煤炭开采和洗选业)、部门18(电气机械及器材制造业)、部门16(通用、专用设备制造业)等能源消耗强度排在前十位，分别为2.16 tce/万元、2.10 tce/万元、2.09 tce/万元、2.05 tce/万元、1.97 tce/万元、1.94 tce/万元、1.71 tce/万元、1.71 tce/万元，这些行业都是能源消耗强度比较高的部门。但因部门24(燃气的生产和供应行业)和部门23(电力热力的生产和供应业)涉及的产品大多提供给国内的居民消费，虽这两个部门能耗强度比较高，但出口的产品比较少，征收碳关税对这些产业的影响还是比较小的，这一点可以通过后文具体的碳关税税收的计算体现出来。

能源消耗比较小的部门是部门22(废品废料行业)、部门28(批发、零售业和住宿、餐饮业)、部门1(农业)、部门29(其他行业)、部门6(食品制造及烟草加工业)等，分别为0.03 tce/万元、0.63 tce/万元、0.69 tce/万元、0.81 tce/万元、0.84 tce/万元，由于这些部门出口的产品比较少基本是国内消费的产品，除了部门1(农业)和部门6(食品制造及烟草加工业)出口产品稍多外，其他部门生产的产品基本供国内民众消费很少有出口，因此所受的碳关税影响不是很大，具体影响可见后文的碳关税的影响计算。

(2)对2007年各个产业部门单位产出能耗强度的分析。2007年各个产业部门的能耗强度比2005年对应部门的能耗强度有了明显的下降，各个产业部门的年均能耗强度的下降速度从下降5.63%到下降20.71%不等，可以看出我国各个产业单位产出平均能耗下降的速度较快，这也是我国资源高效利用、经济转型的重要体现。2007年，单位产出能耗强度最大的两个部门虽然仍是部门14(金属冶炼及压延加工业)和部门

13(非金属矿物制品业)，但和2005年比其能耗强度下降得已经非常明显了，分别从2005年的3.13 tce/万元和2.54 tce/万元下降到2007年的2.26 tce/万元和1.93 tce/万元，两年时间下降幅度分别达到27.8%和24.2%。

除了部门14和部门13外，接下来能耗强度较高的部门依次是部门12(化学工业)、部门23(电力热力的生产和供应业)、部门15(金属制品业)、部门11(石油加工炼焦及核燃料加工业)、部门2(煤炭开采和洗选业)、部门24(燃气生产和供应业)、部门18(电气机械及器材制造业)、部门25(水的生产和供应业)、分别为1.66tce/万元、1.59tce/万元、1.53tce/万元、1.50tce/万元、1.48tce/万元、1.40tce/万元、1.38tce/万元、1.35tce/万元。但因电力热力的生产和供应部们、水的生产和供应等公共事业产品基本不出口或者很少出口，因此碳关税这些行业的影响比较有限。

能耗强度比较小的部门仍然是部门1(农业)、部门28(批发、零售业和住宿、餐饮业)、部门6(食品制造及烟草加工业)、部门8(服装皮革羽绒及其制品业)、部门9(木材加工及家具制造业)，强度分别为0.13 tce/万元、0.51tce/万元、0.53tce/万元、0.54tce/万元、0.65 tce/万元，主要是第一产业、轻工业及服务业部门。这也为我国发展低碳经济提供了思路，服务业农业等经济产业单位产出的能源消耗小，对我国能源的依赖程度也较小，因此有必要加大对低能耗产业的发展。

(3)对单位产出能耗强度的综合分析。2005年所有部门中，间接消耗能耗强度最大的5个部门分别是部门15(金属制品业)、部门14(金属冶炼及压延加工业)、部门18(电气机械及器材制造业)、部门16(通用专用设备制造业)、部门17(交通运输设备制造业)，分别达到1.84 tce/万元、1.76 tce/万元、1.64 tce/万元、1.58 tce/万元、1.46 tce/万元，这些部门的一个显著特点就是对中间产品进行深加工，因此其消耗的间接能源比较大，除了部门14直接能耗较高外，其他部门直接消耗的能源并不是很高。间接能耗强度最小的部门是部门22(废品废料)、部门28(批发零售业和住宿餐饮业)、部门1(农业)、部门3(石油和天然气开采业)、部门29(其他行业)，部门22由于没有在2005年的统计中并没有统计其能源消耗，所以其间接能源消耗为0，这些部门对其他部门的依赖程度都比较小，因此其间接能耗强度都比较小，特别是批发零售和住宿餐饮业等服务业，其对其他部门的中间产品的消耗都是非常小的，能耗强度只有0.46 tce/万元。

在2007年，间接能耗强度最大的几个部门分别是部门15(金属制品业)、部门18(电气机械及器材制造业)、部门14(金属冶炼及压延加工业)、部门26(建筑业)、部门16(通用专用设备制造业)，分别为1.37 tce/万元、1.32 tce/万元、1.30 tce/万元、1.24 tce/万元、1.52 tce/万元。与2005年不同的是，建筑业在这年间接能耗强度较大，可能与近年国内房地产的迅速发展有关。直接能源消耗方面，仍是部门14(金属冶炼及压延加工业)、部门13(非金属矿物制品业)、部门2(煤炭开采和洗选业)、部门 25（水的生产和供应业）、部门 27（交通运输、仓储和邮政业）等直接能耗强度较高，分别是 0.96 tce/万元、0.89 tce/万元、0.74 tce/万元、0.68 tce/万元、0.63 tce/万元。

7.2　国民经济出口部门被征收碳关税的测算

7.2.1　国民经济各部门出口产品的能源消耗的测算

由于求得的各个产业部门的完全能耗强度是单位产出的能源消耗量（以标准煤计量），对应的各年的完全能耗强度乘以当年对应部门的出口金额便是各个产业部门当年的出口产品在生产过程中所消耗的能源（tce）。据此计算，我们可以通过整理 2008 年和 2009 年各个对应部门的出口数据，计算求得各年各个出口部门的出口产品当年消耗的能源（表 7-2、表 7-3），数据整理过程及分类标准详见附表 7 和附表 8。

表 7-2　近年我国出口货物分类金额（万元）

部门	2005 年	2007 年	2008 年	2009 年
总额	684952724.7	955409910	993630641.3	820821024.8
01 农业	6001733.448	6659785.108	14322225.57	15182256.39
02 煤炭开采和洗选业	2594378.739	2337578.156	4389433.836	2768544.238
03 石油和天然气开采业	1002565.719	1735647.771	3259147.095	2055639.348
04 金属矿采选业	972334.1692	822875.313	644859.3023	149842.5071
05 非金属矿采选业及其他采矿业	2622166.745	1504403.312	2628135.073	1483712.656
06 食品制造及烟草加工业	15681840.79	19121135.39	12645566.57	10937756.54
07 纺织业	53137555.01	82158910.72	124827077.7	110258320.5
08 服装皮革羽绒及其制品业	45821814.97	56726409.19	37692521.35	34924431.38
09 木材加工及家具制造业	15879524.71	24244658.01	7962742.474	6320426.595
10 造纸印刷及文教用品制造业	19475621.34	22644209.4	7216605.508	6845198.491
11 石油加工炼焦及核燃料加工业	8089928.158	7678378.276	14418227.4	9093997.511
12 化学工业	49790287.55	72379174.12	76577162.46	61457170.14
13 非金属矿物制品业	9031299.004	14836921.3	15661977.95	14021324.94
14 金属冶炼及压延加工业	18706026.5	51554905.19	62670204.93	34204992.77
15 金属制品业	29237593.51	35585167.37	43257372.37	23609594.24
16 通用、专用设备制造业	33958960.41	57368520.87	186648506	161151831
17 交通运输设备制造业	17291038.84	32821565.95	49100093.9	41048435.69
18 电气机械及器材制造业	42244638.38	68256591.53	57498584.33	49781552.71
19 通信设备、计算机及其他电子设备制造业	152670382.7	213775081.5	180081722.2	155912495
20 仪器仪表文化办公用机械制造业	40573026.62	32373997.79	33060691.35	29085435.02
21 工艺品及其他制造业	7225238.306	13097173.27	5129296.626	4387729.252

（续）

部门	2005 年	2007 年	2008 年	2009 年
22 废弃资源废旧材料回收加工业	0	317293. 3386	124262. 8174	106297. 5372
23 电力、热力的生产和供应业	552519. 7346	651130. 4674	255004. 7434	218137. 4667
24 燃气生产和供应业	0	0	0	0
25 水的生产和供应业	0	0	0	0
26 建筑业	2124066. 032	4088746. 84	1601291. 74	1369785. 2
27 交通运输、仓储和邮政业	30857307. 39	40315450. 46	15788895. 8	13506218. 3
28 批发、零售业和住宿、餐饮业	51094881. 77	47440878. 05	18579454. 57	15893332. 41
29 其他行业	9737144. 104	37682929. 05	14757911. 26	12624288. 21
30 生活消费	18578850. 08	7230392. 279	2831666. 494	2422278. 689

注：① 2008 年 1 美元 = 6.9451 元；2009 年 1 美元 = 6.8310 元；2005 年国家统计局未统计部门 22 废品废料产品。

② 2005 年和 2007 年数据来自当年投入产出表；2008 年和 2009 年数据来自《2010 年中国统计年鉴》，按年鉴中人民币汇率（年平均价）换算成人民币。

表 7-3　近年各部门的出口产品消耗的能源（tce）

部门	2005 年	2007 年	2008 年	2009 年
01 农业	4150056. 9	3558019. 3	6725800. 2	6266934. 4
02 煤炭开采和洗选业	5039599. 3	3448547. 5	5643289. 2	3101908. 5
03 石油和天然气开采业	1182461. 9	1643894. 8	2766212	1563498. 6
04 金属矿采选业	1632201. 5	998304. 18	665088. 05	131381. 59
05 非金属矿采选业及其他采矿业	4151824. 1	1619593. 4	2333033. 4	1086062
06 食品制造及烟草加工业	13198524	12432821	7227001. 5	5494294. 6
07 纺织业	72795756	91355410	125047770	99509850
08 服装皮革羽绒及其制品业	46238285	47730591	28960613	24503208
09 木材加工及家具制造业	18878186	21139346	5945857. 6	4041797. 8
10 造纸印刷及文教用品制造业	28566828	25166965	6981651. 2	5764514. 3
11 石油加工、炼焦及核燃料加工业	17038631	11503461	18218197	9691318. 5
12 化学工业	104243962	119991579	112967065	80675296
13 非金属矿物制品业	22971826	28624661	26315934	20518087
14 金属冶炼及压延加工业	58564872	116563113	120412065	55849095
15 金属制品业	59953733	54377608	57062326	26885375
16 通用、专用设备制造业	58005313	71984534	200731782	148543257
17 交通运输设备制造业	27147846	37231595	47342774	33642403
18 电气机械及器材制造业	72306748	93865958	70875937	55003236
19 通信设备、计算机及其他电子设备制造业	204179802	203180810	144287615	105311101
20 仪器仪表及文化办公用机械制造业	57557003	32543832	27976287	20718557
21 工艺品及其他制造业	10777858	15143128	5221252. 5	3932199. 8
22 废弃资源和废旧材料回收加工业	0	39799. 062	33139. 79	60273. 782
23 电力、热力的生产和供应业	1087358. 2	1037690. 7	365709. 06	281517. 41

（续）

部门	2005 年	2007 年	2008 年	2009 年
24 燃气生产和供应业	0	0	0	0
25 水的生产和供应业	0	0	0	0
26 建筑业	3101670.9	5316984	1965030.6	1586262.4
27 交通运输、仓储和邮政业	48435658	51359407	18120530	13964441
28 批发、零售业和住宿、餐饮业	32147326	25436040	9195903.4	7261746.2
29 其他行业	7887502.1	19188684	5958291.5	4041104.4
30 生活消费	24362605	7814523.5	2778437.4	2157746.9

7.2.2　国民经济各部门出口产品的隐含碳及碳关税的测算

标准煤亦称煤当量，1tce 的能量，约为 0.7t 纯碳充分燃烧释放的热量，0.7t 乘以 3.7（碳燃烧时碳原子从碳变为二氧化碳时候分子量增重 3.7 倍）得出：消耗 1tce 的能源，排放的二氧化碳量为 2.6t（新华网，2010）。

由于 j 部门单位产出能耗 β_j 乘以当年各部门对应出口金额 Ex 即是 j 部门出口能源消耗（单位：tce），每吨标准煤排放的二氧化碳量为 2.6t，所以根据此对应关系即可计算出各部门当年因出口产品所排放的二氧化碳的总量（表 7-4）。

表 7-4　近年各部门因出口产品消耗能源所产生的二氧化碳数量（t）

部门	2005 年	2007 年	2008 年	2009 年
01 农业	10790148	9250850.2	17487081	16294029
02 煤炭开采和洗选业	13102958	8966223.6	14672552	8064962.2
03 石油和天然气开采业	3074400.9	4274126.6	7192151.3	4065096.3
04 金属矿采选业	4243723.8	2595590.9	1729228.9	341592.15
05 非金属矿采选业及其他采矿业	10794743	4210942.9	6065886.7	2823761.1
06 食品制造及烟草加工业	34316164	32325335	18790204	14285166
07 纺织业	189268966	237524065	325124202	258725610
08 服装皮革羽绒及其制品业	120219542	124099535	75297593	63708340
09 木材加工及家具制造业	49083284	54962299	15459230	10508674
10 造纸印刷及文教用品制造业	74273753	65434110	18152293	14987737
11 石油加工、炼焦及核燃料加工业	44300440	29908999	47367313	25197428
12 化学工业	271034302	311978104	293714370	209755770
13 非金属矿物制品业	59726747	74424118	68421430	53347027
14 金属冶炼及压延加工业	152268667	303064093	313071369	145207647
15 金属制品业	155879705	141381782	148362047	69901975
16 通用、专用设备制造业	150813815	187159788	521902633	386212469
17 交通运输设备制造业	70584399	96802147	123091211	87470249
18 电气机械及器材制造业	187997544	244051490	184277437	143008415

(续)

部门	2005 年	2007 年	2008 年	2009 年
19 通信设备、计算机及其他电子设备制造业	530867484	528270106	375147798	273808862
20 仪器仪表及文化办公用机械制造业	149648207	84613962	72738347	53868248
21 工艺品及其他制造业	28022430	39372132	13575256	10223719
22 废弃资源和废旧材料回收加工业	0	103477.56	86163.455	156711.83
23 电力、热力的生产和供应业	2827131.3	2697995.9	950843.55	731945.28
24 燃气生产和供应业	0	0	0	0
25 水的生产和供应业	0	0	0	0
26 建筑业	8064344.3	13824158	5109079.5	4124282.3
27 交通运输、仓储和邮政业	125932712	133534459	47113378	36307547
28 批发、零售业和住宿、餐饮业	83583049	66133704	23909349	18880540
29 其他行业	20507505	49890578	15491558	10506871
30 生活消费	63342773	20317761	7223937.2	5610141.8
总计	2614568937	2871171933	2761523942	1928124816

表 7-4 显示，在 2005 年和 2007 年我国因出口产品的生产所产生的二氧化碳分别为 26.15 亿 t、28.7 亿 t，而根据国家统计局公布的这两年我国能源总的消耗量分别为 223319.30 万 tce、265582.99 万 tce，对应所产生的二氧化碳分别为 58.06 亿 t 和 69.05 亿 t，这就是说根据本书的计算和国家统计局公布的数据，2005 年和 2007 年我国因生产出口产品消耗的能源产生的二氧化碳分别占当年二氧化碳排放总量的 45.03% 和 41.58%，说明我国二氧化碳排放中有超过四成的排放量是为国外厂商生产而排放的。

由二氧化碳与碳原子之间的对应关系，再根据各个部门因出口产品所排放二氧化碳的量来确定其纯碳排放量（假设碳关税征收的基础是纯碳量），见表 7-5。

表 7-5　近年各部门因出口产品消耗能源所对应的隐含碳的数量(t)

部门	2005 年	2007 年	2008 年	2009 年
01 农业	2942767.6	2522959.2	4769203.8	4443826.2
02 煤炭开采和洗选业	3573534.1	2445333.7	4001605.1	2199535.1
03 石油和天然气开采业	838472.96	1165670.9	1961495.8	1108662.6
04 金属矿采选业	1157379.2	707888.42	471607.89	93161.495
05 非金属矿采选业及其他采矿业	2944020.8	1148439	1654332.7	770116.68
06 食品制造及烟草加工业	9358953.7	8816000.6	5124601.1	3895954.4
07 纺织业	51618809	64779290	88670237	70561530
08 服装皮革羽绒及其制品业	32787148	33845328	20535707	17375002
09 木材加工及家具制造业	13386350	14989718	4216153.6	2866002.1
10 造纸印刷及文教用品制造业	20256478	17845666	4950625.4	4087564.7
11 石油加工、炼焦及核燃料加工业	12081938	8156999.8	12918358	6872025.8

（续）

部门	2005 年	2007 年	2008 年	2009 年
12 化学工业	73918446	85084938	80103919	57206119
13 非金属矿物制品业	16289113	20297487	18660390	14549189
14 金属冶炼及压延加工业	41527818	82653844	85383101	39602085
15 金属制品业	42512647	38558668	40462376	19064175
16 通用、专用设备制造业	41131040	51043579	142337082	105330673
17 交通运输设备制造业	19250291	26400586	33570330	23855522
18 电气机械及器材制造业	51272058	66559497	50257483	39002295
19 通信设备、计算机及其他电子设备制造业	144782041	144073665	102313036	74675144
20 仪器仪表及文化办公用机械制造业	40813147	23076535	19837731	14691340
21 工艺品及其他制造业	7642480.9	10737854	3702342.7	2788287.1
22 废弃资源和废旧材料回收加工业	0	28221.153	23499.124	42739.591
23 电力、热力的生产和供应业	771035.81	735817.06	259320.97	199621.44
24 燃气生产和供应业	0	0	0	0
25 水的生产和供应业	0	0	0	0
26 建筑业	2199366.6	3770225	1393385.3	1124804.3
27 交通运输、仓储和邮政业	34345285	36418489	12849103	9902058.2
28 批发、零售业和住宿、餐饮业	22795377	18036465	6520731.5	5149238.2
29 其他行业	5592956	13606521	4224970.3	2865510.4
30 生活消费	17275302	5541207.6	1970164.7	1530038.7
总计	713064255.7	783046892.4	753142893	525852221

7.3 碳关税对国民经济出口企业影响的分析

7.3.1 从行业利润角度分析碳关税的影响

本书在查阅了《2008 年中国工业经济统计年鉴》的基础上，综合整理了 2007 年各个工业部门的行业利润（只有国民经济调整后的 24 个工业经济部门的利润统计），并根据计算出来的各个行业被征收的碳关税（表 7-6），与各个行业的行业利润进行了对比，见表 7-7 所示。

表7-6 近年国民经济各部门在不同税率下将被征收的碳关税税额(万元)

部门	2005 年		2007 年		2008 年		2009 年	
	T_1	T_2	T_1	T_2	T_1	T_2	T_1	T_2
01	24106.27	144637.62	19184.58	115107.49	33122.60	198735.58	30355.78	182134.66
02	29273.32	175639.91	18594.32	111565.90	27791.55	166749.28	15025.02	90150.15
03	6868.52	41211.11	8863.76	53182.57	13622.78	81736.71	7573.27	45439.65
04	9480.90	56885.42	5382.78	32296.70	3275.36	19652.18	636.39	3818.32
05	24116.53	144699.21	8732.73	52396.38	11489.51	68937.04	5260.67	31564.00
06	76665.74	459994.45	67036.87	402221.21	35590.87	213545.20	26613.26	159679.59
07	422845.80	2537074.78	492581.72	2955490.35	615823.66	3694941.97	482005.81	2892034.87
08	268582.48	1611494.87	257359.87	1544159.24	142622.54	855735.24	118688.64	712131.82
09	109656.97	657941.79	113981.81	683890.89	29281.61	175689.65	19577.66	117465.96
10	165934.99	995609.95	135698.45	814190.68	34382.59	206295.53	27922.15	167532.93
11	98971.61	593829.67	62025.83	372154.96	89719.29	538315.74	46942.81	281656.85
12	605517.73	3633106.41	646985.86	3881915.19	556329.73	3337978.37	390775.00	2344650.00
13	133435.53	800613.15	154342.09	926052.53	129598.27	777589.64	99385.51	596313.07
14	340183.43	2041100.57	628499.83	3770998.96	592994.17	3557965.04	270521.85	1623131.07
15	348250.85	2089505.09	293200.11	1759200.66	281015.25	1686091.50	130227.38	781364.28
16	336933.14	2021598.86	388135.37	2328812.23	988545.27	5931271.60	719513.83	4317082.98
17	157692.61	946155.64	200750.05	1204500.32	233149.30	1398895.81	162957.07	977742.44
18	420005.31	2520031.88	506118.42	3036710.51	349043.24	2094259.46	266424.68	1598548.06
19	1186011.05	7116066.28	1095536.15	6573216.90	710574.27	4263445.59	510105.91	3060635.46
20	334329.06	2005974.35	175473.97	1052843.84	137775.02	826650.15	100356.55	602139.28
21	62604.91	375629.47	81650.64	489903.86	25713.14	154278.84	19046.79	114280.74
22	0.00	0.00	214.59	1287.56	163.20	979.22	291.95	1751.72
23	6316.09	37896.56	5595.15	33570.92	1801.01	10806.06	1363.61	8181.68
24	0.00	0.00	0.00	0.00	0.00	0.00	0.00	0.00
25	0.00	0.00	0.00	0.00	0.00	0.00	0.00	0.00
26	18016.55	108099.31	28668.79	172012.75	9677.20	58063.20	7683.54	46101.23
27	281346.27	1688077.63	276926.19	1661557.13	89238.31	535429.84	67640.96	405845.76
28	186732.89	1120397.33	137149.28	822895.67	45287.13	271722.80	35174.45	211046.68
29	45815.82	274894.91	103463.99	620783.92	29342.84	176057.05	19574.30	117445.81
30	141514.09	849084.54	42135.34	252812.05	13682.99	82097.94	10451.69	62710.17
总计	5841208.46	35047250.77	595288.56	35725731.36	5230652.70	31383916.22	3592096.53	21552579.20

注a: T_1 =10 美元/t 碳、T_2 =60 美元/t 碳，按照此碳关税税率计算出来的关税再按照当年的人民币汇率将美元折算成人民币。汇率数值来自《2010 年中国统计年鉴》，即按年鉴中人民币汇率(年平均价)换算成人民币。

假设，目前认定的碳关税的税率介于 10~60 美元/t 碳之间，同时测得在此两个极值范围内企业所需要承受的碳关税，进而估算出在此区间内碳关税对企业影响的大小。

本书按照现行的碳关税标准假定在两个不同的碳关税税率下分别计算了各个行业在各个年度被征收的碳关税，并对行业利润率的影响大小做了排名，见表7-8所示。

表 7-7 2007 年各行业所受碳关税影响的估算

部门	利润总额（万元）	利润率（%）	T_1（万元）	P_1（%）	T_2（万元）	P_2（%）
02 煤炭开采和洗选业	8842900	10.33	18594.32	0.21	111565.90	1.26
03 石油和天然气开采业	36669100	42.30	8863.76	0.02	53182.57	0.15
04 金属矿采选业	6091200	17.27	5382.78	0.09	32296.70	0.53
05 非金属矿采选业及其他采矿业	846600	7.98	8732.73	1.03	52396.38	6.19
06 食品制造及烟草加工业	20000700	7.84	67036.87	0.34	402221.21	2.01
07 纺织业	5729500	4.08	492581.72	8.60	2955490.35	51.58
08 服装皮革羽绒及其制品业	5008200	4.80	257359.87	5.14	1544159.24	30.83
09 木材加工及家具制造业	2604800	5.24	113981.81	4.38	683890.89	26.26
10 造纸印刷及文教用品制造业	4958500	5.88	135698.45	2.74	814190.68	16.42
11 石油加工、炼焦及核燃料加工业	1262600	0.70	62025.83	4.91	372154.96	29.48
12 化学工业	25921900	6.75	646985.86	2.50	3881915.19	14.98
13 非金属矿物制品业	7905300	6.95	154342.09	1.95	926052.53	11.71
14 金属冶炼及压延加工业	25445400	5.99	628499.83	2.47	3770998.96	14.82
15 金属制品业	4684100	4.86	293200.11	6.26	1759200.66	37.56
16 通用、专用设备制造业	16439600	6.94	388135.37	2.36	2328812.23	14.17
17 交通运输设备制造业	19836100	6.71	200750.05	1.01	1204500.32	6.07
18 电气机械及器材制造业	9130900	5.23	506118.42	5.54	3036710.51	33.26
19 通信设备、计算机及其他电子设备制造业	13071800	3.53	1095536.15	8.38	6573216.90	50.29
20 仪器仪表及文化办公用机械制造业	2433800	6.53	175473.97	7.21	1052843.84	43.26
21 工艺品及其他制造业	1402700	5.07	81650.64	5.82	489903.86	34.93
22 废弃资源废旧材料回收加工业	189000	3.39	214.59	0.11	1287.56	0.68
23 电力、热力的生产和供应业	20749600	7.79	5595.15	0.03	33570.92	0.16
24 燃气生产和供应业	683200	6.14	0.00	0.00	0.00	0.00
25 水的生产和供应业	259600	3.68	0.00	0.00	0.00	0.00
总计	240167100	6.90	5346760	2.23	32080562	13.36

注：① 工业经济年鉴中只有上述工业部门的经营业绩统计，故此表只统计整理了调整后的工业经济部门的盈利及税收情况；
② $T_1 = 10$ 美元/t 碳、$T_2 = 60$ 美元/t 碳；P_1 为在 T_1 关税税率下被征关税占行业利润的比例，P_2 为在 T_2 关税税率下被征关税占行业利润的比例。

表 7-8　2007 年碳关税对行业利润影响大小的排名表

部门	利润总额 (万元)	利润率 (%)	T_1 (万元)	P_1 (%)	T_2 (万元)	P_2 (%)
07 纺织业	5729500	4.08	492581.72	8.6	2955490.35	51.58
19 通信设备、计算机及其他电子设备制造业	13071800	3.53	1095536.15	8.38	6573216.9	50.29
20 仪器仪表及文化办公用机械制造业	2433800	6.53	175473.97	7.21	1052843.84	43.26
15 金属制品业	4684100	4.86	293200.11	6.26	1759200.66	37.56
21 工艺品及其他制造业	1402700	5.07	81650.64	5.82	489903.86	34.93
18 电气机械及器材制造业	9130900	5.23	506118.42	5.54	3036710.51	33.26
08 服装皮革羽绒及其制品业	5008200	4.8	257359.87	5.14	1544159.24	30.83
11 石油加工、炼焦及核燃料加工业	1262600	0.7	62025.83	4.91	372154.96	29.48
09 木材加工及家具制造业	2604800	5.24	113981.81	4.38	683890.89	26.26
10 造纸印刷及文教用品制造业	4958500	5.88	135698.45	2.74	814190.68	16.42
12 化学工业	25921900	6.75	646985.86	2.5	3881915.19	14.98
14 金属冶炼及压延加工业	25445400	5.99	628499.83	2.47	3770998.96	14.82
16 通用、专用设备制造业	16439600	6.94	388135.37	2.36	2328812.23	14.17
13 非金属矿物制品业	7905300	6.95	154342.09	1.95	926052.53	11.71
05 非金属矿采选业及其他采矿业	846600	7.98	8732.73	1.03	52396.38	6.19
17 交通运输设备制造业	19836100	6.71	200750.05	1.01	1204500.32	6.07
06 食品制造及烟草加工业	20000700	7.84	67036.87	0.34	402221.21	2.01
02 煤炭开采和洗选业	8842900	10.33	18594.32	0.21	111565.9	1.26
22 废弃资源废旧材料回收加工业	189000	3.39	214.59	0.11	1287.56	0.68
04 金属矿采选业	6091200	17.27	5382.78	0.09	32296.7	0.53
23 电力、热力的生产和供应业	20749600	7.79	5595.15	0.03	33570.92	0.16
03 石油和天然气开采业	36669100	42.3	8863.76	0.02	53182.57	0.15
24 燃气生产和供应业	683200	6.14	0	0	0	0
25 水的生产和供应业	259600	3.68	0	0	0	0

由表 7-8 可以看出，在 $T_1 = 10$ 美元/t 碳的碳关税税率下，碳关税对行业利润影响最大的前 10 个部门分别是部门 7（纺织业）、部门 19（通信设备、计算机及其他电子设备制造业）、部门 20（仪器仪表及文化、办公用机械制造业）、部门 15（金属制品业）、部门 21（其他制造业）、部门 18（电气机械及器材制造业）、部门 8（服装皮革羽绒及其制品业）、部门 11（石油加工、炼焦及核燃料加工业）、部门 9（木材加工及家具制造业）、部门 10（造纸印刷及文教用品制造业）；按照 2007 年的出口额度，这些部门被征收的碳关税分别占其利润总额的 8.60%、8.38%、7.21%、6.26%、5.82%、5.54%、5.14%、4.91%、4.38%、2.74%。

从行业分类来看，碳关税对纺织业利润的影响最大，从纺织业的经营角度来看，其行业的平均利润率只有 4.08%，加上碳关税对其行业的影响，纺织业的利润率将进一步下降，企业间对国内市场的竞争将进一步加剧，不利于我国纺织产品的出口，严重影响我国纺织行业的发展；碳关税对通信设备、计算机及其他电子设备制造业的影响也较大，在 T_1 关税税率下被征收的碳关税达到 1095536.2 万元，占其行业利润的 8.38%，而该行业的平均利润率只有 3.53%，碳关税的征收将进一步恶化该行业的利润。

而行业利润率较高的部门，如部门 3(石油和天然气开采业)，其行业平均利润率达到了 42.30%，但由于该行业的利润较高，虽然其出口产品被征收的碳关税也较高，达到 8863.76 万元，但碳关税只占其当年行业利润的 0.02%；其次是部门 4(金属矿采选业)，其行业利润率也达到了 17.27%，但被征收的碳关税税收只占其行业利润的 0.09%，为 5382.78 万元；部门 2(煤炭开采和洗选业)被征收的碳关税是其行业利润的 0.21%；由于这些部门利润基数大，所以碳关税对行业的生存发展影响较小。

以上情景只是在 $T_1 = 10$ 美元/t 碳的碳关税税率的假设下，如果欧美等对我国实施较为严厉的碳关税措施，在 $T_2 = 60$ 美元/t 碳的情况下，上述行业的行业利润将受到更严重的影响，部门 7(纺织业)和部门 19(通信设备、计算机及其他电子设备制造业)的行业利润超过 50% 都将作为碳关税被国外进口国政府征收，部门 20(仪器仪表及文化、办公用机械制造业)的利润中的 43.26% 都将作为碳关税被征收，其他行业的出口碳关税占行业利润的比例也很高，只有石油和天然气开采业、金属矿采选业等部门被征收的关税占其行业利润的比例较小。

7.3.2 从国民经济角度分析碳关税的影响

从国民经济角度考虑，碳关税使我国国民经济的福利向进口国征收政府转移，各个行业由于出口产品的碳能耗强度不同，再加上各个出口部门出口产品的金额数量不同，从而各个行业被征收的碳关税总额不同，见表 7-9 所示各行业被征碳关税税额的排名。

在 $T_1 = 10$ 美元/t 碳的标准下，由表 7-9 可以看出，被征收关税最严重的十个部门是部门 19(通信设备、计算机及其他电子设备制造业)、部门 12(化学工业)、部门 14(金属冶炼及压延加工业)、部门 18(电气机械及器材制造业)、部门 7(纺织业)、部门 16(通用、专用设备制造业)、部门 15(金属制品业)、部门 8(服装皮革羽绒及其制品业)、部门 17(交通运输设备制造业)、部门 20(仪器仪表及文化、办公用机械制造业)，被征收的关税分别达到 1095536.2 万元、646985.86 万元、628499.83 万元、506118.42 万元、492581.72 万元、388135.37 万元、293200.11 万元、257359.87 万元、200750.05 万元、175473.97 万元，这些被征的碳关税分别占其行业利润的 8.38%、2.50%、2.47%、5.54%、8.60%、2.36%、6.26%、5.14%、1.01%、7.21%；这与被征收关税税收最少的部门22（废品废料）和部门4（燃气生产和供应业），分别为214.59万元、5382.78万元，相比差距较大。这无疑是使国民经济利润中很大的一部分被国外政府征收。

表7-9　2007年各行业被征碳关税税额大小排名表

部门	利润总额（万元）	利润率（%）	T_1（万元）	P_1（%）	T_2（万元）	P_2（%）
19 通信设备、计算机及其他电子设备制造业	13071800	3.53	1095536.15	8.38	6573216.9	50.29
12 化学工业	25921900	6.75	646985.86	2.5	3881915.19	14.98
14 金属冶炼及压延加工业	25445400	5.99	628499.83	2.47	3770998.96	14.82
18 电气机械及器材制造业	9130900	5.23	506118.42	5.54	3036710.51	33.26
07 纺织业	5729500	4.08	492581.72	8.6	2955490.35	51.58
16 通用、专用设备制造业	16439600	6.94	388135.37	2.36	2328812.23	14.17
15 金属制品业	4684100	4.86	293200.11	6.26	1759200.66	37.56
08 服装皮革羽绒及其制品业	5008200	4.8	257359.87	5.14	1544159.24	30.83
17 交通运输设备制造业	19836100	6.71	200750.05	1.01	1204500.32	6.07
20 仪器仪表及文化办公用机械制造业	2433800	6.53	175473.97	7.21	1052843.84	43.26
13 非金属矿物制品业	7905300	6.95	154342.09	1.95	926052.53	11.71
10 造纸印刷及文教用品制造业	4958500	5.88	135698.45	2.74	814190.68	16.42
09 木材加工及家具制造业	2604800	5.24	113981.81	4.38	683890.89	26.26
21 工艺品及其他制造业	1402700	5.07	81650.64	5.82	489903.86	34.93
06 食品制造及烟草加工业	20000700	7.84	67036.87	0.34	402221.21	2.01
11 石油加工、炼焦及核燃料加工业	1262600	0.7	62025.83	4.91	372154.96	29.48
02 煤炭开采和洗选业	8842900	10.33	18594.32	0.21	111565.9	1.26
03 石油和天然气开采业	36669100	42.3	8863.76	0.02	53182.57	0.15
05 非金属矿采选业及其他采矿业	846600	7.98	8732.73	1.03	52396.38	6.19
23 电力、热力的生产和供应业	20749600	7.79	5595.15	0.03	33570.92	0.16
04 金属矿采选业	6091200	17.27	5382.78	0.09	32296.7	0.53
22 废弃资源废旧材料回收加工业	189000	3.39	214.59	0.11	1287.56	0.68
24 燃气生产和供应业	683200	6.14	0	0	0	0
25 水的生产和供应业	259600	3.68	0	0	0	0

该测算结果与闫云凤、杨来科等人在研究我国出口贸易隐含碳排放增长的影响因素中的测算的影响结论相吻合，即1997～2005年对出口隐含碳排放增长影响最大的五个部门是：电子及通信设备制造业、化学工业、纺织业、仪器仪表及文化办公用机械制造业和电气机械及器材制造业（闫云凤等，2010）。

这只是假设在比较低的碳关税税率下计算所得的各个行业的被征收的碳关税，但关税税率达到了比较严厉的关税水平$T_2 = 60$美元/t碳时，这些部门被征收的关税负重将更大，例如当$T_2 = 60$美元/t碳时，部门19（通信设备、计算机及其他电子设备制造业）、部门12（化学工业）、部门14（金属冶炼及压延加工业）被征收的碳关税分别达到了6573216.9万元、3881915.2万元、3770999万元，分别占其行业利润的50.29%、14.98%、14.82%。

7.3.3　从税收总量角度分析碳关税的影响

在上述统计的 24 个工业部门中，2007 年这些部门的平均利润率是 6.90%，所有部门的利润是 240167100 万元，若碳关税征收的税率基准定在 $T_1 = 10$ 美元/t 碳时，这些部门被征收的碳关税税额是 5346760 万元，占利润总额的 2.23%；但当在较为严厉的碳关税的税率下 $T_2 = 60$ 美元/t 碳时，将有 32080562 万元的利润作为碳关税税收被国外政府征收，占到 24 个工业部门总计利润的 13.36%，就是说我国工业部门经济利润的超过 13% 将作为碳关税被国外的关税政策征收。

在调整后的国民经济的 30 个部门中，在 $T_1 = 10$ 美元/t 碳，2007 年我国出口产品被征收的碳关税总额达到了 5954288.56 万元，占当年 GDP（2677637000 万元）的 0.22%；$T_2 = 60$ 美元/t 碳时，2007 年我国出口产品被征收的碳关税总额碳为 35725731.36 万元，占当年 GDP 总额的 1.33%。

与此同时，在 2007 年我国税收收入总计为 494492879 万元，在 $T_1 = 10$ 美元/t 碳时，国民经济 30 个部门被征收的碳关税总额 5954288.56 万元，占我国当年税收收入的 1.20%；若 $T_2 = 60$ 美元/t 碳时，2007 年我国出口产品被征收的碳关税总额为 35725731.36 万元，占我国当年税收收入总额的 7.22%。

而在 2007 年我国海关税收为 75846000 万元，在 $T_1 = 10$ 美元/t 碳时，国民经济 30 个部门被征收的碳关税总额 5954288.56 万元，占我国海关税收收入的 7.85%；若 $T_2 = 60$ 美元/t 碳时，2007 年我国出口产品被征收的碳关税总额碳为 35725731.36 万元，占我国当年海关税收收入总额的 47.10%。

因此，碳关税税收的总量无论是对我国工业部门出口企业利润还是对国民经济税收的影响都是非常明显的，足以引起我们的注意。

7.4　我国工业经济部门中出口企业的碳关税压力测试

7.4.1　工业经济部门中出口企业所能承受的最大的碳关税测试

我国国民经济中出口经济主要依靠工业经济部门的出口，因此碳关税对我国出口经济的影响主要表现在对工业经济的影响方面，根据整理所得的各个对应部门的行业利润总额，结合各个出口部门对应各年所出口的隐含碳数量，对近几年各个行业出口企业所能承受的最大的碳关税税率做了评估（表 7-10），在 2005 年、2007 年、2008 年和 2009 年各工业部门平均能承载的最大碳关税税率为 261.99 美元/t 碳、449.18 美元/t 碳、523.43 美元/t 碳、849.75 美元/t 碳。

表7-10   近年各行业盈亏平衡时所能承受的碳关税税率(美元/t 碳)

部门	2005 年	2007 年	2008 年	2009 年
02 煤炭开采和洗选业	1753.10	4755.70	7007.53	11550.93
03 石油和天然气开采业	42572.21	41369.68	36184.82	27059.50
04 金属矿采选业	3123.12	11316.08	26552.47	81239.98
05 非金属矿采选业及其他采矿业	216.53	969.46	1162.10	2532.38
06 食品制造及烟草加工业	1428.60	2983.54	7064.54	10866.09
07 纺织业	78.72	116.32	112.51	181.93
08 服装皮革羽绒及其制品业	102.01	194.60	485.02	708.18
09 木材加工及家具制造业	126.87	228.53	1285.04	2303.03
10 造纸印刷及文教用品制造业	172.27	365.41	1745.30	2454.57
11 石油加工、炼焦及核燃料加工业	-117.08	203.56	-1422.77	1936.14
12 化学工业	222.26	400.66	471.55	840.05
13 非金属矿物制品业	234.97	512.19	903.56	1389.65
14 金属冶炼及压延加工业	382.10	404.86	297.30	586.84
15 金属制品业	79.66	159.76	228.44	536.41
16 通用、专用设备制造业	248.09	423.55	223.32	336.67
17 交通运输设备制造业	500.14	988.10	1043.62	2192.17
18 电气机械及器材制造业	117.32	180.41	378.78	578.24
19 通信设备、计算机及其他电子设备制造业	68.64	119.32	194.10	269.50
20 仪器仪表及文化、办公用 机械制造业	40.10	138.70	201.55	316.20
21 工艺品及其他制造业	125.58	171.79	738.22	1112.94
22 废弃资源和废旧材料回收加工业	+∞	8807.34	18847.60	16416.96
23 电力、热力的生产和供应业	20241.62	37084.96	31121.98	100598.85
24 燃气生产和供应业	+∞	+∞	+∞	+∞
25 水的生产和供应业	+∞	+∞	+∞	+∞
——工业部门平均能承载的最大碳关税	261.99	449.18	523.43	849.75

注：①2005 年、2007 年、2008 年的行业利润数据分别来自2006 年、2008 年和2009 年中国工业经济年鉴，并按行业分组的国有及国有控股工业企业、集体工业企业、私营工业企业、外商投资及港澳台商投资工业企业四类企业利润之和计算说得；2009 年行业利润来自2010 年中国统计年鉴，并按国有及国有控股工业企业、私营工业企业、外商投资及港澳台商投资工业企业三类企业利润之和计算所得，由于集体工业企业利润占各年总利润比例不到3%，使2009 年利润结果偏小，但可忽略不计；

②2005 年1 美元=8.1917 元人民币；2007 年1 美元=7.6040 元人民币；2008 年1 美元=6.9451 元人民币；2009 年1 美元=6.8310 元人民币；汇率按照各年平均汇率转换，下同。

    2005 年的废弃资源和废旧材料回收加工业行业国家统计局未统计其能源消耗，故理论上其能承受无限的碳关税税率，由于燃气生产和供应业、水的生产和供应业等出口较少，其经济利润都来自国内，因此理论上这些民生行业也可以承受无限的碳关税。2005 年国民经济部门中承受碳关税税率能力最低的五个行业分别为部门11(石油加工、炼焦及核燃料加工业)、部门20(仪器仪表及文化办公用机械制造业)、部门19(通信设备、计算机及其他电子设备制造业)、部门07(纺织业)以及部门15(金属制品业)，其所能承受的最大的碳关税税率分别为 -117.08 美元/t 碳、40.10 美元/t 碳、68.64 美元/t 碳、78.72 美元/t 碳、79.66 美元/t 碳(表7-10)；承受能力较强的部门包括石油和天然气开采业、电力、热力的生产和供应业等，这些行业的利润高，产品基本不出口或者很少出口，因此能承受较高的碳关税。

在 2007 年整个国民经济平均能承受的碳关税税率为 449.18 美元/t 碳，比 2005 的平均水平高出 71.4%，表明随着我国出口企业盈利能力的增强，行业所能承受的最大的碳关税税率也在不断增强。在 2007 年变化最明显的行业是部门 11（石油加工、炼焦及核燃料加工业），该部门在本年处于盈利的状态，因此其能承受的一定的碳关税，但和其他部门相比其承受能力并不是很强，也只有 203.56 美元/t 碳（表 7-11）。

在所有部门中，承受能力最差的部门仍然是部门 07（纺织业）、部门 19（通信设备、计算机及其他电子设备制造业）、部门 20（仪器仪表及文化办公用机械制造业）、部门 15（金属制品业）、部门 21（工艺品及其他制造业）等部门，其能承受的碳关税税率分别为 116.32 美元/t 碳、119.32 美元/t 碳、138.7 美元/t 碳、159.76 美元/t 碳、171.79 美元/t 碳（表 7-11）。

表 7-11　2007 年各行业盈亏平衡时所承受的碳关税水平排名表

部门	2007 年 （美元/t 碳）	部门	2007 年 （美元/t 碳）
07 纺织业	116.32	13 非金属矿物制品业	512.19
19 通信设备、计算机及其他电子设备制造业	119.32	05 非金属矿采选业及其他采矿业	969.46
20 仪器仪表及文化、办公用 机械制造业	138.7	17 交通运输设备制造业	988.1
15 金属制品业	159.76	06 食品制造及烟草加工业	2983.54
21 工艺品及其他制造业	171.79	02 煤炭开采和洗选业	4755.7
18 电气机械及器材制造业	180.41	04 金属矿采选业	11316.08
08 服装皮革羽绒及其制品业	194.6	03 石油和天然气开采业	41369.68
11 石油加工、炼焦及核燃料加工业	203.56	23 电力、热力的生产和供应业	37084.96
09 木材加工及家具制造业	228.53	22 废弃资源废旧材料回收加工业	8807.34
10 造纸印刷及文教用品制造业	365.41	24 燃气生产和供应业	+∞
12 化学工业	400.66	25 水的生产和供应业	+∞
14 金属冶炼及压延加工业	404.86	——工业部门平均能承载最大碳关税	449.18
16 通用、专用设备制造业	423.55		

在 2008 年和 2009 年大部分行业盈利能力增强，相应地所能承受的碳关税税率逐步增强。在 2008 年，仍然是部门 11（石油加工、炼焦及核燃料加工业）、部门 07（纺织业）、部门 19（通信设备、计算机及其他电子设备制造业）、部门 20（仪器仪表及文化、办公用机械制造业）、部门 16（通用、专用设备制造业）等行业的承受碳关税的能力最弱，其所能承受的碳关税税率分别为 -1422.77 美元/t 碳、112.51 美元/t 碳、194.1 美元/t 碳、201.55 美元/t 碳、223.32 美元/t 碳。由于部门 11 石油加工、炼焦及核燃料加工业在 2008 年可能遭受了金融危机的影响，整个行业处于严重的亏损状态，其亏损额一度达到了 12765000 万元，因此行业所受创伤较大，承受碳关税的能力较弱。

整个工业经济部门平均所能承受的最大的碳关税税率为 523.43 美元/t 碳，金属制品业、金属冶炼及压延加工业、电气机械及器材制造业、化学工业、服装皮革羽绒及其制品业等行业都处于平均所能承受的最大的碳关税水平之下。

而 2009 年部门 11（石油加工、炼焦及核燃料加工业）扭转了前期的亏损局面，实现了盈利，其所能承受的最大的碳关税税率相应地也达到了 1936.14 美元/t 碳，远远高于整个工业部门平均所能承受的最大的碳关税水平 849.75 美元/t 碳，其他行业所能承受的最大碳关税能力的排名较 2008 年变化不大，但是较 2008 年相比，大部分行业碳关税的承受能力增长很快，可能与前文估算的 2009 年的各个部门的能耗强度下降因素有关。

7.4.2　工业经济部门各出口行业平均碳关税的压力测试

工业出口占我国国民经济出口很大的比重，因此碳关税对工业经济中的出口部门的影响也最大，在应对碳关税冲击的背景下，各个出口部门所能承受的应对力差异很大。表 7-12 综合了 2005 年、2007 年、2008 年和 2009 年工业经济部门出口企业各年的经济利润总额，再根据这些部门在这四年里出口隐含碳的总量，进而获得出口部门在应对碳关税时平均所能承受的最大碳关税，即在这些出口企业达到盈亏平衡点时所能承受的最大的碳关税。各个出口部门的产品如果被征收的碳关税税率高于该临界碳关税水平时，整个行业将面临亏损的状态，就是说我们的经济利润在出口时直接被国外政府征收甚至需要额外的收入来支付这些碳关税。

表 7-12　近四年各部门平均所能承受的最大碳关税排名表　　　　单位：美元/t 碳

部门	碳关税 （美元/t 碳）	部门	碳关税 （美元/t 碳）
11 石油加工、炼焦及核燃料加工业	−120.72	13 非金属矿物制品业	708.56
07 纺织业	121.49	05 非金属矿采选业及其他采矿业	837.75
20 仪器仪表及文化办公用机械制造业	133.65	17 交通运输设备制造业	1151.88
19 通信设备、计算机及其他电子设备制造业	141.56	06 食品制造及烟草加工业	4228.43
15 金属制品业	200.72	02 煤炭开采和洗选业	5623.65
18 电气机械及器材制造业	278.80	04 金属矿采选业	12757.54
16 通用、专用设备制造业	282.99	22 废弃资源废旧材料回收加工业	15247.65
08 服装皮革羽绒及其制品业	298.50	03 石油和天然气开采业	36172.19
21 工艺品及其他制造业	337.57	23 电力、热力的生产和供应业	36370.47
14 金属冶炼及压延加工业	390.59	24 燃气生产和供应业	+∞
12 化学工业	449.37	25 水的生产和供应业	+∞
09 木材加工及家具制造业	467.98	——工业部门平均所能承受碳关税	491.56
10 造纸印刷及文教用品制造业	593.15		

注：平均碳关税由四年各个部门的总利润除以各个部门四年中的出口隐含碳所得，汇率也由这四年的平均值所得；平均汇率 1 美元 =7.39295 元人民币。

在表 7-12 中可以看出，整个工业经济部门中的出口企业平均所能承受的碳关税税率为 491.56 美元/t 碳，如果碳关税的征收标准制定得比较高，比如达到了 100 美元/t 碳，直接对我国工业经济利润造成极大的冲击，其碳关税总额将超过工业经济出口企业平均利润的 20%。

由于部门 24(燃气生产和供应业)和部门 25(水的生产和供应业)基本不出口，出口的隐含碳为零，所以在理论上这两个部门有足够的能力来应对碳关税。所有工业经济出口部门中，应对碳关税能力最强的部门分别为部门 23(电力热力的生产和供应业)、部门 03(石油和天然气开采业)、部门 22(废弃资源废旧材料回收加工业)、部门 04(金属矿采选业)、部门 02(煤炭开采和洗选业)，其所能承受的碳关税税率分别达到了 36370.47 美元/t 碳、36172.19 美元/t 碳、15247.65 美元/t 碳、12757.54 美元/t 碳、5623.65 美元/t 碳，这些部门有个共同的特点就是出口很少，其主营业务利润主要产生于国内，因此这些部门能承受很高的出口碳关税税率。

由于部门 11(石油加工、炼焦及核燃料加工业)在 2008 年为亏损状态，其亏损额高达 12765000 万元，亏损率达到了 5.79%；该行业在 2005 年也为亏损状态，整个行业直接亏损 1158800 万元。虽然该行业在 2007 年和 2009 年处于盈利状态，但仍不能抵消 2005 年和 2008 年的亏损额，直接导致了该行业在这四年里平均所能承受的最大的碳关税税率为 -120.72 美元/t 碳，碳关税的征收无疑使石油加工、炼焦及核燃料加工行业雪上加霜，更是无力应对不同的碳关税水平。

值得注意的是，虽然我国是纺织行业的出口大国，但由于纺织行业的平均利润率不高，2005 年和 2007 年其行业的平均利润率分别为 7.24%、4.08%，根据其行业利润和行业的碳消耗量，其能承受的碳关税的税率仅为 121.49 美元/t 碳，所以该行业面临的挑战相当严峻，欧美等国的高碳关税有可能直接吞掉纺织出口企业的经济利润。

再者，部门 20(仪器仪表及文化办公用机械制造业)、部门 19(通信设备、计算机及其他电子设备制造业)和部 15(金属制品业)等行业对碳关税的抵抗力也较弱，其所能承受的碳关税税率分别只有 133.65 美元/t 碳、141.56 美元/t 碳、200.72 美元/t 碳。

此外，部门 18(电气机械及器材制造业)、部门 16(通用专用设备制造业)、部门 08(服装皮革羽绒及其制品业)、部门 14(金属冶炼及压延加工业)、部门 12(化学工业)和部门 10(木材加工及家具制造业)等行业所能承受的碳关税税率低于平均工业经济出口企业所能承受的最大碳关税水平，分别为 278.80 美元/t 碳、282.99 美元/t 碳、298.50 美元/t 碳、337.57 美元/t 碳、390.59 美元/t 碳、449.37 美元/t 碳、467.98 美元/t 碳。

其他的部门比如部门 13(非金属矿物制品业)、部门 05(非金属矿采选业及其他采矿业)等由于其行业利润比较高，其所能承受的最大碳关税税率也相对高于平均水平。

7.5 小　结

　　本章主要进行了碳关税对国民经济影响的实证分析，首先第一部分介绍了本研究采用的模型，即瓦西里列昂惕夫的投入产出法，对国民经济调整后的 30 个部门的单位产出能耗强度进行了测算，得出分类后的各个部门单位产出的直接能耗强度和间接能耗强度，并对行业的能耗强度进行了分析，结果表明金属冶炼及压延加工业、非金属矿物制品业等部门的单位产出能耗强度在国民经济部门中高居前列，同时我国单位产出的能耗强度在近年有了明显的下降，根据各年平均的下降速度估算了 2008 年和 2009 年各个对应部门的单位产出的能耗强度，为进一步分析各个部门所受碳关税的影响的分析做好准备。

　　本章第二部分，根据各年度各个部门的出口数据测算了各个出口部门出口的隐含碳的数量，这是碳关税征收的基础，然后假定不同的碳关税税率下对各个出口行业经济利润的影响，接着测算了各个出口部门在达到了盈亏平衡点时所能承受的最大的碳关税。

　　结果表明，国民经济中除了部门 11(石油加工、炼焦及核燃料加工业)在 2008 年度发生了巨额亏损导致了其能承受的最大的碳关税税率为负值外，其他行业在这四年里平均所能承受的最大的碳关税税率差距也很大。废弃资源废旧材料回收加工业、石油和天然气开采业、电力热力的生产和供应业、燃气生产和供应业、水的生产和供应业等行业的产品基本不出口、很少出口或者其国内创造的利润很大，给这些行业抵抗碳关税创造了极为有利的条件，因此其能承受较高的碳关税税率水平。纺织业，仪器仪表及文化办公用机械制造业，通信设备、计算机及其他电子设备制造业，金属制品业，电气机械及器材制造业等行业所能承受的最大的碳关税税率较低，就是说碳关税后对这些行业的利润影响最明显。

第8章　我国应对碳关税挑战的对策建议

8.1　中国在碳关税问题上的立场和原则

8.1.1　中国在碳关税问题上的立场[①]

碳关税问题的根源在于减排责任和各国经济利益有着强烈的对冲性(宗泊，2012)，基于本国利益最大化的原则，各国在对待碳关税问题上的态度彼此对立也不难理解。对于碳关税问题，中国的立场一直都是鲜明而坚定的：中国坚决反对发达国家单方征收碳关税的行为，但作为一个负责任的大国，中国不反对减少碳排放量，并且愿意积极承担力所能及的保护环境的责任。

(1)中国坚决反对发达国家以单方标准实施碳关税措施。中国商务部新闻发言人姚坚指出："中方一贯主张与国际社会共同应对气候变化，但部分发达国家提出对进口产品征收'碳关税'的做法，违反了 WTO 的基本规则，是以环境保护为名，行贸易保护之实。"中国坚决反对发达国家以单方标准实施碳关税措施。在多边国际气候谈判中，中国坚决捍卫"共同但有区别责任"原则，即发达国家必须强制减排以承担起历史上过度排放的责任，坚持目前所奉行符合我国国情的相对减排而不绝对减排的做法(相对减排即不对二氧化碳排放绝对目标进行限制，而对 GDP 增长的能耗强度以及相应的二氧化碳排放强度设定目标)。同时，中方反对发达国家单边实施碳关税，并要防止发达国家为碳关税建议获得多边支持，因为一旦碳关税措施获得国际气候制度的支持而转化为多边机制，就可能会获得 WTO 中的合法性地位(谢来辉等，2010)。

此外，中国反对发达国家单边实施碳关税，不仅因为碳关税对我国外贸乃至整个经济产生影响，更是因为从长远来看，发达国家此举将在未来几十年间自食其果。通过实施碳关税来保护国内市场，贸易伙伴会采取报复性手段，其他国家亦会采取同样的策略，这对发达国家来说未必就有利。美欧等发达国家所从事的涉碳产业在全球范围内具有相当大的规模，其经营的涉碳产品贸易额亦占全球贸易额的很大比重。实施

[①]　本部分内容主要编引自袁晨玲的研究。

碳关税短期内似乎可以达到消减发展中国家的出口额、抑制中国等发展中国家经济发展的目的，但从长远来看，通过各种贸易壁垒损害贸易伙伴的手段，其负面影响不可能仅作用于贸易一方，而是对贸易的双方均有影响，长期如此，还会影响到整个国际经济贸易的协调发展。可以说实施碳关税是一种损人不利己的行为。

（2）中国反对碳关税不意味中国反对减少碳排放量。中国反对发达国家单方实施碳关税措施，并不意味着中国反对减少碳排放量，恰恰相反，中国愿意积极承担力所能及的保护环境的责任。中国是最早签署《京都议定书》和《联合国气候变化框架公约》的国家之一，中国政府也是最早提出国家应对气候变化方案的发展中国家。国务院根据我国政府的承诺做出决定：到 2020 年中国单位国内生产总值二氧化碳排放比 2005 年下降 40% ~45%，作为约束性指标纳入国民经济和社会发展中长期规划，并制定相应的国内统计、监测、考核办法。2011 年在南非德班举行的联合国气候变化大会上，中国为了挽救气候谈判进程，表现出了极大的灵活性，顾全大局，适时做出了让步，促使会议最终达成妥协，意义重大。中国代表团之所以转变口风，提出须有《京都议定书》和第二承诺期，发达国家要兑现 300 亿美元"快速启动资金"和 2020 年前每年 100 亿美元的长期资金，坚持"共同但有区别的责任"原则等五项条件下，中国可以参加 2020 年后具有法律约束力的框架协议谈判，是经过慎重考虑的。与 20 年前相比，中国减排控排的能力和信心都在上升，而且中国的国内形势在近年发生了深刻变化。过去是别人要求中国减排控排，现在是中国主动要求减排控排（邹骥，2011）。而且环境质量、环境污染的问题，已越来越被民众所关注，对干净的水，清洁的空气，安全的食品，景观能见度等，民众的要求也高了，而这些矛盾在中国当前正凸显出来。同时，中国也是全球气候变暖的最大受害国，在这种情况下，中国有更多的权衡，一方面还要发展，农民还要进城，另一方面还要保护环境，控制温室气体排放，多重目标交织在一起，中国对能源消费，对排放总量做出越来越严格的控制也就变成了大势所趋。随着中国的经济发展和综合国力的增强，作为一个负责任的大国，中国会承担越来越多的节能减排的国际责任，而且也愿意承担。但这是一个过程，承担的责任一定要和能力相匹配，和中国的发展阶段相适应。中国的碳排放更多的是基本需求的排放，发达国家的很多排放是奢侈性排放，这些是判断责任的性质、责任的程度，以及定义权利的程度、权利的性质的基础。中国要清晰地定义发展阶段和历史责任，要承担的责任不能回避（袁晨玲，2012）。

8.1.2 中国在碳关税问题上的原则和应进行的国际努力

8.1.2.1 坚持人均历史累计排放量，实施共同但有区别的责任的原则

在国际碳关税的谈判过程中要坚持公平公正原则，全球气候问题关系每个国家每个公民的切身利益，在监测排放量方面不能仅仅从现阶段国家排放总量上来衡量排放

情况，更要从历史角度来考虑排放问题，因为温室气体是个长期积累的过程，发达国家等在其工业革命期间大量排放温室气体，中国等发展中国家处于新型工业化道路的中后期，处于工业经济的过渡阶段，对温室气体的排放是在比较合理的阶段。

同时在碳排放计量方面，从人均历史累计排放总量来看，中国等发展中国家的人均累计温室气体排放量都在 30t/人以下，而以英美为代表的发达国家人均累计排放量均在 500t/人以上，几乎是工业革命以来全球人均排放累计量的 5 倍，更是发展中国家历史人均排放量的数十倍。从现阶段人均排放量来看，即使是近年，虽然中国等发展中国家排放量有所增加，但是从人均排放温室气体规模来看，2008 年中国、印度、巴西的人均碳排放量分别为 1.46t/人、0.41t/人、0.58t/人，更是远远低于美国 2008 年 4.97t/人的排放量，即使在这样的条件下 2008 年美国人均排放量仍是世界平均排放量的 1.3 倍（李平等，2009）。

"共同但有区别责任"原则是《联合国气候变化框架公约》（UNFCCC）中的核心原则，所谓"共同"，是指无论发达国家还是发展中国家，都要共同面对、共同努力，都有采取减缓和适应气候变化措施的共同责任。所谓"有区别"，是指各国历史责任、发展水平、发展阶段、能力大小和贡献方式的不同，发达国家要对其历史排放和当前的高人均排放承担责任，要改变不可持续的生活方式，大幅度减少排放，同时要向发展中国家提供资金、转让技术；而发展中国家则要在发展经济、消除贫困的过程中采取积极的减缓措施，尽可能减少排放，为共同应对气候变化做出贡献。

无论是从国家累计排放总量方面来计量还是从国家人均排放总量来考虑，对中国征收碳关税直接限制中国温室气体的排放从公正原则、支付水平等方面来讲都有违背《京都议定书》确立的发达国家和发展中国对全球温室气体承担共同但有区别的责任的原则，同时也是对发达国家在 2008~2012 年减排目标与成效的直接否认，发达国家在《京都议定书》后因为承诺所作的努力将白白浪费掉，全球气候问题合作机制将直接瓦解。

因此，在碳关税问题上，中国需要始终坚持这一核心原则。生态环境是全人类共同生存的基础，在这一点上，中国作为国际上负责任的发展中大国，与所有发达国家一样，在应对全球环境恶化上有不可推卸的责任，也就是说，无论是发展中国家还是发达国家，在节能减排、防止气候变暖上的目标应是一致的，应对全球气候变暖这一公共风险不是单靠某一国家能够完成的，中国等发展中国家在温室气体的排放上也应勇于承担责任，他们也应该充分考虑本国国情，根据自身的实际情况适当采取相应的减排措施。

但是，中国无论是综合国力还是经济技术发展水平都还有待发展，因此在节能减排上所承担的责任应该有所区别，毕竟像中国这样的发展中国家的首要任务还是发展，提高全民福利，它不应该像发达国家那样被强制要求减排。而且发达国家应为自己在工业化进程中排放的大量温室气体承担一定的历史责任，"他们应该认识到自己现在拥有的巨大财富是早期以破坏环境为代价的，应该为现在的环境破坏负更大的责任"（杨明珠，2011），因此要求主要发达国家进行强制减排是有一定道理的。

8.1.2.2 提议高碳产品的生产国和消费国共同负责的原则

国际间的贸易提高了全球市场资源配置的效率，国际分工一定程度上提高了全球的福利水平，所以国家间贸易产品的生产国和消费国都是碳排放的受益者，都享受着产品带来的效用，都应该对温室气体导致的气候变化问题负责（齐晔等，2008）。目前发达国家只是注意到了发展中国家在现阶段的排放量，并不考虑目前发展中国家的经济处于全球经济产业链的最低端，承担着全球绝大部分制造业加工的实情，产品的增值过程很大部分都是由发达国家创造的，而处于产业链底层的发展中国家只是获取了制造过程中的很少部分利润，单边对发展中国家征收碳关税必定对发达国家的经济增值过程造成影响。

同时在产品消费方面，发展中国家生产的高能耗产品大部分都是通过贸易转移的形式供发达国家消费和使用，在这个转移的过程中，发达国家减轻了许多碳排放压力来应对其所做的减排承诺；而发展中国家的碳排放很大一部分都是由对发达国家出口所引起的。因此温室气体排放背后是发达国家对高污能耗产业的转移，一方面享受着环境污染转移的清洁，另一方面享受着进口制造业产品带来的国内服务业发展的便利。

因此，碳排放问题是一个全球性的问题，实现缓解全球气候变化问题的目标需要全球参与，同时，发达国家在享受了碳排放带来的高水准生活的同时也需要承担碳转移带来的责任，碳关税的税赋需要由受益者共同来承担。

8.1.2.3 坚持特殊与差别待遇原则的无条件性，推进贸易自由化

WTO《马拉喀什建立世界贸易组织协定》的序言规定，"要以与成员国在不同经济发展水平的需要和关注相一致的方式……以保证发展中国家、特别是其中的最不发达国家，在国际贸易增长中获得与其经济发展需要相当的份额……"因此，适用包括基于环境保护目的在内的贸易措施应考虑各个国家的经济发展水平，应给予发展中国家特殊和差别待遇。给予发展中国家特殊和优惠待遇是以形式上的不平等来实现实质上的平等。保障发展中国家贸易、经济的发展是当代国际经济法领域中公平互利原则的必然要求和具体体现。特殊与差别待遇具体表现为普遍优惠制（generalized system of preference，GSP），它要求 WTO 发达成员国给予发展中成员国普遍的、非互惠的优惠待遇。这本来是一个促进发展中国家贸易发展的原则，但却可能被发达国家出于自身利益而附加一些条件，如受惠国需采取了相当比例的减排措施或只允许受惠国的低碳产品享受该优惠等，发达国家认为"附加条件的应用非常重要，由此发达国家才能将关税优惠待遇与气候变化问题的解决结合在一起"（McKenzie，2008），这就完全背离了

普遍优惠制设置的初衷。

中国应始终坚持普遍优惠制的无条件性，发达国家对发展中国家的产品应提供优惠的市场准入机会，以促进发展中国家获得出口市场及贸易利益，因为毕竟发展中国家的技术标准、环保标准离发达国家还有一段距离，普遍优惠制的初衷就是发达国家在促进发展中国家的贸易发展上应给予一定优惠，"在当前解决气候变化问题的需要更为迫切的形势下，给优惠国更应该避免普遍优惠制沦为其谋求切身利益的工具"（Switzer，2008）。欧美发达国家不应该要求发展中国家先缴纳碳关税，在实际缴纳碳关税之后再来谈普遍优惠制原则，中国也应该始终坚持缴纳碳关税不应该成为适用普遍优惠制的一个附加条件，要求发展中国家先承担可比的减排措施也不应该成为遵守该原则的一个门槛（罗延林，2012）。相反，考虑到发展中国家的经济技术的落后状况，可以允许发展中国家采取有差别的优惠待遇以及在特殊情况下可以允许发展中国家采取基本义务例外的措施，来维护本国的特殊利益。

贸易自由化原则是 WTO 的根本性原则，是指限制和取消一切妨碍和阻止国际间贸易开展的所有障碍，包括法律、法规、政策和措施等，这一原则由关税减让原则、互惠原则以及取消非关税壁垒原则（如一般取消数量限制原则）等组成。在世界一体化的主流趋势下，世界贸易的相关组织都要求贸易自由化，无论是以往的关贸总协定，还是现在的世贸组织，都是以贸易自由化为宗旨。保罗·萨缪尔森指出："在自由贸易条件下，各国在其有比较优势的领域进行生产和贸易时，每个国家的情况都会变得比原先要好。与每个国家也生产比较劣势的产品相比，他们工作同样的劳动时间就能够获得更多的消费品。"发达国家设置碳关税在一定程度上违反了贸易自由化原则，尤其限制了发展中国家的出口贸易。作为发展中国家的中国，一定要坚持贸易自由化原则。在不得不接受碳关税时，也要依据比例原则维护自身的利益。比例原则要求为了实现某种权利或公共利益而必然损害另一受法律保护的权利或利益，该受损的权利或利益视为整个交易的成本，而任何措施必然追求利益最大化，那么为了使整个社会的利益达到最大化，就必须使成本达到最小化或至少是适当的，用一公式表示即为：总成本≤总收益。碳关税是环境成本内部化的一种体现，它以限制自由贸易为代价达到所谓的降低碳排放的环保利益，适用碳关税措施在比例原则的要求下应是降低碳排放所得到的环保利益至少等于限制自由贸易的损失（罗延林，2012）。通俗地讲，采用碳关税这种环境成本内部化措施对进口产品征收一定的碳排放税费，以达到促进出口国进行减排这一环保目标时，必须要将对自由贸易的影响减少到最低限度。

8.1.2.4 促进 WTO 框架下环保与贸易协调处理机制的建立

在当今世界全球化的进程中，贸易的自由化与环境的国际保护是两股看似并行不悖其实密切关联、相互影响的潮流。正确适当的环境措施可以合理地规范和引导自由贸易，促进其健康的可持续的发展，但是不科学的环境措施也可能限制甚至阻碍自由贸易的发展，形成新的贸易壁垒。不难发现，贸易和环保的关系已经变得十分错综复杂，也不得不引起国际社会的关注，如何协调和处理与贸易有关的环保措施和多边及双边贸易体制的有关规定之间的关系，既避免出现借环境保护之名行贸易保护之实的情况，又使得各种贸易体制对气候变化等环境问题给予足够的关注，这或许是国际环境法和世界贸易组织法要共同面对的难题，因为世界贸易组织多哈议程并未完成贸易与环境相协调的规则，无法真正协调各个国家自由贸易规则与环境治理措施之间的矛盾与冲突。在此形势下，促进 WTO 框架下环保与贸易协调处理机制的建立已经十分必要。

所谓环保与贸易协调处理机制，就是指能够实现环境保护和贸易自由的相互协调，使得环境保护措施既不影响贸易自由，贸易自由又不会有悖于保护环境的一种综合体制。这一机制的建立需要在 WTO 框架下得到充分的协调，因为 WTO 主要致力于贸易自由化，它毕竟是一个经济组织，而不是一个环境保护组织。因此，在这一机制中，如何做到环境保护措施不会制约贸易自由化，贸易措施又不会对环境保护带来障碍，这便是 WTO 的主要任务。WTO 的宗旨明确提出，成员方认识到在发展贸易和经济关系方面应当按照提高生活水平、保证充分就业和大幅度稳步提高实际收入和有效需求、并扩大生产和商品交易以及服务等方面的观点，并为着持续发展的目的最合理地利用一世界资源，寻求对环境的保护和维护。因此，在促进贸易自由发展的同时，WTO 应当兼顾环境保护。但其中的轻重缓急是显而易见的，固然 WTO 不能对环境保护问题视而不见而必须在力求经济发展的前提下对环境保护予以关注。因此，在低碳经济的潮流下，在碳关税逼近的形势下，应当尽快地促进 WTO 框架下环保与贸易协调处理机制的建立，使得 WTO 能够致力于国际环境保护行动的统一化和国际环境立法的趋同化(张巧进，2011)。因为 WTO 有着其特殊的地位和影响力，它所具有的巨大的凝聚力和超强的吸引力以及现有机制的完备性是其他世界组织所不能比拟的，碳关税的提出直接关乎各国的自由贸易，而贸易又是各国利益的焦点所在，利用其核心机制来统一各国的环保活动，实现各国环境立法的趋同化(黄辉，2006)。与此同时，在 WTO 框架的指导下，制定与贸易有关的环保协定，并与国际环境组织共同协调创造自由贸易与环境保护的互利共赢的局面也无疑是更好的选择。只有这样，我们才能更好地应对碳关税所带来的诸多问题，也必将会在未来长远的发展中打破诸如此类的新型绿色贸易壁垒，在追求低碳经济的道路上能够同时收获自由贸易的果实。

8.1.2.5　积极参与国际碳排放标准制定

目前国际上并没有征收碳关税的统一标准，这为我们参与后续的全球减排规则制定和碳关税征收标准谈判创造了一定的机会和条件，积极争夺国际碳关税谈判话语权，团结广大发展中国家，切实维护发展中国家的排放权益和经济利益。积极倡导国际气候会议顾及中小国家的发展实情，在一定范围内给予允许历史和现阶段排放量都很少的国家稍多的排放指标和排放权限（张宁，2010）。

积极借鉴欧盟在《京都议定书》中的协定，规范全球碳排放交易机制，从历史排放量、人均排放量、人口规模、对全球经济的贡献程度等角度来衡量各个主体的碳排放额度，以国家为主体，并以各主体的净排放量来衡量国家对温室气体的贡献度，从另外的角度来鼓励发展中国家利用森林等植被对温室气体的吸收缓解碳排放的压力。

中国作为发展中国家温室气体的排放大国，在很大程度上需要制定适合本国国情的减排措施和减排目标，在碳排放的征收标准及碳关税的实施细则等方面我国都要做好充足的研究准备工作，实施适合本国的碳排放标准细则，切实把握国际碳排放标准的话语权和决策权，在我国应对碳排放的实施细则中争取主动。

同时，倡导国际气候组织建立全球性的碳排放交易所，实施全球碳排放市场化交易，而不能仅仅局限于目前已有的气候环境交易所，对超过自身碳排放额度的国家需要在全球统一的碳排放交易所通过市场价格来购买排放额未用完的国家的排放额度，积极推动有效成熟的碳排放交易市场，发展温室气体排放的市场化机制，促使全球经济向低碳经济转型、向环保产业延伸，进一步敦促全球各主体参与全球气候的保护。

8.1.2.6　敦促低碳技术共享，提高全球资源配置效率

我国在参与国际气候会议谈判时，积极倡导国际组织敦促发达国家与发展中国家实现低碳技术的共享，共同应对全球气候变化问题。一方面，发展中国家要发展经济，在低碳技术并不成熟的情况下，其生产的产品多集中在高能耗粗放式生产方式中，产品的碳强度大，温室气体排放量大；另一方面，发达国家的经济多集中在服务业和高新技术产业，对制造业的依赖程度并不是很高，欧美等的新能源产业、绿色环保产业等具有较长时间的产业规划和技术积累与改进，其生产的产品都属于高附加值低排放的产品，碳强度小。

如果发达国家能够在一定程度和范围内与发展中国家共享其低碳减排技术帮助发展中国家减排的话，全球温室气体排放的总量会比未合作前降低很多，在一定程度上提高全球资源配置效率（齐晔等，2008）。

目前，发达国家只是在清洁发展机制合作中向发展中国家提供一定的技术和资金支持，从而获得一级市场上低价的碳排放交易权，在国际社会通过二级市场以高价出卖手中的碳排放权，在此过程中发达国家只是利用很少的技术和资金来换取更大的利润，而发展中国家只是获得了改善当地生态环境、带动当地就业、获得少量的低碳减排技术等少数好处。况且《京都议定书》在 2012 年到期后，发达国家与发展中国家在碳减排方面是否能达成协议还是个未知数，这种仅有的资金和技术的转移是否能够维持也变得不确定。因此未来的低碳技术转移在应对全球气候变化问题时显得尤为重要。否则，发展中国家与发达国家只是各自生产自身有比较优势的产品，只会增加全球碳排放的总量，令全球气候问题变得越来越糟。

8.2   中国应对碳关税挑战的国际层面的措施[①]

碳关税的提出和征收是一个国际法层面的法律问题，是借世界贸易组织和多边环境协定机制两套实体国际法规则的冲突获得了随意解释的空间，是在国与国之间产生的跨国性征税，那么，就必须要将碳关税放到国际环境的大背景下，在多边博弈均衡的前提下解决碳关税的纠纷，在国际法的框架内探讨碳关税的合法性，并进而在国与国之间发展出应对碳关税的有效措施（张倩，2012）。

8.2.1   加强国际谈判，声张立场与原则

针对欧盟征收航空碳关税的问题，国际上已经展开了积极的国际谈判，并取得了一定的进展。2012 年 2 月 22 日，反对欧盟强推全球航空排放权交易的 32 国代表结束了在莫斯科举行的会议，包括中国、俄罗斯、美国、南非在内的 29 个国家共同签署声明，联合起来共同抵制欧盟的"霸王体系"，并且探寻新的路径以推动全球航空减排。此份联合宣言重申了《联合国气候变化框架公约》和《新德里联合声明》相关内容，要求加强与国际民用航空组织（ICAO）合作，督促欧盟及其成员国停止单边性的航空碳排放交易等，采取在"共同但有区别的原则"的基础上寻找全球性的出路。为了保证各国计划顺利进行，包含 8 条内容的一揽子"反制措施"已经制定。其中包括了禁止本国航空公司参加欧盟的碳交易计划；停止就新航线和降落权与欧洲航空运营商举行会谈；要求欧洲航空公司提交相应的飞行数据；对欧洲航空公司征收额外费用；采取一系列的游说措施，与欧盟成员国如荷兰、法国、德国的航空运营商单独举行会谈等（张倩，2012）。

虽然目前对于这份联合声明的效力与作用还存在一定的疑虑，但这毕竟是国际谈判的有效成果，其作用和意义不容小觑。可见，在国际社会上，针对碳关税的应对完全是可以通过谈判来逐步予以解决的。广大发展中国家应积极、有效地利用这一平台，开展更富有成效的国际谈判。

在这一平台内，我国应积极参与和推动碳关税相关国际条款的讨论和碳减排协议的谈判；结成"反碳关税联盟"，争取国际舆论；要坚持共同但有区别的责任原则、最惠国待遇原则、国民待遇原则、关税减让原则等，提出切实维护自身利益的政策主张。同时，我国也应积极发挥应对气候变化、发展新能源技术的引导作用，率先垂范，树立起负责任大国的良好形象，从而获得国际舆论的广泛支持和认可。

---

① 本部分内容主要编引自张倩的研究。

在谈判中我国还可以从消费者社会责任的角度，提出和倡导以历史累计排放量和人均消耗量为基准的新型碳减排责任标准的主张，并以此作为谈判的砝码反制美、欧国家的碳关税政策。具体来说，首先要联合发展中国家对发达国家征收历史碳税。发展中国家同发达国家处于不同的发展阶段，发达国家早已实现工业化，中国等发展中国家尚处于工业化中期阶段。美、欧等发达国家在过去一百多年乃至几百年的时间里以比较粗放的经济发展模式走过了工业化，留下了对人类生存环境难以恢复的污染破坏，大约 70% ~80% 现存大气中二氧化碳是由发达国家排放的，因此其对气候变化应负主要责任(夏先良，2009)。既然发达国家主张对高碳产业征收碳关税，那么就应该先对其之前排放的二氧化碳征收历史性碳税，这样才能在公平的发展环境下探讨今后的碳关税问题。其次，印度在有关环境保护的谈判中提出过以人均排放替代总量衡量的做法，很有借鉴意义。人均碳排放指标是以人为单位计算碳排放量，反映人均占有的自然资源和承担的减排义务(李平等，2010)。同时，人均碳排放与人均 GDP 存在较高的相关性，能在一定程度上反映一国居民生活水平的质量，体现国民的支付能力(李平等，2010)。利用 CDIAC 的最新数据计算可得，工业革命到 2008 年间，发达国家的累积排放量约占全球累积排放量的 55.6%，而其人口仅占全球人口的 14.8%。从当前人均排放水平来看，2008 年发达国家为 3.39t/人，发展中国家为 0.93t/人，相差 3.63 倍(李平等，2010)。考虑到人都是生来平等的，应公平享有全球共同资源的权利、承担个人对全球减排的义务，那么在碳税的征收上就应该以人均消耗量为基准来征收碳税。当然，这两种主张都是站在发展中国家的角度考虑的，不易被发达国家所广泛接受，历史碳税的起算时点、累计标准都很难具体操作，尤其是用百年前已故去的人口去平均计算整个累计排放量也备受争议，因此可行性不大。但是，这毕竟为发展中国家在谈判中开辟了一条新的路径、增加了新的谈判筹码。既然欧、美国家可以冠冕堂皇的主张征收碳关税，那么发展中国家当然也可以以历史碳税和人均碳税为依据批判碳关税的违法性和非公平性，从而有力地挫伤发达国家的锐气，使谈判朝着公平、公正的方向发展。

8.2.2　推进自由贸易区合作，消除碳关税生存的空间

由于环境问题与贸易问题千丝万缕的联系以及各国不同的利益诉求的广泛纠结，现阶段对环境问题开展多边贸易谈判困难颇多。而作为多边贸易体制重要补充的自由贸易区制度，则由于对多边贸易体制作了灵活有效的变通，更多的兼顾到了各国的具体利益，获得众多国家的青睐而迅速发展壮大起来。通过自由贸易区这种较少国家参与、较小范围的谈判模式，将更能体现和维护各个国家的国家利益，并能在此基础上形成以点带面的辐射作用，不断扩大谈判的范围、增加谈判参与国的数量，从而为达成国际社会普遍的环保协议搭起一座沟通的桥梁。因此，有关环境保护的议题完全可

以放在这一法律框架内予以探讨、解决。国际气候谈判之所以没能取得成功，很大程度是由于各国的利益诉求和发展阶段不同所致。大多发达国家都极力规避碳减排义务，并努力将发展中国家也纳入减排计划中，寻求与发展中国家之间的"一视同仁"。发达国家经过多年的经济积累和技术飞速发展，其已经有充分的资金来源和技术水平来支持其完成污染减排的责任，实现环境、经济效益的完美统一和发展。而反观发展中国家，其面临的首要问题是发展，相当一部分发展中国家主要是依靠初级产品的加工和出口、依托成本优势来实现经济的增长，有些发展非常落后的贫困国家甚至连温饱都没能彻底解决。这就使得发展问题和环保问题在发展中国家中形成了尖锐的、不可调和的矛盾。现实的国情决定了发展中国家必须要以发展为优先战略目标，并在经济发展的前提下逐步提高环境保护的水平。正是由于存在这种利益诉求上的差异，要想在国际范围内达成普遍的协议很有难度。因此，为谋求共同发展，发展中国家就更应该积极的在自由贸易区的框架内寻求与其他国家之间的合作，通过签订双边、多边协议，扩大交流领域、加强环保技术研发、资金援助的力度，促进人才交流和信息共享，开展削减关税的谈判，设置较低的关税甚至零关税，从而在区域范围内实现关税标准的统一协调，消除碳关税生存的空间。美国、墨西哥与加拿大之间的北美自由贸易区无疑为我国提供了成功的范例。三国通过加强信息交流、技术合作、资金支持、取消配额限制、减免关税等手段，促进自由贸易区内货物的自由流通，并着力在贸易自由化的进程中加强环保水平，取得了不错的经济、环境效益（蔡高强等，2010）。我国应充分借鉴其中的有益经验，在中国–东盟自由贸易区的框架内推进碳关税的谈判，进一步扩大减免关税的范围，消除贸易壁垒。

8.2.3　实施反制措施，以碳出口税、碳关税应对碳关税

针对欧盟征收航空碳关税的做法，美国议会已经通过相关法案，禁止美国航空公司缴纳这项税收；印度政府也要求本国航空公司不要屈服于欧盟的该项税收规定；我国政府也表示强烈反对，并明确表示如果欧盟一意孤行，中国将采取相应的商业报复措施。俄罗斯、印度、巴西等国也相继制定相关条例禁止本国航空公司私自参与欧盟航空碳排放交易。在贸易反制方面，我国可以以境内机场的航班加油量为基础征收燃油消费税，为避免对本土航空业造成冲击，还可以考虑采取对国内航空公司暂缓征收、先征后退等方式。同时，在时机成熟之际，我国也可以通过单边立法，从法理上对碳密集型投入的生产活动作出否定性评价，设计若干基于减排目标的贸易限制措施条款，征收相关国家对我国进口产品的碳关税，对欧、美等发达国家进行有效的反制（张倩，2012）。

有学者提出了以碳出口税应对碳关税的观点。如果我国对高排放产品的出口征收碳出口税，其他国家就不能再征收碳关税。在我国还没有准备全面征收碳税的情况

下，针对外国的碳关税措施，我国可以先征收碳出口税，这样既可以达到应对碳关税的效果，又可以将税收收入留在国内（曹静等，2010）。征收碳出口税与被动接受碳关税相比，对我国经济的负面影响更小一些。

根据表 8-1 的数据可见，征收碳出口税除了能促进国内消费之外，对我国实体经济的其他方面也都将产生负面影响，对出口的负面影响甚至还超过了碳关税，但对其他方面的负面影响要小于碳关税。虽然征收碳出口税对出口的负面影响超过了被动接受碳关税，但可以起到优化出口结构，推动产业结构调整的作用。此外，征收碳出口税还能为我国政府带来大量的财政收入，避免被国外征收碳关税而流失。总之，征收碳出口税是一种对我国经济影响较小的应对碳关税的方式。

表 8-1　征收碳出口税与接受碳关税对实体经济的影响比较

实体经济	征收碳出口税的变化率(%)	接受碳关税的变化率(%)
GDP	−0.07	−0.08
消费	0.03	−0.15
投资	−0.06	−0.08
出口	−0.36	−0.16
进口	−0.33	−0.42
就业	−0.07	−0.09

资料来源：张沁，李继峰，张亚雄．"十二五"时期我国面临的国际环境壁垒及应对策略——征收碳出口税的可行性分析．国际贸易，2010(11)．

还有学者提出，以碳关税应对碳关税。如果某国对我国的产品征收碳关税，我国可相应地对该国产品征收报复性的碳关税。据国际贸易学和经济学中博弈论的相关理论，应对关税壁垒的最有效的办法就是对征收关税的国家征收报复性关税。征收报复性关税会增加对方国家在征收关税时的成本，从而使对方国家在实施碳关税措施时权衡利弊（张曙霄等，2010）。虽然碳关税是否是关税存在着争议，但上述理论同样可适用于碳关税。中国常驻 WTO 代表团副代表张向晨也指出，如果发达国家开征碳关税，发展中国家也可以按照人均碳排放的标准对发达国家征收碳关税（张向晨，2009）。如果我国以碳关税应对碳关税，将增加外国设置碳关税的成本，从而有可能迫使发达国家放弃对我国征收碳关税。但这种以碳关税应对碳关税的做法也遭到了一些学者的反对。他们认为，这种激烈的应对措施，会直接提高我国进口产品的价格。而我国进口产品绝大部分都用于中间投入（2007 年约为 83%），进口产品价格的提高必然会增加我国产品生产过程的投入成本，使出口产品的竞争力进一步减弱，出口会在碳关税影响的基础上进一步恶化（张沁等，2010）。这种反对意见有一定的道理，而且以碳关税应对碳关税可能引发贸易战。由于我国出口对发达国家市场的依赖性较大，在引发贸易战的情况下，我国受到的损害将远远超过发达国家（蓝庆新，2010）。因此，以碳关税应对碳关税是选择之一，但不是最优选择。

8.2.4 充分利用 WTO 争端解决机制，解决碳关税争议

在由碳关税引发的贸易纠纷中，我国可以将违反 WTO 协定的碳关税措施诉诸 WTO 争端解决机制，并通过争端解决程序，重建公平的贸易环境（李晓玲，2010）。为充分利用 WTO 争端解决机制应对碳关税，我们有必要对其有关环境措施案件的审判实践予以梳理。

WTO 成立以来其争端解决机构审理的与环境措施有关的案件中，大多对 GATT 第 20 条作了宽泛的解释。其中颇具代表意义的审判实践就是石棉案和汽油标准案。在石棉案的审理过程中，上诉机构仅强调一项措施只要是实现其本身的目标所必需的即可，并不强调该项措施必须是"最少违反"GATT 的其他规定或符合"最低贸易限制"的要求。WTO 成员有权决定并采取它们认为合适的健康保护水平。由于法国所采取措施的目标是遏制石棉对人类健康的危害，因此满足健康保护水平的要求，符合 GATT 第 20 条（b）款的含义（沈木珠，2011）。在汽油标准案中，原告委内瑞拉和巴西认为美国颁布的新"汽油规则"违反了 WTO 有关国民待遇的规定，且不符合 GATT 第 20 条的环保例外。经过审查，专家组和上诉机构作出裁决，认定美国的做法虽然符合 GATT 第 20 条（g）款的规定，但不符合 GATT 第 20 条引言的规定，于是裁定美国败诉（周跃雪，2011）。该案的审理中，在对（g）款中的"可能用竭的自然资源"的理解上，专家组做了较为宽泛的解释，即认为"洁净的空气"属于"可能用竭的自然资源"的范畴。此外，专家组和上诉机构还开创了"分步走"认定模式的先河，将 GATT 第 20 条做了拆分，即分别分析该措施是否同时符合第 20 条引言的要求以及 20 条所列的例外情况，只要有一项不符合规定，即认定违反了 GATT 第 20 条的规定。

以上案例说明，在全球气候变暖、环保意识高涨的国际背景下，上诉机构在处理贸易与环保争端案件上有向环境保护倾斜的趋势，其更有可能在未来对"碳关税争端案"的审理中对 GATT 一般例外条款做出更为宽泛的解释，将碳关税纳入"一般例外"的范围内，使碳关税成为一项符合 WTO 规则的环保措施，获得合法地位，这无疑是发展中国家所不希望看到的。

而针对欧盟征收航空碳关税的问题，最近的法律审判实践是由美国于 2009 年向欧洲法院进行的起诉。早在 2009 年，美国航空运输协会与美国三大航空公司向伦敦高等法院提出针对英国的诉讼，认为欧盟碳关税违反《芝加哥公约》《京都议定书》以及欧美"开放天空"双边协定。后由于该案较为复杂，牵扯众多利益，伦敦高等法院将案件提交给欧洲法院进行审理。我国也已经将通过法律途径解决欧盟航空碳税的问题提上了日程，但中国还未来得及正式提起诉讼，冲在前头的美国却已败下阵来。2011 年 12 月 21 日，欧洲法院发表声明，认为将航空业纳入欧盟碳排放交易计划的指令没有违

反惯常的国际法原则和"开放天空"协议，具有法律效力，故宣布美国航空运输协会以及 3 家美国航空公司败诉（郭丽萍，2011）。

无论是运用 WTO 争端解决机制解决碳关税争议，还是最近的欧洲法院针对欧盟征收航空碳税的法律判决，都为我们应对和解决碳关税问题提供了有效的借鉴和范例，值得我们细细体会、认真研究。

由于碳关税的征收牵涉到众多国家的国家利益，其贸易壁垒的性质将导致碳产品出口国与碳关税征收国之间的贸易争端，作为碳产品出口大国，我国必须认真研究 WTO 争端解决程序中有关环境纠纷的审判实践，熟知 WTO 的法律机制，从美国诉欧盟航空碳税的案例中总结经验，并从争议焦点寻求申诉的突破口。根据前文对 WTO 争端解决机制中有关环境措施的案件分析，我们不难发现其大都对环境保护条款作较为宽泛的解释，所以在具体的审判实践中，碳关税究竟是能获得"一般例外条款"的豁免，还是被争端解决机构认定为贸易保护壁垒，结果不可一概而论（何娟，2010）。这就说明，我国将来在运用争端解决程序应对碳关税贸易壁垒时，必须要做到知己知彼，积极寻找突破口，搜集大量的相关证据，同时也要承担更重的举证责任。

有鉴于此，我国可以从以下几点寻找突破口和搜集证据：

第一，以"最惠国待遇"原则为依据，强调产品在生产过程中的碳排放量不能作为判断同类产品的标准，同类产品不论来源于任一成员方均在进口国享有同等待遇，且进口国不能设定任何与进口产品"同类"标准无关（如产品在生产过程中的碳排放量）的"有条件"的优惠待遇（王海峰，2011）。如果碳关税仅仅针对个别发达国家与发展中国家，而被申诉方又提不出充分的证据证明为何在不同国家之间作出区别对待，那么该措施即违背了最惠国待遇原则（何娟，2010）。此外，我国还可以根据被申请方已经提供的相关证据论证其执行过程是否符合技术性、公平性和可行性的标准，从而从执行的角度分析我国进口产品在缴纳碳关税的过程中是否受到歧视性待遇，并进而论证其对最惠国待遇条款的违反。

第二，以"国民待遇"原则为依据，主张有关国家不得在本国与他国的同类产品之间形成不合理的差别待遇。如果进口国本国产品所承担的碳减排责任明显小于进口产品，需要被申诉方作出合理解释，否则即违反国民待遇原则。

第三，以 GATT 第 20 条为诉讼依据。首先，以 GATT 第 20 条的前言为诉讼依据，要求有关国家证明其实施的碳关税措施没有对国际贸易构成变相的限制，没有造成国际贸易秩序的混乱。同时我国还要积极收集我国高碳行业出口受到重大损失的客观证明，提供翔实的经济数据分析和经济影响评价，提出有效的证据证明碳关税的征收使我国的外贸出口行业受到重大冲击从而证明其贸易壁垒的本质属性。其次，以 GATT 第 20 条（b）项为依据，要求有关成员方证明碳关税是对国际贸易限制最小的措施，为保护人类、动植物的生命或健康所"必需"的措施，具有"不可替代性"（王海峰，

2011）。在此，我国也应展开实证研究和调查，提出解决二氧化碳排放更有效的措施，诸如发展低碳经济、进行技术升级、加强对传统能源的节约利用和新能源的研究开发等等，以割裂碳关税与"保护人类、动植物的生命或健康"之间的因果关系，从而证明其是非"必需"的措施。最后，以 GATT 第 20 条（g）项为依据，强调碳关税的实施必须与进口国国内限制生产与消费的措施相配合，并要求有关成员方证明，其实施碳关税的主要目的是有效保护可用竭的自然资源，即碳关税措施与保护清洁空气之间关联的"真实性"与"紧密性"（王海峰，2011）。在此，我国可以提出的证据是碳关税的主要目的并不是有效保护可用竭的自然资源，而是披着环保外衣的贸易保护壁垒。虽然有限的能源、清洁的空气属于"可用竭的自然资源"的范畴，但碳关税的征收并未在保护"可用竭的自然资源"方面取得有效的作用，同时其还影响了国际贸易环境，引发多国之间的贸易争端。所以碳关税在 GATT 第 20 条中找不到足够的法律支撑，有违法之嫌。

第四，强调我国已采取多样的国内立法措施和环保措施，并为应对气候变化作出了卓有成效的努力和尝试。这就需要我国自身主动提供翔实的证据，这些证据既体现在定量预测和定性推理，也体现在措施的措辞、出台历史、政府机构与官员声明，还体现在法律、技术的实践与落实等诸多方面。比如我国应对气候变化的环境保护法律体系的完善建立、国内碳税的制定、绿色科技和能源的研发、低碳环保技术的广泛应用等。从而树立我国主动承担二氧化碳减排责任、积极保护环境和生态平衡的负责任的大国的形象，赢得舆论的支持和理解，从而在诉讼中为自己增加胜诉的筹码。

第五，依托"共同但有区别责任"的原则，重申我国发展中国家的国际地位，并通过前款证据证明己方已经恰当履行了作为一个发展中国家所承担的碳减排义务。同时，进口国则需提供证据证明其已经切实遵循了"共同但有区别责任"的原则，做出了适当减免的安排，并且在环保领域为发展中国家提供了技术支持和资金援助。否则，由于其碳关税措施没有考虑到发展中国家不同的减排责任，不符合"共同但有区别的责任"原则的规定，不能与国际环境公约中的条款相衔接，从而有可能作为碳关税不符合国际准则的证据。

以上几方面是我国在有关碳关税问题的争议中都需要解决的问题。而针对欧盟征收航空碳关税的问题，我国除了在世界贸易组织争端解决程序中寻求解决外，还可以通过另一个法律平台，即欧盟法院展开诉讼。对于在欧盟法院提起诉讼，中国航空企业可以参照美国模式，联合中国航空运输协会以欧盟违反《国际民用航空公约》《京都议定书》以及《服务贸易总协定》的相关规定为由启动起诉程序（吴官政，2011）。根据《欧洲联盟运行条约》第 267 条，欧盟法院对于欧盟机构之法令的有效性及其解释拥有初步裁决管辖权：任何成员国法院或法庭在遇到此类问题时，如认为关于该问题的裁决对于其作出判决是必需的，则可请求欧盟法院就此问题作出裁决（龚宇，2011）。基于以上规定，我国在起诉欧盟时，可以先在相关成员国法院就航空碳税的合法性问题对成员国的具体实施部门提出诉讼，再通过成员国法院将案件提交欧盟法院。事实上，美国起诉欧盟航空碳税的时候就是遵循了这一起诉讼路径，先在其管理成员国——英国提起诉讼，然后又由英国高等法院于 2010 年 7 月将案件提交至欧盟法院进行裁决(张倩，2012)。

　　综上所述，我国在通过 WTO 争端解决机制解决碳关税这一问题时，根据对方的执法实践和举证角度，拥有不同程度的辩论空间，可在调查研究的基础上展开有针对性的举证和应对。而在质证的过程中最重要的就是要了解对方的真实动机，结合 GATT 的相关规定找出对方存在的法律漏洞，并提出全面、具体、真实的证据对自己的观点予以佐证。通过法律上的反驳以及实证上的分析，就能使我国在 WTO 争端解决机制和欧盟法院的诉讼中占据有利地位、抢占先机，从而获得对我国有利的最终裁决，有效地应对碳关税贸易壁垒。

8.2.5　利用例外条款，寻求豁免

　　任何法律在制定中出于对现实利益和复杂情况的考虑，都会在规定中留有一定的余地，也即制定一些例外条款，在符合这些例外条款的情况下，就可以规避其他条款的适用。欧盟的航空碳税立法同样如此。为了避免因各国自行其是而可能导致的对航空公司的重复规制或重复收费，根据欧盟 2008/101 号指令，若第三国主动采取措施减少从该国飞欧盟航班的温室气体排放，并且减排效果与欧盟指令相当，则欧盟委员会应考虑在双边磋商的基础上与该国达成航空减排措施方面的"最优安排"，包括在必要时将来自该国的航班排除在 ETS 的适用范围之外(龚宇，2011)。这就是说，如果我国的减排效果与欧盟指令相当，那么就可以不必缴纳航空碳关税。当然，这就对我国的碳减排提出了更高的技术要求和操作标准，虽具有适用的可行性，但要真正达到欧盟的减排效果标准，我国还有很长的路要走(张倩，2012)。

8.3　中国应对碳关税挑战的国内层面的措施

8.3.1　完善应对气候变化的环境保护法律体系

　　我国政府秉承可持续发展、和谐发展的战略思路，高度重视全球气候变暖和环境保护问题，先后出台了一系列相关法律法规和政策，通过法律的手段规范企业的生产模式和消费模式，达到节能减排的目的。1989 年 12 月通过了《中华人民共和国环境保护法》；2005 年 2 月通过了《中华人民共和国可再生能源法》；2007 年修订通过《中华

人民共和国节约能源法》，发布了《中国应对气候变化国家方案》，并成立了国家应对气候变化及节能减排工作领导小组；2008 年 8 月通过了《中华人民共和国循环经济促进法》，发布了《中国应对气候变化的政策与行动》白皮书；2009 年 8 月 24 日发布了《国务院关于应对气候变化工作情况的报告》；2009 年 8 月 27 日通过了《全国人大常委会关于积极应对气候变化的决议》；2011 年 8 月国务院印发了《"十二五"节能减排综合性工作方案的通知》。

尽管我国已经有了一些环保方面的法律、法规和政策性文件，但是总体而言，我国在环保的立法领域里仍处在一个摸索和被动的局面里，缺乏高位阶、体系化的规范性法律文件。在新一轮气候谈判过程中，为有效应对美、欧等发达国家的碳关税贸易壁垒，我国应在整合现有立法的基础上，通过借鉴国际经验和总结中国国情，继续完善我国应对气候变化的环境保护法律体系。首先，继续推进国际条约的国内化，如《联合国气候变化框架公约》《京都议定书》《蒙特利尔议定书》《保护臭氧层维也纳公约》《生物多样性公约》等，并按照多边环境条约完善国内环保法律体系。环境恶化的现实背景和高涨的环保意识，客观上对国际法律秩序和体系造成了全方位、多层次的冲击。为顺应这一发展趋势，国际法规必将会对这一领域做出一定的调整和应对。这就要求我国加强对国际环保公约的研究、调查，对 WTO 等全球性国际组织的最新立法动态进行跟踪，密切关注国际社会有关环保立法的动态，做到未雨绸缪，知己知彼。其次，加强应对气候变化的立法研究，整合、修改、完善现有的法律法规，形成完整的法律体系，强化可操作性。将利于低碳发展的《中华人民共和国循环经济促进法》《中华人民共和国节约能源法》《中华人民共和国可再生能源法》及相关法规实施细则等进行梳理整合，形成应对气候变化的多层次的法律体系（董正爱等，2012）。同时，出台配套的规章条例，将法律法规的条文细化，将企业的减排义务予以量化，明晰其相应的法律责任，从而提高法律法规的可操作性，充分发挥环保法律对人们环保意识、企业环保行为的引导带动作用，并在节能减排、应对气候变化方面发挥其切实的作用。

8.3.2　积极建立国内碳税机制，以碳税应对碳关税，消除被征收碳关税的理由

我国著名经济学家樊纲认为，我国开征碳税是应对碳关税的较好方式。碳税是指一国以保护环境为由针对二氧化碳排放所征收的税费。其征收范围以一国管辖范围为限，属于国内环境税的一种，被认为是目前一国国内削减二氧化碳排放的一种有效手段。碳税是 20 世纪 90 年代在北欧国家开始兴起的，并于 1992 年由欧盟推广。目前世界征收碳税的国家并不是很多，主要包括美国、加拿大、德国、法国、英国、意大利、日本、芬兰、荷兰、挪威、瑞典、丹麦、瑞士、澳大利亚、捷克、爱沙尼亚、

斯洛文尼亚等发达国家(马其家,2010)。现行征收的碳税的税率范围基本分为工业部门征税和家庭征税,工业征税最高可达到 13.4 欧元/t 二氧化碳(丹麦情形),按照发达国家征收碳税的效果来看,其对经济的影响非常有限(张晓盈、钟锦文,2010)。

开征国内碳税必将会对我国高碳产业产生一些不利影响,但综合来看还是利大于弊,具有开征的必要性与可行性(张倩,2012)。第一,可以使中国企业尽早规制在减排温室气体的法律框架下,对高耗能产业进行约束,弥补我国现行税制中的不足,做到有法可依,从而为执法的展开打好基础,促进经济发展方式的转变。尽管我国现行环保法律体制和税制体系中不乏"碳税"的内容,如对化石能源课征的资源税、消费税等,但是也应该看到,这些税制还处在"有名无实"的状态,条文分散、规定宽泛模糊,缺乏为环境保护和资源节约专门设立的独立税种,不利于在当前政治经济日益全球化的背景下开展国际交往。而且,由于经济社会发展水平、人们环保意识、技术开发水平等因素的制约,当初这些政策设计时缺乏从环境资源保护的角度进行全方位的考察,其滞后性已经不能适应当前我国对环境保护的现实需要。比如,我国目前对汽油、柴油这类能源课征消费税,但却没有对占我国能源消费60%的煤炭课税,这不仅不符合我国的现实国情,也不利于对能源进行保护。因此,应该对我国现有的税种进行研究、分类,将车辆购置税、车船税、燃油消费税等涉碳税种进行整合,以应对碳关税为契机,开征国内碳税。第二,可以树立我国环保大国负责任的姿态,斩断发达国家基于可能的不公平竞争而采取碳贸易限制措施的借口,并进而在国际有关环境问题的谈判中增加筹码、取得先机。第三,开征碳税不仅符合我国贯彻科学发展观的发展目标和《中国应对气候变化国家方案》提出的政策要求,而且碳税具有计量简单、操作容易、便于检测的特点,技术水平相对成熟,因此具有政策和技术上的可行性。第四,在征收碳税的经济效益方面,国家发改委能源所发布的《2050 中国能源和碳排放报告》中称,征收碳税对 GDP 带来的损失其实是非常有限的,而其对抑制能源价格也将产生积极作用。据相关部门测算,开征碳税 10 年内,对 GDP 的影响在 0.4% 左右,这一影响随后将趋缓,碳税的减排效果将会达到20%(盛立中,2010)。第五,对高碳产品的生产企业征收一定的碳税,能有效从根本上改变企业和家庭的能源消费形式和习惯,引导企业和社会树立低碳发展的意识和观念,逐步转变经济发展和增长的方式。第六,在国内开展碳税,让企业来承担现阶段生产过程中碳排放的成本,有效实施碳减排措施,限制企业温室气体的排放,可以从根本上消除欧美等发达国家对我国出口产品征收碳关税的可能性,消除出口时因为碳关税而带来的的损失,在一定程度上降低碳关税给我国经济带来的负面影响。而且把外国想征收的税费先由国内征收,通过国际税收协定来规避外国的双重征税,这样我国就可以将税收资金用于国内资源环境保护和技术研发,达到一箭双雕的作用。可见,碳税征收虽然在短期内对我国经济发展产生非常轻微的波动，但从长远发展来看，还是功在当代、利在千秋的一项重大举措。

　　未来我国碳税法律制度的设计应注意以下主要问题：首先是课税对象。可以将在生产、经营等活动中因消耗化石燃料产品而直接向自然环境排放的二氧化碳作为课税对象。凡是因消耗化石燃料向自然环境中直接排放二氧化碳的单位和个人都是纳税义务人。其次是计税依据。按照计税依据分类，碳税可以分为间接计征的碳税和直接计征的碳税。直接计征碳税的计税依据理论上是建立在二氧化碳排放量的基础上（白彦锋，2011）。从我国的实际情况来看，税务机关尚不具备对二氧化碳排放量进行检测的能力，因此这一计税方法较难操作。实践中，考虑到燃料的含碳量与燃料燃烧释放的二氧化碳基本成正比关系，因此对燃料燃烧释放的二氧化碳排放量完全可以通过燃料含碳量和两者之间的比例关系大致估算出来。所以，为了便于征收、降低征管成本，我国应采用间接计征的碳税，即根据燃料的含碳量确定征税标准。再次是税率的确定。关于税额税率，财政部财科所碳税课题组和发改委能源研究所均建议，碳税开征初始阶段，每排放 1t 二氧化碳课征 10 元税费，其后逐年提高至每吨 100 元（盛立中，2010）。这一税率的确定考虑到了我国社会经济的发展阶段和纳税人的负担能力，具有可行性。综合来看，初级阶段碳税的税率可以根据环保部门对能源含碳量的测算结果制定差别税率，实行从量定额计征的方法，短期内选择低税率、对经济负面影响较小的税种，以照顾不同行业、不同地区间的情况差异（白彦锋，2011）。同时，还有必要建立碳税的动态调整监控机制，结合碳税在我国的征收实际，逐步提高碳税税率，更好地适应我国经济社会的发展和国际形势，从而更好地发挥碳税在节能减排上的重要作用（韩利琳，2010）。最后是税收优惠。在实际操作层面，还要采取一些配套的税收优惠和激励措施，适当减轻一些节能企业的税收负担，并通过这些措施引导国内企业转变生产方式，发挥积极的引导作用。按照税收中性原则的要求，税收总体上应该是有增有减的，在开征碳税后，为保持消费者总体税负不变，应对现存的税种和税率作出相应的调整，取消或降低一些与碳税征收重合的税种，在注重效率的同时要切实发挥税收的再分配效应，使得税收总额不因碳税的开征而有较大的变动，成为国家变相敛财的工具。例如，可以设立不同税率以鼓励发展可再生能源，对绿色环保企业、节能减排大户实施富有吸引力的税收优惠政策，并通过这些优惠政策引导国内企业向绿色、低碳、环保方向转变。

　　从目前我国经济发展的阶段来看，已经具备了开征碳税的条件，逐步实施渐进的碳税税率，碳税征收的前期阶段，企业可能需要一个缓冲的适应期来减小或者规避碳税的影响，随着碳税的实施，市场逐渐趋向低碳产业的发展，一定程度上促进了企业积极探索和引进温室气体的减排技术、温室气体的计量和存储技术，经济利润的刺激必然促使企业走低碳发展的路线。

此外，考虑到发达国家陆续将高污染、高消耗、高排放的跨国企业转移到我国，并借此转嫁环境污染义务的现实情况，在碳税的实际征收中，我国应将高碳跨国企业一视同仁地纳入征税范围内，并加大对这些高碳跨国企业的征税执法力度，切不可为招商引资而规避其纳税义务。因为跨国公司是依据我国法律并在我国设立的，按照属地管辖的原则，我国拥有对其征税的合法依据。同时，作为经济主体，跨国公司在发展的同时排放了污染、消耗了能源、增加了我国减排压力和治理环境的成本，其理应为自己的作为埋单。所以，我国对其开征碳税合情合理。同时，迫于碳税和成本上涨的压力，将促使跨国公司开发利用新能源、新环保技术，并引导跨国投资方向，转变投资模式，使其将更多的资金投到高新技术产业、绿色环保产业中去，促进我国的低碳发展。

8.3.3　积极完善国内碳排放交易机制，利用市场经济机制加大减排力度

排放权交易制度是能够促进节能减排的有效机制之一，我国应充分认识到其价值和必要性。我国虽然是发展中国家，但作为温室气体排放大国，在将来有可能承担强制减排义务。即便中国将来不承担强制减排义务，也要考虑到我国已经做出的自主减排承诺(白洋，2010)。我国目前主要是通过行政手段监管和鼓励减排，实际减排效果缺乏制度保障，有必要引入排放权交易制度这一重要的市场化手段，以促进我国自愿减排目标的实现。

更重要的是，建立排放权交易制度是我国应对国外碳关税的有效措施。美国与欧盟的碳关税提案都规定，实施了具有"可比性"的减排措施的国家的产品免缴碳关税。欧盟目前实施的是排放权交易制度，美国将来准备实施的也是排放权交易制度，如果我国也实施了排放权交易制度，则比较容易符合"可比性"标准，从而使我国产品不受美欧碳关税的威胁。可见，从应对国外碳关税的角度来看，我国也有必要建立排放权交易制度。

中国正处于经济转型的关键时期，改革现有的碳减排思路，将以行政手段为主的治理模式转变为以市场手段为主，不断加大减排力度，促使我国减排事业稳定发展。按照目前的发展形势，购买二氧化碳排放指标必定会成为未来的发展趋势。目前世界上比较成熟的限制温室气体排放的交易机制是美国的二氧化硫排放交易机制和欧盟的碳排放交易机制。随着20世纪90年代美国成功运用排放交易机制减少了国内的二氧化硫排放，而欧洲以德国为代表的成员国也在国内成功实现了碳排放的交易机制，并且正在实施《京都议定书》承诺的在2008年到2012年年均温室气体排放量在1990年的基础上较少5.2%的目标。

同时，欧盟航空碳排放交易体系中规定航空公司所在国的航空碳排放纳入本国碳交易市场的，飞欧洲航班的碳排放额度可以在本国抵消。这就意味着我国航空公司可

以通过国内的碳交易市场对冲欧盟的碳排放交易市场，从而避免将碳排放税收纳入到欧盟的税收中，同时还能积极有效地推动国内的碳交易市场。

虽然国内现在已经建立了北京环境交易所、上海环境交易所、天津排放权交易所等，但这几个交易所并没有进入实质性的碳排放交易机制，京沪两地的交易所目前仅限于节能环保技术的转让交易，其他温室气体的排放交易并没有涉及，而天津排放权交易所也只涉及了部分污染物交易（张晓涛等，2010）。

目前我国是世界清洁发展机制市场中最大的碳排放签售国，即我国是清洁发展机制一级市场中的最大的卖家，2009年的签售额占一级市场的72%（曾梦琦，2011）。国内并没有成熟的统一的碳排放交易市场，使得我国目前的清洁发展机制项目中的"经核证的减排量"（即CER）被发达国家以低价购得从而在国际排放市场上高价售出，而包括我国在内的发展中国家却对CER没有任何议价权，我国政府规定的CER一级市场的最低价格8欧元/t的标准也低于国际市场通行的10欧元/t的标准（曾梦琦，2011）。这说明我国的碳交易市场并不是有效的交易市场，很大程度上造成了我国碳资源的泄露。

对企业生产实行排放额度限制制度，规定将排放额度消耗完的企业必须到碳排放交易市场向还有多余的碳排放额度的企业购买排放剩下的排放额度，否则就不予生产许可。同时鼓励企业利用植树造林等固碳手段在碳排放交易市场换取一定的碳排放交易额度或者以公平竞价的方式将此排放额度出售给需要排放温室气体的企业，将原本可能被征收的碳关税资金用在国内碳排放指标的购买上，不仅完全有效地避免了出口产品的碳关税，同时完善了国内环保减排制度，更有利于企业向低碳经济转型目标的实现。

对比欧盟的碳排放交易机制，我们要研制出符合国情的碳排放交易机制，利用资本市场的流通手段促进碳排放交易市场的有效性与交易价格的合理化。多排放者付出的成本明显高于低排放者，能有效促使市场趋向低能耗减排技术发展，用市场手段解决目前我国温室气体的排放问题，积极促进国民经济的产业升级和消费升级。建立并完善控制碳排放的市场经济机制是一个复杂的系统工程，需要政府与企业的全力配合，积极营造有利的政策环境，建立健全必要的制度体系，以财政、金融等多种手段统筹规划，实现碳排放的合理定价及公平交易，并有效监督全国碳减排进程的实施情况。

8.3.4 积极改善我国能源消费结构，提高清洁能源利用比重

目前，我国很多产品的生产过程都涉及资源性能源的消耗，出口产品的碳含量高的主要原因是使用的能源结构不太合理，对煤炭等能源的依赖性太强，而清洁能源在能源消耗中所占的比例一直很低，如图8-1所示。

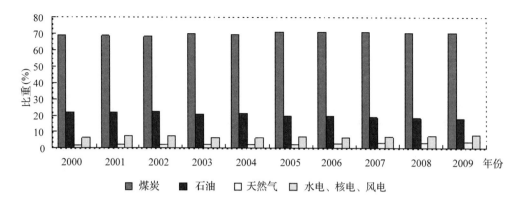

图 8-1　2000～2009 年十年间我国各种能源消费占当年能源消费总量的比重

数据来源：2010 年中国统计年鉴。

从图 8-1 中可以看出 2000～2009 年这十年来，我国能源消费结构并未随着经济的发展发生明显的变化，各种能源消费的比例大致保持不变。其中，只有天然气的消费比重发生了微妙的变化，其占能源消费的比重从 2000 年的 2.2% 上升到 2009 年的 3.9%，在我国居民能源消费中天然气消费占比重很大，近年来随着人们生活水平的提高，对天然气能源的消费有所增加。

能源消费中煤炭消费占主要比重，十年间煤炭消费的比重一直维持在 70% 左右；石油消费的比重稍有下降，从 2000 年的 22.2% 下降到 2009 年的 17.9%，这可能与近年来国际石油价格高企消费需求减少有关系。

而水电、核电、风电等我国近年来大力发展的清洁能源所占的比重并没有明显的上升，其比重一直维持在 6.4%～7.8% 箱体内波动。与发达国家高达 75% 的清洁能源利用比例相比，我国在改善能源消费结构中还有很大的发展空间。

清洁能源能有效降低我国对资源能源的依赖程度，维持可持续发展的动力，减轻我国温室气体排放的压力；同时，产品的制造过程中大力使用清洁能源能有效降低产品隐含碳的含量，能有效避免或者减轻产品出口时遭遇的碳关税的压力。因此，在应对碳关税的挑战时还需积极改善我国能源消费结构，提高清洁能源利用比重，减少产品的碳含量。

8.3.5　加强低碳技术的研究，提高能源使用的效率，发展低碳环保经济，降低碳强度

面对碳关税的挑战，一方面我们要积极争取碳关税的谈判，同时要认清环境发展的形势，经济社会的发展会对环境的要求越来越高，经济发展与资源环境的矛盾需要在不断转型中实现瓶颈的突破，因此积极在国内发展低碳环保经济显得尤为重要，低

碳经济很可能成为下一波带领全球经济增长的引擎，同时环保经济的发展才能实现经济与社会的协调。

在低碳环保产业经济方面，我国与发达国家的差距还很大。2008 年我国的碳强度是日本碳强度的十倍之多，就是说同样是创造一美元的 GDP，我国需要排放 2.30kg 的二氧化碳，而日本仅仅只需要排放 0.22kg 二氧化碳，美国需要排放 0.48kg 二氧化碳；这就是说在低碳经济领域里中国还有很多可以开拓的空间，特别是在能源价格高企、碳关税压力并存的现实条件下，发展低碳经济，努力降低经济发展对能源的依赖显得尤为重要。

经济发展低碳化已成世界经济发展不可逆转的趋势，中国企业既要顺应这股低碳化潮流，又要冲破限制自身发展的"碳关税"壁垒，在越来越激烈的国际竞争中站稳脚跟，就必须要从根本上解决高碳问题，这自然离不开低碳技术为支撑，因此，必须加强低碳技术的研究，加快低碳技术创新的步伐。目前，我国能源消耗以煤炭为主的情况很难在短时期内改变，所以，在当前的科技水平和资源禀赋下，提高能源使用的效率、节能减排应作为一项长期的战略方针，不仅符合我国经济发展的需求，同时也满足我国目前在技术上和经济上的条件。根据国际低碳技术的发展趋势以及我国当前高碳产业的技术、能耗和出口贸易现状，需要从以下方面加强低碳技术的研究：一是宏观上加强前瞻性布局，对未来新科技革命可能的发展方向作出科学预测及判断，加强战略性先导研究与重大交叉前沿研究，推动低碳经济与低碳技术的深度融合；二是微观上大力发展在再生能源及新能源开发利用、煤炭能源的清洁高效利用、油气资源和煤层气的勘探开发、二氧化碳捕获与埋存等领域内可以有效控制温室气体排放的各项低碳前沿技术，加强节能技术与清洁能源技术攻关，加强循环经济技术研究，抢占国际低碳技术竞争制高点，为生态环境保护以及低碳经济发展提供系统性的解决方案及技术支持。可以说，加强低碳技术的研究，不仅是我国应对碳关税及气候变化问题的现实选择，也是持续支撑引领我国经济社会可持续发展的关键所在。加强我国低碳技术的研究与创新，在电子信息、纳米材料、分子生物等高端领域突破关键性核心技术，取得原创性技术成果，为我国应对碳关税提供坚实的科技基础（黄晓凤，2010），争取从根本上有效控制碳排放，维护我国经济健康、稳定、可持续发展。

同时在低碳经济领域也要注意实现经济发展的可持续性，特别是针对风能、太阳能等新能源产业，在实现产业经济转型的过程中要不断培育自身独特的新能源经济创新与应用能力，不断提高新能源的利用层次和结构，促进我国能源消费结构的转型。

我国作为发展中国家，经济、科技发展水平有限，在应对全球气候变化问题时应积极利用各种渠道争取节能减排资金和技术支持。清洁发展机制（即 CDM 机制）就是获取节能减排资金和技术的渠道之一。通过 CDM 机制，发达国家可以对发展中国家开设的具备减少温室气体排放效果的项目进行投资或提供相关技术支持，借以换取所需的额外碳排放额度。目前我国是 CDM 机制下碳交易量最大的国家，占到全部交易量的 60%（陈洁民等，2010）。不可否认这些通过 CDM 项目换回的资金、设备和技术确实已在我国风能、电能的开发利用和建筑节能等方面的发展起到了积极作用。但是由于发达国家实际上并不愿意向发展中国家提供节能减排的资金和技术，故而常常消极应对承诺。作为交易大户的中国每年最多只能得到 10 亿~15 亿美元的额度（陈洁民等，2010），这对中国的减排需要而言无疑是杯水车薪。因此，与在坎昆、哥本哈根气候峰会一样，我国在德班大会上继续提议，要求发达国家落实其承诺向发展中国家提供的节能减排资金和技术支持。在经过 14 天的马拉松式谈判，德班会议最终决定建立绿色气候基金以帮助发展中国家应对气候变化。根据会议协议，到 2020 年发达国家每年向发展中国家提供至少 1000 亿美元帮助后者建立本国的清洁能源蓝图（郭安丽，2011）。综上，我国应当充分利用 CDM 机制以及"绿色气候基金"，积极开展国际碳排放交易，吸引国际资金、技术进入减排项目，加快本国产业绿色化进程（袁晨玲，2012）。

8.3.6 积极促进国内经济结构升级，调整贸易政策，改善贸易出口结构

根据前面的分析，二氧化碳排放的增多与我国的经济结构存在很大的关系，可以说经济结构偏向于高耗能、高污染是我国二氧化碳排放增多的重要原因。党的十六大报告指出，"中国实现工业化必须走一条科技含量高、经济效益好、资源消耗低、环境污染少、人力资源优势得到充分发挥的新型工业化道路"。所以，我们必须转变经济增长的方式，改变"高投入、高能耗、低效益"的生产模式，减少能源消耗在经济增长中的重要性，走低资源消耗、高产出的新型工业化道路。作为一个经济发展大国、贸易出口大国和出口排放大国，在我国对外贸易发展迅速的今天，如果不及时调整我国对外贸易结构，由出口贸易额的增加、出口贸易结构的变坏而导致的出口内涵二氧化碳排放的增加，将不利于我国整体的节能减排，同时，在发达国家纷纷酝酿对从发展中国家进口产品增收碳关税的情况下，我国将面临很大的压力。

从对我国能耗结构的分析可以看出，我国能耗产品的强度差异还是很大的。对出口导向型经济的中国来说，在应对碳关税的时候实现国内的产业经济结构升级是很重要的，努力发展国内的低能耗产业，降低经济发展对高碳经济的依赖程度，保证经济发展的质量也符合可持续发展的理论。

我国"十二五"期间实现的年均经济增长达到 7% 的目标是十分利于改善我国经济结构和质量的，同时完善产业税收市场化与调控相结合的政策，对不同能耗的产业实行不同等级的扶持与限制，产业能耗低的企业受到的补贴与优惠明显要与限制性产业拉大差距与梯度，特别是要对高能耗的产业实行生产和出口的限制，尤其是诸如金属冶炼及压延加工业、非金属矿物制品业、化学工业、金属制品业、石油加工、炼焦及

核燃料加工业等能耗强度高的部门，要积极引导企业生产的转型，淘汰落后产能与设备，降低企业生产对能源的依赖度。

从生产结构上限制产品结构进而改善出口产品的结构，鼓励低能耗产品的出口，限制高能耗产品的出口，促进贸易出口产品的产业升级。特别是要鼓励能耗强度低的企业的生产和出口，对农业、批发零售业和住宿餐饮业、食品制造及烟草加工业、服装皮革羽绒及其制品业、木材加工及家具制造业等企业的生产和出口给予一定的鼓励和支持，逐步实现出口结构的合理化。根据国内需求实现对国内高碳排放产品的消化吸收，从源头上限制碳关税对经济的影响，有利于引导国内消费结构的升级，提倡环保低能消费。

针对碳关税我国应积极研制贸易政策的反制措施，要完善不同能耗强度产品的进出口政策，对低碳产品依据产品能耗强度给予不同的出口关税补贴，对高碳产品依据其能耗强度不同征收不同的出口关税。

在出口方面，进一步完善我国产品的出口退税制度，鼓励企业出口低能耗低碳产品，同时对低碳企业的生产实施环境补贴和政策扶持。特别是对低碳环保产品、低能耗高附加值产品要实行优先的出口补贴退税政策，实行绿色低碳产品出口的"绿色通道"制度。

同时对高能耗产品的出口实行严厉的出口关税政策，特别是针对金属冶炼及压延产品、非金属矿物产品、化工产品、金属制品等高能耗产品要实行严格的减排措施与出口关税措施，建立行业碳能耗考核机制，限制或减少钢材、水泥、重金属产品等高能耗产品的出口。

在进口方面，鼓励资源或者环境友好产品的进口，实行进口免征关税或者低关税政策；限制或者减少对高能耗产品的进口。

要加快建立并完善贸易壁垒预警机制，通过贸易壁垒预警机制及时将研究成果反馈给我国相应的政府管理部门和出口企业，使企业在突然遭受碳关税等绿色贸易壁垒时能及时采取措施，有针对性地安排生产，绕开碳关税等贸易壁垒。

8.3.7 鼓励碳关税承受能力差的企业对外直接投资

为应对碳关税，政府应该鼓励企业对外投资，实施企业走出去战略，突破经济发展对资源的瓶颈制约，在一定限度内减少经济发展对国内能源的依赖和对环境的破坏，减少相关产业在出口时遭受的碳关税损失（曾乐琛，2008）。

无论是对资源的投资还是对国外低碳技术的投资都是实现国内经济增长的动力源泉，投资发展中国家可以在一定程度上减缓我国温室气体的排放压力，投资发达国家我们可以学习国外低碳产业的发展模式和经营方式。

目前，我国拥有大量的外汇储备，虽然近年我国对外直接投资的额度和规模都在急剧增加，但是相比外汇储备的利用比例，这些投资还远远不够。如图 8-2 所示。

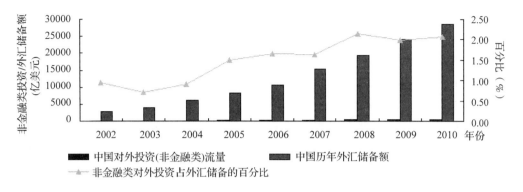

图 8-2　近年来我国非金融类投资占当年外汇储备的比例

2008 年我国对外直接投资(非金融类)的规模为 418.6 亿美元，但只占到当年外汇储备的 2.15%，2009 年非金融类投资额为 478 亿美元，只占到当年 23991.52 亿美元的外汇储备的 1.99%，虽然在 2010 年我国非金融类对外直接投资达到了历史新高位 590 亿美元，但其占比幅度仍然不明显，仅为 2.07%，这就是说在企业海外投资方面我们还有很大的发展空间。

所以国内对碳关税承受能力较差的企业和产品含碳量高的企业要积极实现国外生产和投资，实施碳排放的本土化策略；尤其是石油加工、纺织业、仪器仪表及文化办公用品、机械制造业、通信设备、计算机及其他电子设备制造业、金属制品业等对碳关税承受能力较差的企业，更应该走在跨国投资生产的前列。这些企业急需走出去开拓国外市场，加大企业对外直接投资的力度和深度，实现生产的本地化，不仅仅可以减少企业的生产成本，减少贸易争端，更重要的是实现了碳排放的本土化，减少我国应对碳关税时的压力。

8.4　小　结

本章介绍了中国在碳关税问题上的立场和原则，从国际国内两个层面指出了我国面对碳关税时可选择的措施。

欧、美等发达国家制定碳关税的法案反映了后京都时代新贸易保护主义的抬头，是以环境保护为名，行贸易保护之实，在不同国家之间构成了绿色贸易壁垒，在经济上严重阻碍了我国的发展，对我国带来了严峻的冲击与挑战。我国必须保持清醒的头脑，正确认识其贸易壁垒的本质属性，在充分分析欧美发达国家的各种可能使用的碳贸易限制措施的前提下，未雨绸缪，及早应对。中国坚决反对发达国家单方征收碳关税的行为，但作为一个负责任的大国，中国不反对减少碳排放量，并且愿意积极承担力所能及的保护环境的责任。在碳关税问题上，中国应坚持人均历史累计排放量，实施共同但有区别的责任的原则；提议高碳产品的生产国和消费国共同负责的原则；坚持特殊与差别待遇原则的无条件性，推进贸易自由化；促进 WTO 框架下环保与贸易协调处理机制的建立；积极参与国际碳排放标准制定；敦促低碳技术共享，提高全球资源配置效率。

在国际层面中国应对碳关税挑战可采取的措施有：加强国际谈判，声张立场与原则；推进自由贸易区合作，消除碳关税生存的空间；实施反制措施，以碳出口税、碳关税应对碳关税；充分利用 WTO 争端解决机制，解决碳关税争议；利用例外条款，寻求豁免。

在国内层面中国应对碳关税挑战可采取的措施有：完善应对气候变化的环境保护法律体系；积极建立国内碳税机制，以碳税应对碳关税，消除被征收碳关税的理由；积极完善国内碳排放交易机制，利用市场经济机制加大减排力度；积极改善我国能源消费结构，提高清洁能源利用比重；加强低碳技术的研究，提高能源使用的效率，发展低碳环保经济，降低碳强度；积极促进国内经济结构升级，调整贸易政策，改善贸易出口结构；鼓励碳关税承受能力差的企业对外直接投资。

附　表

附表1　2005年及2007年行业分类调整表

调整前部门	调整后部门	代码
农、林、牧、渔、水利业	农业	1
煤炭开采和洗选业	煤炭开采和洗选业	2
石油和天然气开采业	石油和天然气开采业	3
黑色金属矿采选业	金属矿采选业	4
有色金属矿采选业		
非金属矿采选业	非金属矿采选业及其他采矿业	5
其他采矿业		
农副食品加工业	食品制造及烟草加工业	6
食品制造业		
饮料制造业		
烟草制品业		
纺织业	纺织业	7
纺织服装、鞋、帽制造业	服装皮革羽绒及其制品业	8
皮革、毛皮、羽毛(绒)及其制品业		
木材加工及木、竹、藤、棕、草　制品业	木材加工及家具制造业	9
家具制造业		
造纸及纸制品业	造纸印刷及文教用品制造业	10
印刷业和记录媒介的复制		
文教体育用品制造业		
石油加工、炼焦及核燃料加工业	石油加工、炼焦及核燃料加工业	11
化学原料及化学制品制造业	化学工业	12
医药制造业		
化学纤维制造业		
橡胶制品业		
塑料制品业		

（续）

调整前部门	调整后部门	代码
非金属矿物制品业	非金属矿物制品业	13
黑色金属冶炼及压延加工业	金属冶炼及压延加工业	14
有色金属冶炼及压延加工业		
金属制品业	金属制品业	15
通用设备制造业	通用、专用设备制造业	16
专用设备制造业		
交通运输设备制造业	交通运输设备制造业	17
电气机械及器材制造业	电气机械及器材制造业	18
通信设备、计算机及其他电子设备制造业	通信设备、计算机及其他电子设备制造业	19
仪器仪表及文化、办公用机械 制造业	仪器仪表及文化、办公用机械 制造业	20
工艺品及其他制造业	其他制造业	21
废弃资源和废旧材料回收加工业	废品废料	22
电力、热力的生产和供应业	电力、热力的生产和供应业	23
燃气生产和供应业	燃气生产和供应业	24
水的生产和供应业	水的生产和供应业	25
建筑业	建筑业	26
交通运输及仓储业	交通运输、仓储和邮政业	27
邮政业		
批发和零售贸易业	批发、零售业和住宿、餐饮业	28
住宿和餐饮业		
信息传输、计算机服务和软件业	其他行业	29
金融保险业		
房地产业		
租赁和商务服务业		
科学研究事业		
综合技术服务业		
水利、环境和公共设施管理业		
居民服务和其他服务业		
教育		
卫生、社会保障和社会福利事业	生活消费	30
文化、体育和娱乐业		
公共管理和社会组织		

附表 2　2005 年调整后的 30 个产业部门的直接消耗系数

部门	01	02	03	04	05	06	07	08	09	10
01	0.1468	0.0096	0.0000	0.0060	0.0013	0.3642	0.1741	0.0358	0.1167	0.0353
02	0.0033	0.0313	0.0068	0.0055	0.0034	0.0033	0.0049	0.0010	0.0085	0.0067
03	0.0000	0.0004	0.0097	0.0031	0.0064	0.0002	0.0011	0.0000	0.0000	0.0005
04	0.0000	0.0000	0.0000	0.0831	0.0000	0.0000	0.0000	0.0000	0.0000	0.0000
05	0.0003	0.0009	0.0001	0.0007	0.0610	0.0007	0.0000	0.0000	0.0000	0.0000
06	0.0804	0.0001	0.0005	0.0004	0.0000	0.1607	0.0004	0.0402	0.0000	0.0002
07	0.0007	0.0007	0.0019	0.0008	0.0011	0.0013	0.3391	0.2783	0.0125	0.0189
08	0.0002	0.0038	0.0037	0.0049	0.0059	0.0007	0.0029	0.1544	0.0195	0.0078
09	0.0022	0.0075	0.0011	0.0021	0.0022	0.0009	0.0008	0.0016	0.2508	0.0157
10	0.0014	0.0016	0.0020	0.0031	0.0053	0.0188	0.0057	0.0128	0.0132	0.2610
11	0.0108	0.0179	0.0277	0.0910	0.0548	0.0026	0.0041	0.0034	0.0123	0.0084
12	0.0741	0.0283	0.0155	0.0541	0.1216	0.0323	0.1160	0.0594	0.0966	0.1370
13	0.0031	0.0112	0.0043	0.0090	0.0146	0.0067	0.0021	0.0027	0.0066	0.0033
14	0.0009	0.0567	0.0208	0.0256	0.0098	0.0021	0.0013	0.0024	0.0229	0.0126
15	0.0026	0.0231	0.0079	0.0222	0.0102	0.0071	0.0019	0.0039	0.0217	0.0151
16	0.0070	0.0379	0.0223	0.0383	0.0505	0.0030	0.0142	0.0038	0.0091	0.0118
17	0.0032	0.0090	0.0078	0.0190	0.0237	0.0023	0.0019	0.0013	0.0043	0.0073
18	0.0007	0.0265	0.0156	0.0084	0.0110	0.0012	0.0035	0.0019	0.0039	0.0055
19	0.0002	0.0028	0.0031	0.0027	0.0025	0.0006	0.0018	0.0017	0.0013	0.0096
20	0.0003	0.0064	0.0102	0.0041	0.0029	0.0006	0.0009	0.0014	0.0018	0.0022
21	0.0011	0.0050	0.0012	0.0049	0.0073	0.0013	0.0031	0.0033	0.0038	0.0050
22	0.0000	0.0000	0.0000	0.0001	0.0001	0.0003	0.0001	0.0001	0.0006	0.0254
23	0.0130	0.1189	0.0616	0.1444	0.0794	0.0123	0.0302	0.0089	0.0298	0.0324
24	0.0000	0.0000	0.0010	0.0015	0.0006	0.0004	0.0003	0.0001	0.0002	0.0002
25	0.0003	0.0014	0.0011	0.0027	0.0027	0.0008	0.0010	0.0006	0.0014	0.0022
26	0.0013	0.0023	0.0009	0.0009	0.0007	0.0002	0.0004	0.0004	0.0003	0.0004
27	0.0209	0.0494	0.0150	0.0402	0.0937	0.0259	0.0193	0.0239	0.0484	0.0397
28	0.0130	0.0294	0.0115	0.0257	0.0377	0.0288	0.0262	0.0286	0.0360	0.0464
29	0.0236	0.0510	0.0444	0.0330	0.0702	0.0349	0.0254	0.0639	0.0388	0.0331
30	0.0037	0.0273	0.0095	0.0224	0.0152	0.0084	0.0082	0.0146	0.0063	0.0097

（续）

部门	11	12	13	14	15	16	17	18	19	20
01	0.0001	0.0381	0.0009	0.0001	0.0004	0.0005	0.0002	0.0001	0.0002	0.0000
02	0.0389	0.0136	0.0349	0.0222	0.0023	0.0054	0.0040	0.0015	0.0005	0.0007
03	0.4711	0.0133	0.0027	0.0018	0.0017	0.0012	0.0009	0.0003	0.0001	0.0001
04	0.0000	0.0048	0.0024	0.1019	0.0197	0.0047	0.0020	0.0069	0.0004	0.0013
05	0.0000	0.0143	0.0542	0.0063	0.0020	0.0007	0.0002	0.0003	0.0003	0.0003
06	0.0000	0.0088	0.0000	0.0000	0.0000	0.0000	0.0000	0.0000	0.0000	0.0000
07	0.0001	0.0033	0.0051	0.0003	0.0026	0.0048	0.0023	0.0006	0.0019	0.0021
08	0.0007	0.0034	0.0029	0.0014	0.0017	0.0021	0.0038	0.0016	0.0008	0.0024
09	0.0003	0.0019	0.0054	0.0005	0.0113	0.0029	0.0023	0.0031	0.0014	0.0022
10	0.0007	0.0123	0.0269	0.0011	0.0067	0.0055	0.0029	0.0222	0.0084	0.0110
11	0.0866	0.0281	0.0388	0.0367	0.0102	0.0095	0.0059	0.0077	0.0038	0.0036
12	0.0312	0.4025	0.0740	0.0159	0.0317	0.0574	0.0679	0.1240	0.0548	0.1259
13	0.0021	0.0066	0.1265	0.0212	0.0105	0.0057	0.0067	0.0158	0.0439	0.0288
14	0.0111	0.0091	0.0307	0.3287	0.3672	0.2329	0.1381	0.2229	0.0230	0.0790
15	0.0023	0.0078	0.0269	0.0090	0.1157	0.0398	0.0194	0.0424	0.0204	0.0413
16	0.0117	0.0103	0.0275	0.0210	0.0143	0.1482	0.0773	0.0376	0.0104	0.0285
17	0.0019	0.0025	0.0023	0.0060	0.0036	0.0108	0.2914	0.0046	0.0031	0.0053
18	0.0046	0.0041	0.0068	0.0055	0.0054	0.0456	0.0235	0.1173	0.0670	0.0634
19	0.0015	0.0025	0.0034	0.0010	0.0019	0.0185	0.0053	0.0296	0.4847	0.1875
20	0.0013	0.0037	0.0029	0.0019	0.0015	0.0046	0.0043	0.0049	0.0030	0.0661
21	0.0008	0.0026	0.0039	0.0036	0.0037	0.0047	0.0026	0.0055	0.0028	0.0042
22	0.0001	0.0005	0.0052	0.0447	0.0018	0.0049	0.0006	0.0004	0.0008	0.0002
23	0.0358	0.0817	0.0971	0.0739	0.0506	0.0325	0.0179	0.0170	0.0142	0.0126
24	0.0006	0.0006	0.0015	0.0010	0.0002	0.0004	0.0005	0.0008	0.0004	0.0005
25	0.0011	0.0017	0.0017	0.0013	0.0012	0.0009	0.0012	0.0010	0.0008	0.0016
26	0.0002	0.0005	0.0007	0.0005	0.0003	0.0005	0.0008	0.0004	0.0003	0.0005
27	0.0416	0.0317	0.0510	0.0362	0.0323	0.0332	0.0248	0.0298	0.0210	0.0318
28	0.0452	0.0247	0.0349	0.0228	0.0251	0.0309	0.0249	0.0338	0.0204	0.0316
29	0.0144	0.0378	0.0485	0.0180	0.0447	0.0409	0.0450	0.0528	0.0493	0.0413
30	0.0065	0.0093	0.0119	0.0097	0.0094	0.0104	0.0090	0.0066	0.0053	0.0103

（续）

部门	21	22	23	24	25	26	27	28	29	30
01	0.1171	0.0000	0.0003	0.0086	0.0000	0.0957	0.0139	0.0538	0.0023	0.0040
02	0.0130	0.0000	0.2097	0.2724	0.0027	0.0009	0.0026	0.0024	0.0027	0.0072
03	0.0000	0.0000	0.0050	0.0431	0.0000	0.0000	0.0028	0.0003	0.0001	0.0002
04	0.0002	0.0000	0.0007	0.0000	0.0000	0.0000	0.0000	0.0000	0.0004	0.0000
05	0.0021	0.0000	0.0002	0.0000	0.0004	0.0170	0.0002	0.0000	0.0002	0.0002
06	0.0074	0.0000	0.0000	0.0000	0.0000	0.0008	0.0031	0.1007	0.0017	0.0113
07	0.0846	0.0000	0.0002	0.0001	0.0002	0.0020	0.0013	0.0009	0.0012	0.0282
08	0.0035	0.0000	0.0028	0.0046	0.0039	0.0014	0.0031	0.0054	0.0023	0.0032
09	0.0148	0.0000	0.0009	0.0008	0.0018	0.0245	0.0011	0.0026	0.0019	0.0151
10	0.0377	0.0000	0.0024	0.0021	0.0042	0.0008	0.0066	0.0147	0.0281	0.0358
11	0.0162	0.0000	0.0803	0.1228	0.0037	0.0176	0.1648	0.0099	0.0080	0.0084
12	0.0865	0.0000	0.0084	0.0081	0.0477	0.0335	0.0114	0.0126	0.0077	0.1086
13	0.0182	0.0000	0.0028	0.0020	0.0037	0.2061	0.0020	0.0016	0.0047	0.0042
14	0.0638	0.0000	0.0036	0.0024	0.0026	0.0730	0.0037	0.0003	0.0024	0.0010
15	0.0425	0.0000	0.0059	0.0049	0.0327	0.0418	0.0023	0.0020	0.0102	0.0039
16	0.0068	0.0000	0.0425	0.0172	0.0258	0.0286	0.0187	0.0065	0.0140	0.0157
17	0.0033	0.0000	0.0089	0.0128	0.0131	0.0030	0.0672	0.0112	0.0191	0.0087
18	0.0082	0.0000	0.0762	0.0031	0.0078	0.0274	0.0033	0.0088	0.0371	0.0032
19	0.0046	0.0000	0.0046	0.0017	0.0044	0.0018	0.0024	0.0047	0.0802	0.0055
20	0.0024	0.0000	0.0248	0.0026	0.0048	0.0125	0.0016	0.0005	0.0108	0.0069
21	0.0571	0.0000	0.0006	0.0032	0.0056	0.0043	0.0011	0.0019	0.0024	0.0034
22	0.0018	0.0000	0.0000	0.0000	0.0000	0.0000	0.0000	0.0000	0.0000	0.0000
23	0.0238	0.0000	0.0711	0.0476	0.2269	0.0176	0.0161	0.0224	0.0203	0.0250
24	0.0015	0.0000	0.0010	0.0372	0.0038	0.0001	0.0012	0.0013	0.0006	0.0008
25	0.0009	0.0000	0.0024	0.0035	0.0386	0.0009	0.0014	0.0021	0.0017	0.0025
26	0.0034	0.0000	0.0009	0.0004	0.0015	0.0010	0.0097	0.0080	0.0145	0.0198
27	0.0282	0.0000	0.0357	0.0466	0.0131	0.0364	0.1210	0.0200	0.0244	0.0253
28	0.0379	0.0000	0.0295	0.0442	0.0205	0.0191	0.0242	0.0322	0.0431	0.0670
29	0.0401	0.0000	0.0449	0.0234	0.0555	0.0749	0.0735	0.0784	0.1203	0.0689
30	0.0068	0.0000	0.0246	0.0267	0.0262	0.0037	0.0081	0.0146	0.0212	0.0311

注：保留四位小数。

附表 3　2005 年调整后的 30 个产业部门的完全消耗系数

部门	01	02	03	04	05	06	07	08	09	10
01	0.2431	0.0428	0.0162	0.0423	0.0465	0.5585	0.3651	0.2222	0.2424	0.1198
02	0.0242	0.0913	0.0387	0.0805	0.0628	0.0302	0.0507	0.0377	0.0563	0.0558
03	0.0240	0.0450	0.0419	0.0942	0.0818	0.0261	0.0393	0.0332	0.0467	0.0453
04	0.0060	0.0254	0.0121	0.1122	0.0192	0.0080	0.0119	0.0107	0.0191	0.0173
05	0.0046	0.0069	0.0031	0.0074	0.0736	0.0059	0.0083	0.0069	0.0082	0.0091
06	0.1270	0.0174	0.0088	0.0191	0.0224	0.2570	0.0523	0.0945	0.0422	0.0326
07	0.0064	0.0130	0.0098	0.0147	0.0172	0.0106	0.5256	0.5091	0.0491	0.0559
08	0.0030	0.0100	0.0073	0.0123	0.0141	0.0048	0.0106	0.1894	0.0368	0.0193
09	0.0065	0.0167	0.0049	0.0100	0.0104	0.0075	0.0082	0.0094	0.3421	0.0350
10	0.0161	0.0233	0.0145	0.0265	0.0343	0.0473	0.0342	0.0483	0.0478	0.3789
11	0.0432	0.0848	0.0625	0.1797	0.1433	0.0467	0.0644	0.0571	0.0847	0.0780
12	0.1944	0.1467	0.0812	0.2036	0.3247	0.1894	0.4072	0.3136	0.3354	0.4171
13	0.0124	0.0313	0.0150	0.0293	0.0366	0.0208	0.0189	0.0194	0.0272	0.0233
14	0.0386	0.1985	0.0932	0.1620	0.1364	0.0538	0.0752	0.0696	0.1369	0.1185
15	0.0138	0.0501	0.0224	0.0521	0.0390	0.0238	0.0229	0.0245	0.0539	0.0455
16	0.0268	0.0871	0.0493	0.0968	0.1103	0.0302	0.0594	0.0439	0.0532	0.0579
17	0.0180	0.0398	0.0247	0.0575	0.0708	0.0236	0.0273	0.0269	0.0368	0.0412
18	0.0166	0.0727	0.0424	0.0590	0.0593	0.0227	0.0376	0.0341	0.0399	0.0450
19	0.0192	0.0477	0.0346	0.0477	0.0552	0.0286	0.0396	0.0462	0.0427	0.0644
20	0.0050	0.0184	0.0174	0.0183	0.0160	0.0068	0.0107	0.0107	0.0123	0.0135
21	0.0037	0.0101	0.0039	0.0106	0.0136	0.0052	0.0095	0.0099	0.0104	0.0123
22	0.0026	0.0104	0.0050	0.0090	0.0082	0.0045	0.0051	0.0051	0.0090	0.0412
23	0.0566	0.2037	0.1064	0.2532	0.1823	0.0701	0.1289	0.0958	0.1285	0.1367
24	0.0006	0.0013	0.0017	0.0031	0.0022	0.0013	0.0015	0.0013	0.0016	0.0016
25	0.0017	0.0041	0.0026	0.0061	0.0061	0.0029	0.0041	0.0036	0.0047	0.0060
26	0.0042	0.0079	0.0039	0.0066	0.0077	0.0049	0.0058	0.0065	0.0063	0.0064
27	0.0579	0.1139	0.0485	0.1150	0.1794	0.0821	0.0917	0.0949	0.1352	0.1229
28	0.0420	0.0800	0.0395	0.0854	0.1008	0.0736	0.0888	0.0941	0.1022	0.1172
29	0.0720	0.1340	0.0906	0.1257	0.1770	0.1096	0.1217	0.1701	0.1435	0.1369
30	0.0151	0.0504	0.0220	0.0499	0.0419	0.0254	0.0329	0.0407	0.0310	0.0359

（续）

部门	11	12	13	14	15	16	17	18	19	20
01	0.0281	0.1186	0.0461	0.0324	0.0383	0.0414	0.0421	0.0484	0.0461	0.0498
02	0.0874	0.0856	0.1074	0.0993	0.0749	0.0676	0.0610	0.0634	0.0533	0.0546
03	0.5554	0.0826	0.0708	0.0760	0.0607	0.0546	0.0502	0.0556	0.0464	0.0486
04	0.0144	0.0241	0.0264	0.1814	0.1070	0.0713	0.0577	0.0712	0.0329	0.0419
05	0.0044	0.0303	0.0732	0.0169	0.0132	0.0112	0.0106	0.0131	0.0148	0.0139
06	0.0171	0.0435	0.0217	0.0174	0.0190	0.0206	0.0211	0.0235	0.0225	0.0240
07	0.0099	0.0211	0.0232	0.0123	0.0171	0.0216	0.0198	0.0161	0.0198	0.0197
08	0.0074	0.0124	0.0113	0.0089	0.0096	0.0099	0.0132	0.0099	0.0091	0.0108
09	0.0060	0.0110	0.0166	0.0081	0.0241	0.0125	0.0121	0.0137	0.0126	0.0129
10	0.0185	0.0490	0.0663	0.0234	0.0337	0.0347	0.0321	0.0625	0.0560	0.0521
11	0.1600	0.1180	0.1285	0.1434	0.1107	0.0985	0.0889	0.0994	0.0827	0.0852
12	0.1394	0.7867	0.2668	0.1512	0.1813	0.2402	0.2839	0.3652	0.3233	0.3963
13	0.0180	0.0293	0.1656	0.0534	0.0448	0.0383	0.0381	0.0523	0.1212	0.0797
14	0.1095	0.1150	0.1738	0.6036	0.7171	0.5456	0.4473	0.5169	0.2360	0.3066
15	0.0247	0.0370	0.0615	0.0424	0.1618	0.0836	0.0641	0.0871	0.0792	0.0918
16	0.0595	0.0635	0.0881	0.0875	0.0786	0.2304	0.1773	0.1052	0.0759	0.0923
17	0.0305	0.0349	0.0381	0.0450	0.0414	0.0509	0.4441	0.0420	0.0402	0.0418
18	0.0460	0.0520	0.0572	0.0545	0.0534	0.1054	0.0844	0.1828	0.1891	0.1475
19	0.0386	0.0519	0.0545	0.0418	0.0482	0.0891	0.0665	0.1152	1.0023	0.4424
20	0.0154	0.0187	0.0168	0.0157	0.0148	0.0179	0.0184	0.0187	0.0183	0.0840
21	0.0052	0.0092	0.0108	0.0111	0.0118	0.0129	0.0109	0.0142	0.0127	0.0129
22	0.0061	0.0080	0.0164	0.0733	0.0359	0.0321	0.0232	0.0265	0.0152	0.0171
23	0.1341	0.2193	0.2182	0.2196	0.1962	0.1627	0.1434	0.1551	0.1374	0.1376
24	0.0022	0.0022	0.0032	0.0030	0.0022	0.0023	0.0025	0.0029	0.0025	0.0025
25	0.0038	0.0058	0.0054	0.0052	0.0052	0.0047	0.0052	0.0050	0.0051	0.0057
26	0.0052	0.0068	0.0073	0.0063	0.0066	0.0067	0.0074	0.0070	0.0073	0.0071
27	0.1027	0.1203	0.1414	0.1275	0.1271	0.1242	0.1173	0.1248	0.1224	0.1263
28	0.0933	0.0942	0.1026	0.0896	0.0955	0.1014	0.0994	0.1086	0.1057	0.1082
29	0.1036	0.1516	0.1581	0.1156	0.1498	0.1492	0.1648	0.1698	0.2059	0.1712
30	0.0295	0.0393	0.0413	0.0413	0.0411	0.0404	0.0402	0.0375	0.0370	0.0405

（续）

部门	21	22	23	24	25	26	27	28	29	30
01	0.2295	0.0000	0.0334	0.0461	0.0293	0.1576	0.0461	0.1422	0.0344	0.0658
02	0.0609	0.0000	0.2726	0.3452	0.0852	0.0571	0.0394	0.0243	0.0305	0.0407
03	0.0465	0.0000	0.0827	0.1469	0.0374	0.0529	0.1213	0.0221	0.0266	0.0317
04	0.0273	0.0000	0.0224	0.0163	0.0164	0.0327	0.0133	0.0069	0.0145	0.0108
05	0.0116	0.0000	0.0058	0.0048	0.0056	0.0386	0.0043	0.0032	0.0052	0.0072
06	0.0483	0.0000	0.0178	0.0208	0.0150	0.0304	0.0200	0.1440	0.0189	0.0382
07	0.1497	0.0000	0.0124	0.0135	0.0124	0.0173	0.0117	0.0107	0.0127	0.0558
08	0.0114	0.0000	0.0099	0.0124	0.0102	0.0092	0.0088	0.0096	0.0075	0.0096
09	0.0293	0.0000	0.0100	0.0100	0.0092	0.0417	0.0068	0.0080	0.0093	0.0273
10	0.0787	0.0000	0.0276	0.0236	0.0266	0.0343	0.0272	0.0375	0.0614	0.0710
11	0.0842	0.0000	0.1544	0.2060	0.0679	0.0988	0.2424	0.0410	0.0495	0.0552
12	0.3057	0.0000	0.1446	0.1248	0.1730	0.2136	0.1119	0.0983	0.1204	0.2816
13	0.0423	0.0000	0.0260	0.0215	0.0208	0.2580	0.0185	0.0140	0.0308	0.0234
14	0.2059	0.0000	0.1619	0.1237	0.1153	0.2504	0.1000	0.0487	0.1019	0.0721
15	0.0743	0.0000	0.0404	0.0340	0.0607	0.0808	0.0225	0.0158	0.0358	0.0241
16	0.0514	0.0000	0.1041	0.0741	0.0756	0.0859	0.0636	0.0293	0.0498	0.0495
17	0.0321	0.0000	0.0432	0.0498	0.0426	0.0361	0.1261	0.0316	0.0489	0.0338
18	0.0448	0.0000	0.1374	0.0507	0.0608	0.0733	0.0368	0.0315	0.0844	0.0341
19	0.0487	0.0000	0.0663	0.0431	0.0519	0.0574	0.0444	0.0400	0.2072	0.0506
20	0.0126	0.0000	0.0398	0.0158	0.0195	0.0248	0.0106	0.0062	0.0200	0.0158
21	0.0664	0.0000	0.0069	0.0093	0.0106	0.0114	0.0051	0.0048	0.0071	0.0080
22	0.0141	0.0000	0.0089	0.0069	0.0067	0.0143	0.0059	0.0036	0.0069	0.0057
23	0.1245	0.0000	0.1790	0.1620	0.3197	0.1347	0.0825	0.0631	0.0780	0.0943
24	0.0030	0.0000	0.0024	0.0400	0.0053	0.0019	0.0025	0.0020	0.0016	0.0018
25	0.0041	0.0000	0.0056	0.0068	0.0429	0.0043	0.0038	0.0038	0.0040	0.0050
26	0.0092	0.0000	0.0073	0.0069	0.0068	0.0074	0.0157	0.0122	0.0203	0.0254
27	0.1038	0.0000	0.1134	0.1263	0.0724	0.1241	0.1882	0.0580	0.0753	0.0790
28	0.0997	0.0000	0.0916	0.1061	0.0711	0.0853	0.0739	0.0658	0.0888	0.1137
29	0.1363	0.0000	0.1452	0.1214	0.1398	0.1828	0.1551	0.1370	0.2038	0.1478
30	0.0313	0.0000	0.0537	0.0574	0.0516	0.0306	0.0270	0.0281	0.0394	0.0502

注：保留四位小数。

附表4 2007 年调整后的 30 个产业部门的直接消耗系数

部门	01	02	03	04	05	06	07	08	09	10
01	0.1407	0.0073	0.0000	0.0011	0.0003	0.3816	0.1436	0.0438	0.1201	0.0372
02	0.0005	0.1006	0.0024	0.0042	0.0023	0.0022	0.0041	0.0024	0.0051	0.0053
03	0.0000	0.0009	0.0135	0.0113	0.0122	0.0011	0.0010	0.0009	0.0003	0.0005
04	0.0000	0.0000	0.0000	0.1031	0.0000	0.0000	0.0000	0.0000	0.0000	0.0000
05	0.0001	0.0004	0.0005	0.0010	0.0670	0.0003	0.0000	0.0000	0.0000	0.0000
06	0.0962	0.0020	0.0020	0.0024	0.0029	0.1904	0.0071	0.0499	0.0048	0.0037
07	0.0001	0.0003	0.0008	0.0006	0.0006	0.0005	0.3833	0.3276	0.0104	0.0184
08	0.0004	0.0040	0.0039	0.0044	0.0044	0.0013	0.0167	0.1555	0.0194	0.0075
09	0.0010	0.0085	0.0041	0.0032	0.0019	0.0011	0.0008	0.0017	0.2898	0.0212
10	0.0009	0.0013	0.0023	0.0021	0.0023	0.0211	0.0093	0.0139	0.0150	0.2855
11	0.0081	0.0141	0.0377	0.0613	0.0405	0.0031	0.0035	0.0059	0.0054	0.0052
12	0.0763	0.0178	0.0262	0.0468	0.1061	0.0294	0.1203	0.0577	0.0884	0.1386
13	0.0014	0.0103	0.0086	0.0084	0.0386	0.0068	0.0023	0.0013	0.0091	0.0028
14	0.0002	0.0490	0.0514	0.0146	0.0074	0.0011	0.0007	0.0014	0.0243	0.0127
15	0.0027	0.0229	0.0083	0.0234	0.0092	0.0047	0.0018	0.0043	0.0250	0.0152
16	0.0064	0.0600	0.0600	0.0707	0.0575	0.0034	0.0123	0.0066	0.0149	0.0135
17	0.0037	0.0090	0.0076	0.0117	0.0141	0.0013	0.0021	0.0016	0.0048	0.0082
18	0.0003	0.0193	0.0106	0.0154	0.0111	0.0016	0.0024	0.0020	0.0035	0.0072
19	0.0001	0.0023	0.0017	0.0020	0.0016	0.0005	0.0010	0.0015	0.0005	0.0103
20	0.0003	0.0069	0.0141	0.0042	0.0027	0.0007	0.0008	0.0005	0.0008	0.0023
21	0.0011	0.0040	0.0014	0.0045	0.0061	0.0015	0.0028	0.0036	0.0036	0.0045
22	0.0001	0.0001	0.0000	0.0007	0.0085	0.0008	0.0012	0.0004	0.0028	0.0522
23	0.0094	0.0625	0.0700	0.1348	0.0652	0.0108	0.0225	0.0060	0.0224	0.0225
24	0.0000	0.0004	0.0012	0.0051	0.0053	0.0005	0.0005	0.0003	0.0004	0.0003
25	0.0002	0.0013	0.0013	0.0015	0.0016	0.0006	0.0011	0.0007	0.0010	0.0032
26	0.0002	0.0013	0.0011	0.0004	0.0003	0.0003	0.0002	0.0003	0.0002	0.0002
27	0.0163	0.0518	0.0184	0.0479	0.0646	0.0267	0.0172	0.0216	0.0311	0.0226
28	0.0174	0.0238	0.0183	0.0230	0.0278	0.0293	0.0185	0.0198	0.0251	0.0260
29	0.0234	0.0410	0.0279	0.0292	0.0311	0.0299	0.0246	0.0410	0.0299	0.0304
30	0.0063	0.0176	0.0074	0.0092	0.0147	0.0038	0.0032	0.0048	0.0041	0.0049

（续）

部门	11	12	13	14	15	16	17	18	19	20
01	0.0000	0.0269	0.0004	0.0001	0.0002	0.0001	0.0000	0.0000	0.0000	0.0000
02	0.0531	0.0129	0.0499	0.0193	0.0028	0.0033	0.0008	0.0005	0.0001	0.0016
03	0.5643	0.0231	0.0065	0.0029	0.0015	0.0009	0.0007	0.0005	0.0003	0.0001
04	0.0000	0.0035	0.0019	0.1435	0.0084	0.0025	0.0003	0.0009	0.0000	0.0009
05	0.0001	0.0165	0.0684	0.0026	0.0032	0.0006	0.0002	0.0003	0.0000	0.0001
06	0.0058	0.0148	0.0034	0.0032	0.0030	0.0031	0.0029	0.0034	0.0032	0.0031
07	0.0001	0.0072	0.0022	0.0001	0.0015	0.0012	0.0017	0.0018	0.0002	0.0013
08	0.0005	0.0023	0.0026	0.0022	0.0028	0.0020	0.0098	0.0020	0.0016	0.0028
09	0.0004	0.0015	0.0064	0.0007	0.0150	0.0030	0.0091	0.0023	0.0014	0.0025
10	0.0007	0.0132	0.0229	0.0009	0.0091	0.0041	0.0033	0.0104	0.0082	0.0111
11	0.0576	0.0635	0.0304	0.0460	0.0097	0.0100	0.0043	0.0046	0.0025	0.0031
12	0.0187	0.4164	0.0761	0.0130	0.0394	0.0341	0.0535	0.0847	0.0626	0.1013
13	0.0041	0.0069	0.1659	0.0136	0.0103	0.0055	0.0065	0.0161	0.0160	0.0330
14	0.0008	0.0094	0.0243	0.3367	0.3560	0.2124	0.1147	0.2813	0.0286	0.0340
15	0.0041	0.0083	0.0280	0.0104	0.1253	0.0423	0.0164	0.0458	0.0256	0.0390
16	0.0164	0.0152	0.0288	0.0317	0.0473	0.2150	0.0929	0.0462	0.0112	0.0273
17	0.0029	0.0033	0.0056	0.0061	0.0090	0.0152	0.3301	0.0027	0.0034	0.0057
18	0.0015	0.0028	0.0042	0.0035	0.0084	0.0534	0.0360	0.1431	0.0310	0.0588
19	0.0002	0.0007	0.0007	0.0003	0.0013	0.0235	0.0114	0.0613	0.5239	0.2564
20	0.0019	0.0041	0.0022	0.0026	0.0016	0.0053	0.0101	0.0052	0.0050	0.1028
21	0.0005	0.0025	0.0041	0.0026	0.0034	0.0069	0.0028	0.0048	0.0029	0.0103
22	0.0002	0.0040	0.0147	0.0421	0.0084	0.0118	0.0006	0.0086	0.0009	0.0001
23	0.0229	0.0472	0.0630	0.0469	0.0460	0.0229	0.0111	0.0105	0.0101	0.0081
24	0.0017	0.0023	0.0011	0.0013	0.0009	0.0008	0.0005	0.0005	0.0004	0.0005
25	0.0006	0.0016	0.0014	0.0011	0.0012	0.0005	0.0007	0.0005	0.0005	0.0010
26	0.0006	0.0003	0.0003	0.0003	0.0002	0.0003	0.0003	0.0002	0.0002	0.0002
27	0.0246	0.0251	0.0396	0.0211	0.0202	0.0239	0.0167	0.0204	0.0130	0.0183
28	0.0165	0.0216	0.0274	0.0188	0.0295	0.0298	0.0325	0.0291	0.0308	0.0296
29	0.0188	0.0354	0.0352	0.0269	0.0205	0.0279	0.0301	0.0372	0.0485	0.0310
30	0.0022	0.0046	0.0075	0.0045	0.0058	0.0070	0.0050	0.0044	0.0024	0.0045

（续）

部门	21	22	23	24	25	26	27	28	29	30
01	0.1063	0.0002	0.0000	0.0001	0.0000	0.0041	0.0117	0.0409	0.0028	0.0039
02	0.0056	0.0011	0.1049	0.0630	0.0010	0.0009	0.0021	0.0004	0.0004	0.0028
03	0.0006	0.0001	0.0114	0.5001	0.0019	0.0000	0.0023	0.0009	0.0001	0.0002
04	0.0002	0.0015	0.0000	0.0000	0.0000	0.0000	0.0000	0.0000	0.0002	0.0000
05	0.0025	0.0001	0.0002	0.0000	0.0001	0.0133	0.0002	0.0000	0.0000	0.0004
06	0.0126	0.0010	0.0030	0.0033	0.0028	0.0039	0.0075	0.1053	0.0041	0.0153
07	0.0889	0.0001	0.0000	0.0001	0.0003	0.0007	0.0012	0.0029	0.0028	0.0066
08	0.0146	0.0002	0.0032	0.0098	0.0053	0.0036	0.0064	0.0082	0.0044	0.0102
09	0.0295	0.0001	0.0006	0.0010	0.0016	0.0175	0.0011	0.0034	0.0015	0.0173
10	0.0206	0.0002	0.0019	0.0022	0.0028	0.0017	0.0033	0.0132	0.0292	0.0379
11	0.0072	0.0018	0.0405	0.0216	0.0086	0.0202	0.1829	0.0050	0.0121	0.0151
12	0.0948	0.0222	0.0030	0.0055	0.0530	0.0391	0.0130	0.0105	0.0153	0.1011
13	0.0200	0.0021	0.0020	0.0019	0.0030	0.2126	0.0017	0.0008	0.0008	0.0058
14	0.1035	0.0096	0.0009	0.0021	0.0012	0.1565	0.0036	0.0004	0.0010	0.0009
15	0.0501	0.0011	0.0046	0.0082	0.0287	0.0362	0.0034	0.0009	0.0084	0.0031
16	0.0041	0.0006	0.0098	0.0071	0.0115	0.0292	0.0202	0.0024	0.0050	0.0130
17	0.0134	0.0002	0.0111	0.0196	0.0136	0.0047	0.0669	0.0124	0.0117	0.0183
18	0.0069	0.0015	0.0525	0.0021	0.0038	0.0417	0.0025	0.0092	0.0298	0.0069
19	0.0028	0.0001	0.0007	0.0006	0.0011	0.0029	0.0029	0.0042	0.0299	0.0120
20	0.0023	0.0001	0.0188	0.0058	0.0062	0.0033	0.0013	0.0003	0.0092	0.0106
21	0.0567	0.0001	0.0006	0.0006	0.0011	0.0030	0.0010	0.0009	0.0019	0.0033
22	0.0031	0.1244	0.0001	0.0000	0.0000	0.0000	0.0000	0.0000	0.0000	0.0000
23	0.0178	0.0050	0.3587	0.0167	0.1961	0.0132	0.0111	0.0187	0.0101	0.0180
24	0.0009	0.0002	0.0011	0.0443	0.0032	0.0001	0.0010	0.0011	0.0003	0.0006
25	0.0011	0.0003	0.0019	0.0007	0.0347	0.0004	0.0008	0.0017	0.0009	0.0021
26	0.0002	0.0001	0.0003	0.0006	0.0012	0.0095	0.0038	0.0029	0.0044	0.0134
27	0.0227	0.0061	0.0115	0.0239	0.0091	0.0755	0.0698	0.0646	0.0225	0.0260
28	0.0266	0.0047	0.0100	0.0178	0.0139	0.0322	0.0243	0.0322	0.0435	0.0579
29	0.0321	0.0049	0.0533	0.0318	0.1129	0.0386	0.0684	0.1108	0.1105	0.0655
30	0.0028	0.0017	0.0136	0.0089	0.0164	0.0039	0.0234	0.0212	0.0178	0.0471

注：保留四位小数。

附表 5　　*2007* 年调整后的 *30* 个产业部门的完全消耗系数

部门	01	02	03	04	05	06	07	08	09	10
01	0.2477	0.0371	0.0210	0.0331	0.0365	0.6058	0.3374	0.2495	0.2576	0.1225
02	0.0151	0.1461	0.0353	0.0608	0.0450	0.0215	0.0389	0.0316	0.0400	0.0414
03	0.0309	0.0505	0.0688	0.1075	0.0953	0.0370	0.0585	0.0529	0.0562	0.0600
04	0.0068	0.0337	0.0284	0.1436	0.0227	0.0092	0.0144	0.0133	0.0262	0.0229
05	0.0047	0.0056	0.0050	0.0075	0.0823	0.0057	0.0098	0.0079	0.0090	0.0101
06	0.1604	0.0248	0.0190	0.0283	0.0306	0.3244	0.0795	0.1306	0.0640	0.0473
07	0.0072	0.0131	0.0112	0.0158	0.0168	0.0115	0.6526	0.6489	0.0547	0.0639
08	0.0043	0.0124	0.0101	0.0142	0.0136	0.0073	0.0394	0.2036	0.0406	0.0217
09	0.0053	0.0204	0.0112	0.0134	0.0109	0.0082	0.0093	0.0109	0.4166	0.0493
10	0.0166	0.0196	0.0166	0.0229	0.0252	0.0533	0.0448	0.0546	0.0524	0.4244
11	0.0423	0.0728	0.0835	0.1412	0.1172	0.0495	0.0735	0.0687	0.0755	0.0777
12	0.2005	0.1160	0.1103	0.1811	0.2837	0.1951	0.4491	0.3491	0.3323	0.4390
13	0.0089	0.0271	0.0219	0.0265	0.0635	0.0188	0.0173	0.0153	0.0290	0.0198
14	0.0359	0.2010	0.1702	0.1669	0.1285	0.0503	0.0756	0.0712	0.1496	0.1264
15	0.0136	0.0529	0.0299	0.0579	0.0373	0.0211	0.0242	0.0260	0.0621	0.0484
16	0.0294	0.1286	0.1138	0.1551	0.1288	0.0352	0.0665	0.0564	0.0735	0.0716
17	0.0189	0.0419	0.0310	0.0514	0.0531	0.0234	0.0296	0.0283	0.0372	0.0427
18	0.0130	0.0582	0.0421	0.0657	0.0494	0.0195	0.0310	0.0282	0.0334	0.0412
19	0.0134	0.0414	0.0369	0.0447	0.0376	0.0204	0.0298	0.0308	0.0290	0.0600
20	0.0052	0.0186	0.0248	0.0200	0.0153	0.0072	0.0112	0.0098	0.0110	0.0141
21	0.0035	0.0091	0.0052	0.0103	0.0117	0.0053	0.0094	0.0104	0.0101	0.0115
22	0.0048	0.0151	0.0126	0.0153	0.0234	0.0091	0.0127	0.0117	0.0192	0.0957
23	0.0556	0.1750	0.1681	0.3159	0.1919	0.0747	0.1372	0.1030	0.1330	0.1377
24	0.0011	0.0022	0.0028	0.0082	0.0082	0.0020	0.0030	0.0026	0.0028	0.0028
25	0.0013	0.0032	0.0029	0.0040	0.0040	0.0023	0.0041	0.0035	0.0037	0.0069
26	0.0014	0.0035	0.0025	0.0026	0.0026	0.0020	0.0023	0.0024	0.0023	0.0023
27	0.0452	0.0993	0.0516	0.1033	0.1192	0.0740	0.0774	0.0824	0.0947	0.0824
28	0.0444	0.0643	0.0488	0.0702	0.0732	0.0741	0.0748	0.0773	0.0809	0.0822
29	0.0689	0.1149	0.0837	0.1174	0.1132	0.1030	0.1210	0.1400	0.1235	0.1254
30	0.0157	0.0352	0.0195	0.0292	0.0334	0.0192	0.0218	0.0232	0.0228	0.0235

（续）

部门	11	12	13	14	15	16	17	18	19	20
01	0.0274	0.1033	0.0418	0.0311	0.0403	0.0379	0.0467	0.0443	0.0472	0.0493
02	0.0961	0.0678	0.1100	0.0793	0.0604	0.0501	0.0422	0.0510	0.0362	0.0405
03	0.6572	0.1497	0.0867	0.1020	0.0786	0.0700	0.0650	0.0765	0.0590	0.0630
04	0.0243	0.0281	0.0318	0.2636	0.1311	0.0974	0.0754	0.1096	0.0422	0.0464
05	0.0053	0.0353	0.0953	0.0110	0.0130	0.0091	0.0095	0.0122	0.0116	0.0138
06	0.0287	0.0642	0.0338	0.0305	0.0350	0.0350	0.0402	0.0394	0.0433	0.0417
07	0.0110	0.0338	0.0206	0.0136	0.0187	0.0181	0.0281	0.0208	0.0184	0.0225
08	0.0096	0.0130	0.0130	0.0127	0.0144	0.0128	0.0274	0.0135	0.0131	0.0143
09	0.0104	0.0121	0.0209	0.0104	0.0333	0.0156	0.0289	0.0150	0.0141	0.0162
10	0.0181	0.0511	0.0600	0.0214	0.0363	0.0307	0.0330	0.0444	0.0522	0.0527
11	0.1339	0.1739	0.1134	0.1475	0.1093	0.0983	0.0885	0.1051	0.0780	0.0832
12	0.1288	0.8229	0.2687	0.1407	0.1956	0.1972	0.2650	0.3053	0.3360	0.3782
13	0.0234	0.0291	0.2185	0.0408	0.0394	0.0328	0.0348	0.0504	0.0583	0.0750
14	0.1441	0.1258	0.1695	0.6371	0.7413	0.5731	0.4516	0.6595	0.2460	0.2635
15	0.0322	0.0398	0.0657	0.0496	0.1807	0.0969	0.0689	0.1019	0.0917	0.1011
16	0.1092	0.0872	0.1065	0.1327	0.1517	0.3530	0.2442	0.1517	0.0885	0.1113
17	0.0345	0.0375	0.0430	0.0462	0.0516	0.0616	0.5272	0.0419	0.0400	0.0431
18	0.0405	0.0414	0.0450	0.0498	0.0554	0.1177	0.1082	0.2142	0.1102	0.1325
19	0.0353	0.0383	0.0368	0.0380	0.0413	0.1080	0.0927	0.1920	1.1502	0.6477
20	0.0212	0.0204	0.0160	0.0180	0.0166	0.0206	0.0296	0.0213	0.0233	0.1298
21	0.0054	0.0090	0.0108	0.0098	0.0112	0.0158	0.0118	0.0137	0.0123	0.0202
22	0.0118	0.0206	0.0372	0.0847	0.0539	0.0517	0.0321	0.0522	0.0232	0.0238
23	0.1669	0.2083	0.2172	0.2370	0.2261	0.1701	0.1451	0.1676	0.1325	0.1328
24	0.0043	0.0062	0.0042	0.0053	0.0045	0.0040	0.0037	0.0042	0.0034	0.0036
25	0.0031	0.0050	0.0044	0.0041	0.0044	0.0034	0.0037	0.0038	0.0036	0.0041
26	0.0030	0.0028	0.0027	0.0026	0.0025	0.0027	0.0028	0.0027	0.0028	0.0027
27	0.0760	0.0935	0.1066	0.0906	0.0902	0.0919	0.0882	0.0942	0.0838	0.0876
28	0.0620	0.0808	0.0812	0.0751	0.0910	0.0937	0.1069	0.0986	0.1169	0.1057
29	0.0996	0.1422	0.1304	0.1253	0.1241	0.1323	0.1447	0.1544	0.1970	0.1588
30	0.0210	0.0261	0.0293	0.0266	0.0281	0.0287	0.0276	0.0271	0.0239	0.0256

（续）

部门	21	22	23	24	25	26	27	28	29	30
01	0.2205	0.0061	0.0274	0.0280	0.0259	0.0477	0.0434	0.1356	0.0304	0.0578
02	0.0444	0.0065	0.2057	0.1053	0.0553	0.0564	0.0336	0.0162	0.0148	0.0271
03	0.0621	0.0093	0.0894	0.5903	0.0487	0.0811	0.1495	0.0324	0.0299	0.0485
04	0.0481	0.0067	0.0245	0.0243	0.0166	0.0666	0.0175	0.0087	0.0127	0.0143
05	0.0133	0.0016	0.0047	0.0046	0.0049	0.0405	0.0040	0.0030	0.0032	0.0077
06	0.0693	0.0054	0.0262	0.0262	0.0233	0.0372	0.0329	0.1621	0.0254	0.0510
07	0.1790	0.0021	0.0131	0.0173	0.0137	0.0186	0.0153	0.0183	0.0163	0.0313
08	0.0308	0.0013	0.0134	0.0213	0.0136	0.0150	0.0151	0.0156	0.0108	0.0205
09	0.0537	0.0012	0.0104	0.0117	0.0092	0.0365	0.0092	0.0104	0.0082	0.0334
10	0.0570	0.0034	0.0240	0.0211	0.0243	0.0334	0.0220	0.0391	0.0581	0.0765
11	0.0830	0.0126	0.1129	0.0924	0.0608	0.1177	0.2462	0.0459	0.0440	0.0670
12	0.3311	0.0539	0.1072	0.1099	0.1646	0.2165	0.1076	0.0987	0.1013	0.2736
13	0.0432	0.0049	0.0204	0.0204	0.0153	0.2788	0.0149	0.0099	0.0114	0.0224
14	0.2832	0.0277	0.1447	0.1444	0.0944	0.3993	0.1028	0.0500	0.0718	0.0789
15	0.0872	0.0045	0.0383	0.0368	0.0537	0.0817	0.0242	0.0147	0.0263	0.0245
16	0.0673	0.0076	0.0799	0.0957	0.0557	0.1169	0.0803	0.0300	0.0344	0.0551
17	0.0500	0.0042	0.0501	0.0597	0.0445	0.0467	0.1261	0.0402	0.0343	0.0501
18	0.0392	0.0059	0.1278	0.0408	0.0479	0.0871	0.0320	0.0305	0.0565	0.0347
19	0.0366	0.0039	0.0618	0.0389	0.0401	0.0480	0.0365	0.0339	0.0960	0.0597
20	0.0136	0.0016	0.0432	0.0248	0.0215	0.0167	0.0118	0.0070	0.0169	0.0207
21	0.0661	0.0007	0.0062	0.0055	0.0049	0.0105	0.0047	0.0038	0.0050	0.0077
22	0.0259	0.1442	0.0124	0.0114	0.0090	0.0309	0.0090	0.0066	0.0091	0.0118
23	0.1381	0.0214	0.6403	0.1500	0.3725	0.1577	0.0860	0.0698	0.0567	0.0935
24	0.0036	0.0006	0.0034	0.0486	0.0052	0.0033	0.0028	0.0023	0.0014	0.0024
25	0.0039	0.0007	0.0049	0.0032	0.0380	0.0033	0.0025	0.0031	0.0023	0.0041
26	0.0022	0.0004	0.0028	0.0031	0.0034	0.0122	0.0062	0.0051	0.0063	0.0159
27	0.0833	0.0138	0.0658	0.0752	0.0467	0.1494	0.1137	0.1005	0.0525	0.0698
28	0.0816	0.0111	0.0588	0.0639	0.0518	0.0926	0.0642	0.0667	0.0746	0.0994
29	0.1252	0.0164	0.1587	0.1138	0.1964	0.1424	0.1382	0.1752	0.1696	0.1406
30	0.0215	0.0042	0.0385	0.0281	0.0344	0.0265	0.0389	0.0348	0.0293	0.0633

注：保留四位小数。

附表6 2005 年及 2007 年各行业单位产出的总计能耗

部门	2005 年			2007 年		
	e_j	f_j	β_j	e_j	f_j	β_j
01	0. 202062142	0. 48941423	0. 69147637	0. 1686248	0. 36562962	0. 534254372
02	0. 949233427	0. 99327375	1. 94250718	0. 7434644	0. 7318007	1. 475265125
03	0. 657523455	0. 52191232	1. 17943577	0. 3856874	0. 56144879	0. 947136196
04	0. 497837271	1. 18080522	1. 67864249	0. 3470436	0. 86614653	1. 213190095
05	0. 423633655	1. 15972261	1. 58335626	0. 2786984	0. 79787026	1. 076568644
06	0. 164837259	0. 67680656	0. 84164382	0. 1164856	0. 53372792	0. 65021355
07	0. 314668954	1. 05528034	1. 3699493	0. 246358	0. 86557755	1. 111935501
08	0. 070120106	0. 93896881	1. 00908891	0. 0581873	0. 78323015	0. 84141745
09	0. 136986222	1. 05185202	1. 18883824	0. 0888396	0. 78307809	0. 871917668
10	0. 345023261	1. 12177606	1. 46679932	0. 259418	0. 85199045	1. 111408437
11	0. 956836203	1. 14931731	2. 10615351	0. 6252331	0. 87292979	1. 498162869
12	0. 681334048	1. 41232653	2. 09366058	0. 530137	1. 12768212	1. 657819117
13	1. 184455582	1. 35912378	2. 54357936	0. 892585	1. 03670075	1. 929285747
14	1. 373656913	1. 75714544	3. 13080235	0. 9568672	1. 30408378	2. 260950966
15	0. 210640357	1. 83992966	2. 05057002	0. 1599769	1. 36812071	1. 528097586
16	0. 128793451	1. 57930694	1. 70810039	0. 1020007	1. 1527734	1. 254774097
17	0. 11042367	1. 45962924	1. 57005291	0. 0720758	1. 06228797	1. 134363766
18	0. 072324629	1. 63929489	1. 71161952	0. 0568375	1. 31835509	1. 375192574
19	0. 052314899	1. 28507483	1. 33738973	0. 0487257	0. 9017163	0. 950441972
20	0. 05162152	1. 36698112	1. 41860264	0. 0530964	0. 95214962	1. 005245995
21	0. 342922507	1. 1487733	1. 49169581	0. 2078844	0. 94832902	1. 156213431
22	0. 02774716	0	0. 02774716	0. 0113265	0. 11410656	0. 125433022
23	0. 778542655	1. 18945618	1. 96799884	0. 5867559	1. 00691972	1. 593675582
24	0. 870293442	1. 29416652	2. 16445997	0. 5561756	0. 84036101	1. 396536624
25	0. 715965844	0. 94402949	1. 65999534	0. 6801079	0. 67083424	1. 35094217
26	0. 085352397	1. 37489923	1. 46025162	0. 0642751	1. 23611945	1. 300394525
27	0. 663874509	0. 90579123	1. 56966574	0. 6365346	0. 63740401	1. 273938566
28	0. 164480139	0. 46468907	0. 62916921	0. 1365954	0. 39956749	0. 536162927
29	0. 180603338	0. 62943932	0. 81004266	0. 1522444	0. 35696982	0. 509214229
30	0. 574545307	0. 73676325	1. 31130856	0. 5122192	0. 56856913	1. 080788314

附表 7 2008 年和 2009 年海关行业进出口数据合并调整表

调整前部门商品出口统计分类	调整后部门分类	代码
01 章　活动物		
02 章　肉及食用杂碎		
03 章　鱼、甲壳动物、软体动物及其他水生无脊椎动物		
04 章　乳品；蛋品；天然蜂蜜；其他食用动物产品		
05 章　其他动物产品		
06 章　活树及其他活植物；鳞茎、根及类似品；插花及装饰用簇叶		
07 章　食用蔬菜、根及块茎		
08 章　食用水果及坚果；甜瓜或柑橘属水果的果皮	农业	1
09 章　咖啡、茶、马黛茶及调味香料		
10 章　谷物		
11 章　制粉工业产品；麦芽；淀粉；菊粉；面筋		
12 章　含油子仁及果实；杂项子仁及果实；工业用或药用植物；稻草、秸秆及饲料		
13 章　虫胶；树胶、树脂及其他植物液、汁		
14 章　编结用植物材料；其他植物产品		
15 章　动、植物油、脂及其分解产品；精制的食用油脂；动、植物蜡		
27 章　矿物燃料、矿物油及其蒸馏产品；沥青物质；矿物蜡	煤炭开采和洗选业	2
	石油和天然气开采业	3
	石油加工、炼焦及核燃料加工业	11
26 章　矿砂、矿渣及矿灰	金属矿采选业	4
25 章　盐；硫黄；泥土及石料；石膏料、石灰及水泥	非金属矿采选业及其他采矿业	5
16 章　肉、鱼、甲壳动物、软体动物及其他水生无脊椎动物的制品		
17 章　糖及糖食		
18 章　可可及可可制品		
19 章　谷物、粮食粉、淀粉或乳的制品；糕饼点心		
20 章　蔬菜、水果、坚果或植物其他部分的制品	食品制造及烟草加工业	6
21 章　杂项食品		
22 章　饮料、酒及醋		
23 章　食品工业的残渣及废料；配制的动物饲料		
24 章　烟草及烟草代用品的制品		

（续）

调整前部门商品出口统计分类	调整后部门分类	代码
50 章 蚕丝		
51 章 羊毛、动物细毛或粗毛；马毛纱线及其机织物		
52 章 棉花		
53 章 其他植物纺织纤维；纸纱线及其机织物		
54 章 化学纤维长丝		
55 章 化学纤维短纤		
56 章 絮胎、毡呢及无纺织物；特种纱线；线、绳、索、缆及其制品	纺织业	7
57 章 地毯及纺织材料的其他铺地制品		
58 章 特种机织物；簇绒织物；花边；装饰毯；装饰带；刺绣品		
59 章 浸渍、涂布、包覆或层压的纺织物；工业用纺织制品		
60 章 针织物及钩编织物		
61 章 针织或钩编的服装及衣着附件		
62 章 针织或钩编的服装及衣着附件		
63 章 其他纺织制成品；成套物品；旧衣着及旧纺织品；碎织物		
41 章 生皮(毛皮除外)及皮革		
42 章 皮革制品；鞍具及挽具；旅行用品、手提包及类似容器；动物肠线(蚕胶丝除外)制品		
43 章 毛皮、人造毛皮及其制品		
64 章 鞋靴、护腿和类似品及其零件	服装皮革羽绒及其制品业	8
65 章 帽类及其零件		
66 章 雨伞、阳伞、手杖、鞭子、马鞭及其零件		
67 章 已加工羽毛、羽绒及其制品；人造花；人发制品		
44 章 木及木制品；木炭		
45 章 软木及软木制品	木材加工及家具制造业	9
46 章 稻草、秸秆、针茅或其他编结材料制品；篮筐及柳条编织品		
47 章 木浆及其他纤维状纤维素浆；纸及纸板的废碎品		
48 章 纸及纸板；纸浆、纸或纸板制品	造纸印刷及文教用品制造业	10
49 章 书籍、报纸、印刷图画及其他印制品；手稿、打字稿及设计图纸		
28 章 无机化学品；贵金属、稀土金属、放射性元素及其同位素的有机及无机化合物		
29 章 有机化学品		
30 章 药品	化学工业	12
31 章 肥料		
32 章 鞣料浸膏及染料浸膏；鞣酸及其衍生物；染料、颜料及其他着色料；油漆及清漆；油灰及其他类似胶粘剂；墨水、油墨		

（续）

调整前部门商品出口统计分类	调整后部门分类	代码
33 章　精油及香膏；芳香料制品及化妆盥洗品	化学工业	12
34 章　肥皂、有机表面活性剂、洗涤剂、润滑剂、人造蜡、调制蜡、光洁剂、蜡烛及类似品、塑型用膏、"牙科用蜡"及牙科用熟石膏制剂		
35 章　蛋白类物质；改性淀粉；胶；酶		
36 章　炸药；烟火制品；火柴；引火合金；易燃材料制品		
37 章　照相及电影用品		
38 章　杂项化学产品		
39 章　塑料及其制品		
40 章　橡胶及其制品		
68 章　石料、石膏、水泥、石棉、云母及类似材料的制品	非金属矿物制品业	13
69 章　陶瓷产品		
70 章　玻璃及其制品		
71 章　天然或养殖珍珠、宝石或半宝石、贵金属、包贵金属及其制品；仿首饰；硬币	金属冶炼及压延加工业	14
72 章　钢铁		
73 章　钢铁制品		
74 章　铜及其制品		
75 章　镍及其制品		
76 章　铝及其制品	金属制品业	15
78 章　铅及其制品		
79 章　锌及其制品		
80 章　锡及其制品		
81 章　其他贱金属、金属陶瓷及其制品		
82 章　贱金属工具、器具、利口器、餐匙、餐叉及其零件		
83 章　贱金属杂项制品		
84 章　核反应堆、锅炉、机器、机械器具及其零件	通用、专用设备制造业	16
93 章　武器、弹药及其零件、附件		
86 章　铁道及电车道机车、车辆及其零件；铁道及电车轨道固定装置及其零件、附件；各种机械（包括电动机械）交通信号设备	交通运输设备制造业	17
87 章　车辆及其零件、附件，但铁道及电车道车辆除外		
88 章　航空器、航天器及其零件		
89 章　船舶及浮动结构体		

（续）

调整前部门商品出口统计分类	调整后部门分类	代码
85 章　电机、电气设备及其零件；录音机及放声机、电视图像、声音的录制和重放设备及其零件、附件	电气机械及器材制造业	18
	通信设备计算机其他电子设备制造业	19
90 章　光学、照相、电影、计量、检验、医疗或外科用仪器及设备、精密仪器及设备；上述物品的零件、附件	仪器仪表及文化、办公用机械制造业	20
91 章　钟表及其零件		
92 章　乐器及其零件、附件		
94 章　家具；寝具、褥垫、弹簧床垫、软坐垫及类似的填充制品；未列名灯具及照明装置；发光标志、发光名牌及类似品；活动房屋	其他制造业	21
	废品废料	22
	电力、热力的生产和供应业	23
	燃气生产和供应业	24
95 章　玩具、游戏品、运动用品及其零件、附件	水的生产和供应业	25
	建筑业	26
96 章　杂项制品	交通运输、仓储和邮政业	27
97 章　艺术品、收藏品及古物	批发、零售业和住宿、餐饮业	28
98 章　特殊交易品及未分类商品	其他行业	29
	生活消费	30

附表 8　2008 年和 2009 年海关行业进出口数据比例调整表

调整前商品出口统计分类	调整后部门分类	2007 年出口金额（万元）	部门占比（%）
27 章　矿物燃料、矿物油及其蒸馏产品；沥青物质；矿物蜡	2 煤炭开采和洗选业	2337578	19.89
	3 石油和天然气开采业	1735648	14.77
	11 石油加工、炼焦及核燃料加工业	7678378	65.34
71 章　天然或养殖珍珠、宝石或半宝石、贵金属、包贵金属及其制品；仿首饰；硬币 72 章　钢铁 73 章　钢铁制品 74 章　铜及其制品 75 章　镍及其制品	14 金属冶炼及压延加工业	51554905	59.16
76 章　铝及其制品 78 章　铅及其制品 79 章　锌及其制品 80 章　锡及其制品 81 章　其他贱金属、金属陶瓷及其制品 82 章　贱金属工具、器具、利口器、餐匙、餐叉及其零件 83 章　贱金属杂项制品 87 章　车辆及其零件、附件，但铁道及电车道车辆除外 88 章　航空器、航天器及其零件 89 章　船舶及浮动结构体	15 金属制品业	35585167	40.84
85 章　电机、电气设备及其零件；录音机及放声机、电视图像、声音的录制和重放设备及其零件、附件	18 电气机械及器材制造业	68256592	24.20
	19 通信设备、计算机及其他电子设备制造业	213775082	75.80
94 章　家具；寝具、褥垫、弹簧床垫、软坐垫及类似的填充制品；未列名灯具及照明装置；发光标志、发光名牌及类似品；活动房屋	21 其他制造业	13097173	8.68
	22 废品废料	317293	0.21
	23 电力、热力的生产和供应业	651130	0.43
	24 燃气生产和供应业	0	0.00
95 章　玩具、游戏品、运动用品及其零件、附件	25 水的生产和供应业	0	0.00
	26 建筑业	4088747	2.71

（续）

调整前商品出口统计分类	调整后部门分类	2007 年出口金额（万元）	部门占比（%）
96 章 杂项制品	27 交通运输、仓储和邮政业	40315450	26.73
97 章 艺术品、收藏品及古物	28 批发、零售业和住宿、餐饮业	47440878	31.45
98 章 特殊交易品及未分类商品	29 其他行业	37682929	24.98
	30 生活消费	7230392	4.79

注：①2007 年中国投入产出表整理所得，保留两位小数；

②由于国家统计局发表的投入产出表中对产品的分类与中国统计年鉴中对应海关出口分类划分标准不统一，这里根据投入产出表使用说明表和海关分类原则对出口产品分类重新划分，使其合并调整为 30 个部门。同时，对分类不明晰部门采取按照其在 2007 年中同种商品出口中所占的比例来确定 2008 年和 2009 年其在同类产品出口中的出口比例。

参考文献

[1]白彦锋. 碳关税与我国现行税制中的碳税政策调整[J]. 税务研究, 2011(1): 54~58.

[2]白洋. 论我国碳排放权交易机制的法律构建[J]. 河南师范大学学报(哲学社会科学版), 2010, 37(1): 86~89.

[3]鲍勤, 汤铃, 杨列勋. 美国征收碳关税对中国的影响: 基于可计算一般均衡模型的分析[J]. 管理评论, 2010(6): 25~33.

[4]边永民, 蒋硕. 一类新型的贸易壁垒措施——碳壁垒[J]. 中国对外贸易, 2009(10): 84~86.

[5]边永民. 国际贸易规则与环境措施的法律研究[M]. 北京: 机械工业出版社, 2005.

[6]边永民. 与贸易有关的环境措施和国际贸易规则的协调[D]. 北京: 对外经济贸易大学, 2002.

[7]别涛. 墨诉美金枪鱼案: 环境贸易措施不应针对生产方法[J]. WTO 经济导刊, 2004(9): 86~88.

[8]蔡高强, 胡斌. 论 WTO 体制下的碳关税贸易措施及其应对[J]. 湘潭大学学报(哲学社会科学版), 2010, 34(3): 34~39.

[9]蔡立杰. 美国二氧化硫排放贸易简介[J]. 世界环境, 1999(8): 19~20.

[10]曹建明, 贺小勇. 世界贸易组织[M]. 北京: 法律出版社, 2004.

[11]曹静. "碳关税": 当前热点争论与研究综述[J]. 经济学动态, 2010(1): 79~83.

[12]曹昭煜. 促进低碳消费的公共政策研究[D]. 长沙: 湖南大学, 2012.

[13]常纪文. 温室气体排放税费的若干法律问题(上)[J]. 环境教育, 2009(11): 21~23.

[14]常纪文. 温室气体排放税费的若干法律问题(下)[J]. 环境教育, 2009(12): 16~18.

[15]陈光普, 高文书. 碳关税: 对中国的影响及其应对[J]. 时代经贸. 2011(4 上): 33~38.

[16]陈红敏. 中国产业部门的能耗强度特征及节能减排的分类实现路径[J]. 资源科学, 2009, 31(7): 1226~1232.

[17]陈洪宛, 张森. 我国当前实行碳税促进温室气体减排的可行性思考[J]. 财经论丛, 2009(1): 35~40.

[18]陈洁民, 王勤. "碳关税": 新型的贸易保护形式[J]. 黑龙江对外经贸, 2010(4): 30~31.

[19]陈立新. 美国碳关税法案的法理透视[J]. 中国外资, 2009(11): 206~207.

[20]陈晓春, 谭娟, 陈文婕. 论低碳消费方式[N]. 光明日报, 2009-04-21(010).

[21]陈莹莹. 美国征收"碳关税"的意图与我国对策的观点综述[J]. 经济研究参考, 2010(36): 39~45.

[22]初济显. 二氧化碳减排的研究进展[J]. 高校理科研究, 2012(2): 132.

[23]董正爱, 秦鹏. 碳关税贸易壁垒: 环境保护视阈下的法律应对路径[J]. 绿叶, 2011(11): 61~67.

[24]窦强. 多边贸易体制下环境措施之适当实施[D]. 青岛: 山东科技大学, 2009.

[25]杜泉. 碳关税视角下中国出口贸易前景[D]. 长春: 吉林大学, 2012.

[26]段红霞. 国际低碳发展的趋势和中国气候政策的选择[J]. 国际问题研究, 2010(1): 62~68.

[27]鄂晓梅. 单边 PPM 环境贸易措施与 WTO 规则: 冲突与协调[M]. 北京: 法律出版社, 2007.

[28]樊晓. 碳关税的法律分析[D]. 石家庄：河北经贸大学, 2011.

[29]樊晓. 碳关税对中国经济的影响和应对策略分析[J]. 现代商贸工业, 2010(20)：134~135.

[30]高静. "碳关税"法律制度研究[D]. 北京：中国政法大学, 2010.

[31]高兴霞. 碳关税壁垒的立体透视及对策[J]. 会计之友. 2010(4)：102~103.

[32]龚宇. 欧盟航空减排新规：法律辨析与应对[C]. 国际经济法年会, 厦门, 2011.

[33]龚韵秋, 陈晓庆. 低碳经济形势下我国对外贸易面临的挑战分析[J]. 中国商贸, 2010(7)：174~175.

[34]归秀娥. 美国征收碳关税对中国经济的影响及中国的对策分析[J]. 新西部, 2010(6), 246, 248.

[35]郭安丽. 德班谈判：发展中国家诉求取得标志性进展[EB/OL]. 中国联合商报, [2011-12-16]. http://msn. finance. sina. com. cn.

[36]郭丽萍. 欧盟力推航空碳税中航协采取三不对策[J]. 中国评论. 2011(12)：71~73.

[37]韩利琳. 碳关税贸易壁垒对中国的影响及对策研究[J]. 人文杂志, 2010(5)：91~95.

[38]韩良. 国际温室气体排放权交易法律问题研究[M]. 北京：中国法制出版社, 2009.

[39]何代欣. 碳关税：机制困境, 政治纠葛与经济悖论[J]. 中国行政管理, 2010(10)：68~72.

[40]何娟. 碳关税：新的绿色贸易壁垒抑或WTO环境保护豁免[J]. 世界贸易组织动态与研究, 2010, 17(3)：56~61.

[41]贺小勇. PPM标准及我国的对策[J]. 国际贸易, 1995(9)：33~35.

[42]贺小勇. 论世贸组织体制下的环境边境税调整[J]. 国际商务, 1997(5)：50~53, 49.

[43]胡国珠, 张蕾. 边境碳调节措施的贸易与环境效应的局部均衡[J]. 国际经贸探索, 2010, 26(11)：62~67.

[44]黄蓓佳, 杨海真. 中国碳减排承诺解读及碳交易发展研究[J]. 长江流域资源与环境, 2010, 19(Z2)：11~13.

[45]黄辉. 论环境保护国际化与自由贸易的协调[J]. 武汉科技大学学报, 2006, 8(1)：14~17, 55.

[46]黄敏, 蒋琴儿. 外贸中隐含碳的计算及其变化的因素分解[J]. 上海经济研究, 2010(3)：68~76.

[47]黄水灵, 黄敏. 碳关税对我国外贸出口的影响述评[J]. 上海商学院学报, 2011, 12(1)：49~55.

[48]黄文旭. 国际法视野下的碳关税问题研究[D]. 上海：华东政法大学, 2011.

[49]黄文旭. 论WTO框架下动植物检疫制度的价值冲突[J]. 中国卫生法制, 2007, 15(2)：11~12.

[50]黄文旭. 碳关税的合法性分析——以WTO为视角[J]. 时代法学, 2010, 8(6)：108~114.

[51]黄文旭. 碳关税相关概念辨析[J]. 岭南学刊, 2011(1)：70~75.

[52]黄晓凤. "碳关税"壁垒对我国高碳产业的影响及应对策略[J]. 经济纵横, 2010(3)：49~51.

[53]黄应来, 黄颖川. 欧盟或将征碳关税中国制造首当其冲[N]. 南方日报. 2010-01-15(A09).

[54]黄媛虹, 沈可挺. 碳关税争端及其对中国工业品出口的影响分析[R]. 中国环境科学学会学术年会论文集（第二卷）, 2010：1575~1578.

[55]黄志雄. 国际贸易新课题：边境碳调节措施与中国的对策[J]. 中国软科学, 2010(1)：1~9, 101.

[56]蹇彪. 低碳目标下的产业调整与技术创新[J]. 经济纵横, 2010(8)：68~70, 121.

[57]江峰, 刘伟民. 中国碳交易市场建设的SWOT分析[J]. 环境保护, 2009(14)：78~79.

[58]焦芳. 低碳经济与中国对外贸易发展[J]. 贵州财经学院学报, 2011(2)：49~54.

[59]金慧华. 多边贸易体制下的碳税问题探析[J]. 社会科学, 2009(1)：95~101.

[60]蓝庆新, 曾向东. 后哥本哈根时代世界经济发展趋势及中国的对策[J]. 南京社会科学, 2010(8)：23~28.

[61]蓝庆新. 国际碳关税发展趋势析论[J]. 现代国际关系, 2010(9)：1~6, 26.

[62]雷敏. 商务部：征"碳关税"是以环保为名行贸易保护之实[EB/OL]. http：//news. xinhuanet. com/fortune/ 2009 – 07/03/content_ 11647537. htm, 2010-09-20.

[63]李布. 欧盟碳排放交易体系的特征，绩效与启示[J]. 重庆理工大学学报（社会科学版），2010, 24(3)：1 ~ 5.

[64]李栋梁. 产业竞争力结构的低碳经济考量[J]. 北方论丛，2010(3)：144 ~ 146.

[65]李慧. 法国宪法委员会叫停碳税征收[N]. 中国能源报，2010-01-04(09).

[66]李瑾. 低碳认证的作用与意义. 认证技术，2011(7)：23 ~ 24.

[67]李静云. 走向气候文明：后京都时代气候保护国际法律新秩序的构建[M]. 北京：中国环境科学出版社，2010.

[68]李凯风. 我国碳金融体系构建的难点及解决对策分析[J]. 科技进步与对策，2010, 27(22)：140 ~ 145.

[69]李坤望，张伯伟. 国际经济学[M]，北京：高等教育出版社，2000.

[70]李娜. 碳关税的征收对运输服务贸易的影响研究[D]. 大连：大连海事大学，2012.

[71]李平，李淑云，沈得芳. 关税问题研究：背景、征收标准及应对措施[J]. 国际金融研究，2010(9)：71 ~ 78.

[72]李沁璇. 论"碳关税"贸易措施[D]. 湘潭：湘潭大学，2011.

[73]李寿平. 多边贸易体制中的环境保护法律问题研究[M]. 北京：中国法制出版社，2004.

[74]李威. 碳关税的国际法与国际机制研究[J]. 国际政治研究，2009(4)：40 ~ 53.

[75]李响. "碳关税"合法性分析及中国的对策[D]. 北京：外交学院，2010.

[76]李晓玲，陈雨松. "碳关税"与 WTO 规则相符性研究[J]. 国际经济合作，2010(3)：77 ~ 81.

[77]李欣. 碳关税时代我国机电产品出口的低碳策略研究[D]. 北京：北京工业大学，2012.

[78]李艳梅，付加锋. 中国出口贸易中隐含碳排放增长的结构分解分析[J]. 中国人口、资源与环境，2010, 20(8)：53 ~ 57.

[79]梁咏. WTO 框架下碳关税可能引致的贸易争端与解决[J]. 法学，2010(7)：76 ~ 84.

[80]刘波. 广西出口商品竞争力状况及发展对策[J]. 经济与社会发展. 2004(12)：10 ~ 13.

[81]刘绵松. 伦理的视角——WTO 中的互利原则研究[M]. 长沙：湖南教育出版社，2002.

[82]刘小川，汪曾涛. 二氧化碳减排政策比较以及我国的优化选择[J]. 上海财经大学学报，2009, 11(4)：73 ~ 80.

[83]刘小川. 美国征收"碳关税"对中国经济的影响[D]. 上海：上海财经大学，2009.

[84]刘勇，朱瑜. 碳关税与全球性碳排放交易体制[J]. 现代国际关系，2010(11)：25 ~ 32.

[85]龙英锋. 环境边境税调整的应用与研究述评[J]. 税务研究，2010(7)：63 ~ 66.

[86]卢现祥. 为什么中国会出现制度"软化"[J]. 经济学动态，2011(9)：44 ~ 48.

[87]吕海霞. 碳关税：全球金融危机下的新型绿色壁垒[J]. 中国物价. 2009(10)：46 ~ 48.

[88]罗延林. WTO 体制下碳关税法律制度研究[D]. 广州：广东商学院，2012.

[89]马华. WTO 规则视野下碳关税措施探析[J]. 福建论坛（社科教育版），2010(6)：20 ~ 22.

[90]马克·威廉姆斯. 国际经济组织与第三世界[M]. 张汉林，屠新泉等，译. 北京：经济科学出版社，2001.

[91]马其家. 碳关税及中国的应对策略研究[J]. 法学研究. 2010(11)：173 ~ 177.

[92]毛永波. CDM 问题的冷思考[J]. 环境科学与管理. 2008, 33(10)：159 ~ 163.

[93]孟凡娟. 国际视野下"碳关税"的法律分析[J]. 法制与社会，2011(1 下)：114 ~ 115.

[94]孟祺，贺立. 碳排放规制下中国对外贸易的发展[J]. 改革与战略，2010(6)：186～195.

[95]彭梦瑶. 法意领导人呼吁在欧盟边境设立碳关税[EB/OL]. 新华网，[2010-06-15]. http：//news. xinhuanet. com/world/2010 – 04/16/c_ 1236264. htm.

[96]齐晔，李惠民，徐明. 中国进出口贸易中的隐含碳估算[J]. 中国人口、资源与环境，2008，18(3)：8～13.

[97]钱盈. 碳关税：WTO 法与国内法的相互制约和映射[D]. 北京：中国人民大学，2011.

[98]饶文涛. 温室气体减排现状及宝钢的对策[J]. 世界钢铁，2006(5).

[99]任超然. 征收在即存质疑　全球航企严阵以待欧盟碳税[EB/OL]. 民航资源网，[2011 – 04 – 01]. http：// news. carnoc. com/list/187/187443. html.

[100]申进忠. WTO 协调环境贸易关系的理论与实践[M]. 北京：中国法制出版社，2003.

[101]沈可挺，李钢. 碳关税对中国工业品出口的影响——基于可计算一般均衡模型的评估[J]. 财贸经济，2010 (1)：75～82.

[102]沈可挺，李钢. 碳关税或冲击中国工业品出口[N]. 中国社会科学报，2010-06-17(008).

[103]沈可挺. 碳关税争端及其对中国制造业的影响[J]. 中国工业经济，2010(1)：65～74.

[104]沈利生. 我国对外贸易结构变化不利于节能降耗[J]. 管理世界，2007(10)：43～45.

[105]沈木珠. 多边法律体制下碳关税的合法性新析[J]. 国际贸易问题，2011(5)：149～156.

[106]盛立中. 碳关税开征路线图及其经济效应[J]. 国际商务财会. 2010(2)：13～14.

[107]世界银行. 国际贸易与气候变化——经济，法律和制度分析[M]. 廖玫等，译. 北京：高等教育出版社，2010.

[108]宋俊荣. 环境税收边境调整与WTO[J]. 世界贸易组织动态与研究. 2010，17(1)：63～67.

[109]宋俊荣. 应对气候变化的贸易措施与WTO 规则：冲突与协调[D]. 上海：华东政法大学，2010.

[110]宋俊荣. 在 WTO 框架下对进口内涵碳产品征收碳税的可行性探讨[J]. 特区经济，2010(1)：13～15.

[111]索尼娅·拉巴特，罗德尼 R. 怀特. 碳金融[M]. 王振，王宇等，译. 北京：石油工业出版社，2010.

[112]唐启宁. WTO 体制下碳关税问题研究[D]. 重庆：西南政法大学，2010.

[113]田明华，陈建成，高秋杰，等. 浅谈低碳经济发展对林业的影响[J]. 林业经济，2010(2)：76～78.

[114]田明华，高秋杰，吴红梅. 贸易与环境问题研究的新领域[J]. 商业研究，2011(7)：156～160.

[115]佟占军. WTO 规则视野下的"碳关税"解析[J]. 北京农学院学报，2011，26(1)：33～36.

[116]托马斯·伯诺尔，莉娜·谢弗. 气候变化治理[J]. 南开学报(哲学社会科学版)，2011(3)：8～19.

[117]万霞. "后京都时代"与"共同而有区别的责任"原则[J]. 外交评论，2006(4)：93～100.

[118]万怡挺. 揭开"碳关税"的面纱. 国际商报[N]，2010-07-09(C03).

[119]王海峰. WTO 视野下的碳关税制度分析[J]. 国际贸易，2011(3)：24～29.

[120]王海峰. 世贸组织新型贸易壁垒法律规制及热点研究[M]. 上海：上海社会科学院出版社，2008.

[121]王鹤，贾远琨. 欧盟碳关税紧逼民航业　国际航线将负重飞行[EB/OL]. 新华网. http：//news. xinhuanet. com/world/2011 – 03/30/c_ 121249365. htm.

[122]王珲. 碳关税方案的比较与选择[D]. 南昌：江西财经大学，2012.

[123]王慧. 美国气候安全法中的碳关税条款及其对我国的影响——兼论我国的诉讼对策[J]. 法商研究，2010 (5)：21～30.

[124]王俊. 从制度设想到贸易政策：美国碳关税蜕变之路障碍分析[J]. 世界经济与政治，2011(1)：77～98.

[125]王蕾. 国际航空业碳排放之争[EB/OL]. 人民网，(2010 – 06 – 30)[2010 – 09 – 17]. http：//caac. people.

com. cn/GB/114103/10637826. html.

[126]王利. 低碳经济：未来中国可持续发展之基础——兼谈中国法律与政策的完善[J]. 池州学院学报，2009，23(2)：17～21.

[127]王谋，潘家华，陈迎.《美国清洁能源与安全法案》的影响及意义[J]. 气候变化研究进展，2010，6(4)：307～312.

[128]王铁崖. 国际法[M]. 北京：法律出版社，1995.

[129]王曦. 国际环境法[M]. 北京：法律出版社，2005.

[130]王宇松. 碳关税法律制度研究[D]. 合肥：安徽大学，2012

[131]危敬添. 不具法律约束力的《哥本哈根协议》[J]. 中国海事，2010(1)：26～27.

[132]魏本勇，方修琦，王媛，等. 基于投入产出分析的中国国际贸易碳排放研究[J]. 北京师范大学学报(自然科学版)，2009，45(4)：413～419.

[133]魏喆. 王琦栋：美国清洁能源与安全法案将带来颠覆性的能源革命[EB/OL]. 搜狐财经，(2009－07－03)[2010－09－28]. http：//business. sohu. com/20090703/n264963702. shtml.

[134]吴力波，汤维祺. 碳关税的理论机制与经济影响[J]. 科学对社会的影响，2010(1)：51～56.

[135]吴玲琍. WTO 体制下的绿色贸易壁垒法律问题研究[M]. 北京：中国政法大学出版社，2009.

[136]吴益民. 论 WTO 贸易与环境政策的撞击与协调[J]. 南昌大学学报(人文社会科学版). 2008，39(2)：82～87.

[137]席越. 罗特根：德国不赞同碳关税[N]. 21 世纪经济报道. 2010-05-10(016).

[138]夏先良. 碳关税、低碳经济和中美贸易再平衡[J]. 国际贸易. 2009(11)：37～45.

[139]谢来辉，陈迎. 中国对碳关税问题过度担忧了吗？[J]. 国际经济评论，2010(4)：135～137.

[140]谢来辉. 美国挥舞碳关税大棒：意在中国？[J]. 经济环境，2009(4)：69～72.

[141]谢来辉. 应对气候变化的边境调节税研究[D]. 北京：中国社会科学院，2008.

[142]邢丽. 碳税国际协调的理论综述[J]. 经济研究参考，2010(44)：40～49.

[143]熊文攀. WTO 争端解决机制之环保例外条款研究[D]. 重庆：西南政法大学，2006.

[144]许士春. 市场型环境政策工具对碳减排的影响机理及其优化研究[D]. 北京：中国矿业大学，2012.

[145]许耀明. 气候变化国际法与 WTO 规则在解决贸易与环境纠纷中的矛盾与协调[J]. 政治与法律，2010(3)：29～39.

[146]闫云凤，杨来科. 中国出口隐含碳增长的影响因素分析[J]. 中国人口、资源与环境，2010，20(8)：48～52.

[147]严思佳. 碳关税的政治经济分析[D]. 大连：东北财经大学，2010.

[148]杨芳. 低碳经济时代碳关税合法性问题研究[R]. 法治论坛，2010(4)：215～221.

[149]杨会民. 中国进出口贸易隐含碳的计算与影响因素结构分析研究[D]. 天津：天津大学，2009.

[150]杨明珠. 碳关税的法律解读与中国的立场[J]. 西南石油大学学报(社会科学版)，2011，13(3)：36～39.

[151]杨杨，杜剑. 碳税的国际经验与借鉴[J]. 涉外税务，2010(1)：41～44.

[152]叶波. 美国碳关税制度的法律和政治简析[J]. 法学评论，2011(4)：106～110.

[153]伊石. 揭秘高端低碳园区标准——访北京高端低碳园区研究中心首席科学家、北大教授陈国谦[J]. 中关村. 2010(5)：56～57.

[154]袁晨玲. 碳关税与我国的应对[D]. 北京：中央民族大学，2012.

[155]袁雪. 希望《哥本哈根协议》升级为联合国决议[N]. 21 世纪经济报道, 2010-11-26(03).

[156]曾冠. 碳排放贸易及其与 WTO 体制的关系[J]. 世界贸易组织动态与研究, 2009(7)：10～16.

[157]曾乐琛. 广东为何再提"走出去"？[J]. 大经贸, 2008(06)：14～16.

[158]曾令良, 陈卫东. WTO 一般例外条款(GATT 第 20 条)与我国应有的对策[J]. 法学论坛, 2001(4)：32～49.

[159]曾梦琦. 国际碳交易市场发展及其对我国的启示[J]. 金融市场, 2011(413)：76～80.

[160]张汉东. 碳关税失败了吗？[N]. 浙江日报. 2010-12-21(16).

[161]张何英. 碳关税和碳税的征收对中国产业影响的比较研究[D]. 上海：华东理工大学, 2011.

[162]张红. 海关法[M]. 北京：对外经济贸易大学出版社, 2002.

[163]张建平. 严防国际贸易保护　主动应对碳关税[J]. 中国科技投资, 2009(10)：52～53.

[164]张金江. 欧盟温室气体排放连续 4 年减少[EB/OL]. 人民网, [2010-09-15]. http：//world. people. com. cn/GB/9968980. html.

[165]张君. 碳关税是一种新型的贸易保护形式[J]. 中国经贸, 2009(15)：44～45.

[166]张磊. 论 WTO 对环境贸易措施的放松趋势——以五个典型案例为视角[J]. 世界贸易组织动态与研究, 2009(1)：8～13.

[167]张璐晶, 谈佳隆. 欧盟空中抢钱——中国民航一年或交碳税 8 亿元. 中国经济周刊. 2011(5)：44～46.

[168]张宁. 应对碳关税[J]. 中国经贸, 2010(3)：64～68.

[169]张倩. "碳关税"贸易壁垒的挑战及法律对策研究[D]. 大连：大连海事大学, 2012.

[170]张巧进. 碳关税对中国的影响及其法律对策[D]. 石家庄：河北经贸大学, 2011

[171]张沁, 李继峰, 张亚雄. "十二五"时期我国面临的国际环境壁垒及应对策略——征收碳出口税的可行性分析[J]. 国际贸易, 2010(11)：21～24.

[172]张曙霄, 郭沛. "碳关税"的两重性分析[J]. 经济学家, 2010(12)：35～41.

[173]张向晨. 发展中国家与 WTO 的政治经济关系[M]. 北京：法律出版社, 2000.

[174]张向晨. 碳关税是否符合 WTO 规则？[J]. WTO 经济导刊, 2009(12)：87～88.

[175]张晓涛, 李雪. 国际碳交易市场的特征及我国碳交易市场建设[J]. 中国经贸, 2010(3)：24～25.

[176]张晓盈, 钟锦文. 我国开征二氧化碳排放税的几点思考[J]. 经济纵横, 2010(8)：71～75.

[177]张燕. 外贸依存度与我国对外贸易发展[J]. 重庆行政, 2005(2)：89～91.

[178]张中祥. 美国拟征收碳关税, 中国当如何应对[J]. 国际石油经济. 2009(8)：13～16.

[179]赵绘宇. 美国国内气候变化法律与政策进展性研究[J]. 东方法学, 2008(6)：111～118.

[180]赵行姝. "碳关税"干扰气候变化合作[N]. 人民日报, 2009-07-31(003).

[181]郑圣果. GATT/WTO 关于单边环境贸易措施的案例研究[J]. 黑龙江省政法管理干部学院学报, 2005(1)：106～109.

[182]中国商务部网站. 应对气候变化欧盟抢先列出 164 个受保护的工业部门[EB/OL]. http：// fr. mofcom. gov. cn/aarticle/ddgk/zwqihou/200911/20091106601004. html, 2010-9-26.

[183]中华人民共和国国家统计局. 中国统计年鉴2012[M]. 北京：中国统计出版社, 2012

[184]钟筱红, 谢新明, 刘英生. 与产品不相关的单边 PPM 环境贸易措施及中国的对策——在 WTO 框架下[J]. 江西社会科学, 2010(4)：169～174.

[185]周洪钧. 京都议定书, 生效周年述论[J]. 法学, 2006(3)：123～130.

[186] 周跃雪. "碳关税"的法律分析——兼论 WTO 环境规则[J]. 商业时代, 2011(9)：106～107.

[187] 朱丹宁. 碳关税的法律解读与中国的应对[J]. 大众商务, 2010(7)：234.

[188] 朱榄叶. 世界贸易组织国际贸易纠纷案例评析[M]. 北京：法律出版社, 2000.

[189] 朱文奇, 李强. 国际条约法[M]. 北京：中国人民大学出版社, 2008.

[190] 朱晓勤. 发展中国家与 WTO 法律制度研究[M]. 北京：北京大学出版社, 2006.

[191] 朱永彬, 刘晓, 王铮. 碳税政策的减排效果及其对我国经济的影响[J]. 中国软科学, 2010(4)：1～9, 87.

[192] 朱永彬, 王铮. 碳关税对我国经济影响评价[J]. 中国软科学, 2010(12)：36～42, 49.

[193] 宗泊. 碳关税分析[J]. 河北法学, 2012, 30(1)：139～143.

[194] 邹骥. 德班协议的"进"与"退"[EB/OL]. 南方网, [2011-12-18]. http：//news. gd. sina. com. cn.

[195] 左海聪. GATT 环境保护例外条款判例法的发展[J]. 法学, 2008(3)：127～134.

[196] AB Report. European Communities-Measures Affecting Asbestos and Asbestos-Containing Products [R]. WT/DS135/AB/R, 2001-03-12.

[197] AB Report. Korea-Measures Affecting Imports of Fresh, Chilled and Frozen Beef [R]. WT/DS161/AB/R and WT/DS169/AB/R, 2000-12-11.

[198] AB Report. United States-Import Prohibition of Certain Shrimp Products [R]. WT/DS58/AB/R, 1998-10-12.

[199] AB Report. United States-Standards for Reformulated and Conventional Gasoline [R]. WT/DS2/AB/R, 1996-04-29.

[200] Ahmad N, Wyckoff A., Carbon Dioxide Emissions Embodied in International Trade of Goods [R]. OECD STI Working Papers, No. 15, 2003.

[201] Aldy J E, Ley E, Parry I. What is the Role of Carbon Taxes in Climate Change Mitigation? [R]. The World Bank, PREM notes, 2010-04.

[202] Aldy J E, Stavins R N. Economic Incentives in a New Climate Agreement [C]. On behalf of The Harvard Project on International Climate Agreements For The Climate Dialogue Copenhagen, Denmark, 2008-05-07-2008-05-08.

[203] Appellate Body Report. European Communities-Conditions for the Granting of Tariff Preferences to Developing Countries [R]. WT/DS246/AB/R, 2004-04-20.

[204] Avner P. Border Adjustment：A tool to reconcile climate policy and competitiveness in Europe-A legal and economic assessment [J]. Mémoire de fin d'études année, 2007(4)：29～30.

[205] Baranzini A, Goldemberg J, Speck S. A Future for Carbon Taxes [J]. Ecological Economics, 2000(32)：395～412.

[206] Baron R. Economic/Fiscal Instruments：Taxation (i. e. Carbon /Energy), Annex I Expert Group on the UNFCCC [R]. OECD Working Paper No. 4, OECD/G (97)188.

[207] Brink R V. Competitiveness border adjustments in U. S. climate change proposals violate GATT：Suggestions to utilize GATT's environmental exceptions [J]. Colorado Journal of International Environmental Law and Policy, 2010, 21(1)：105.

[208] Burniaux J-M, Chateau J, Duval R. Is There a Case for Carbon-based Border Tax Adjustment? An Applied General Equilibrium Analysis [R]. OECD Economics Department Working Papers No. 794, ECO/ WKP (2010)50, 2010-07-21.

[209] Burtraw D, Farrell A E. Managing Greenhouse Gas Emissions in California [EB/OL]. The California Climate Change Center at University of California, Berkeley, [2010-12-25]. http：//calclimate. berkeley. edu/managing

GHGs in CA. html.

[210] Byrne J, Hughes K, Rickerson W, Lado Kurdgelashvili. American Policy Conflict in the Greenhouse: Divergent Trends in Federal, Regional, State, and Local Green Energy and Climate Change Policy [J]. Energy Policy, 2007, 35(9): 4555~4573.

[211] Cendra J. Can Emissions Trading Schemes be coupled with Border Tax Adjustments? An Analysis Vis-à-vis WTO Law [J]. Review of European Community and International Environmental Law, 2006, 15(2): 131~145.

[212] Charnovitz S. The Law of Environmental "PPMs" in the WTO: Debunking the Myth of Illegality [J]. The Yale Journal of International Law, 2002, 27(1): 62~93.

[213] Crimp M. Environmental Taxes: Can Border Tax Adjustments be used to Counter Any Market Disadvantage? [J]. New Zealand Journal of Environmental Law, 2008(12): 57~75.

[214] Demailly D, Quirion P. CO_2 Abatement, Competitiveness and Leakage in the European Cement Industry under the EU ETS: Grandfathering versus Output-based Allocation [J]. Climate Policy, 2006, 6(1): 93~113.

[215] Fauchald O K. Envrionmental Taxes and Trade Discrimination [M]. The Hague; Boston: Kluwer Law International, 1998.

[216] Fischer C, Fox A K. Combining rebates with carbon taxes: Optimal strategies for coping with emission leakages and tax interactions [R]. Washington: Resources for the future, RFF Discussion, 2009: 09-12.

[217] Gaines S. The WTO's Readings of the GATT Article Chapeau: A Disguised Restriction on Environmental Measures [J]. Colorado journal of international law and policy, 2001, 29(6): 739~740.

[218] Galeotti M, Kemfert C. Interactions between Climate and Trade Policies: A Survey [R]. Working Papers 2004. 88, Fondazione Eni Enrico Mattei, 2004.

[219] Gersbach H. A New Way to Address Climate Change: A Global Refunding System [J/OL]. Economists' Voice, July 2008, [2012-02-02]. http://www.bepress.com/ev.

[220] Green A, Epps T. Is There a Role for Trade Measures in Addressing Climate Change? [J]. University of California Davis Journal of Environmental Law and Policy, 2008, 15(1): 1~30.

[221] Hawkins S. Skirting Protectionism: A GHG-based Trade Restriction under the WTO [R]. The Georgetown International Environmental Law Review, 2008(20).

[222] Hoel M. Carbon Taxes: An International Tax or Harmonized Domestic Taxes? [J]. European Economic Review, 1992(36): 400~406.

[223] Holmes P, Reilly T, Rollo J. Border Carbon Adjustments and the Potential for Protectionism [EB/OL]. [2011-01-05]. http://www.sussex.ac.uk/caris/documents/border_ carbon_ adjustments_ and_ the_ petential_ for_ protectionism. pdf.

[224] Hourcade J C, Demailly D, Neuhoff K, Sato M, Grubb M, Matthes F, Graichen V. Differentiation and Dynamics of EU-ETS Industrial Competitiveness Impacts [R]. Climate Strategies Report, 2007.

[225] Houser T. Ensuring US Competitiveness and International Participation, Testimony before the Committee on Energy and Commerce [EB/OL]. US House of Representatives, 23 April 2009 [2010-09-25]. http://www.iie.com/publications/papers/houser0409. pdf.

[226] ICTSD. Climate Change and Trade-Key Linkages [R]. International Centre for Trade and Sustainable Development, 2008.

［227］IPCC. Summary for Policymakers ［C］. in Martin Parry et al. , （ eds. ）, Climate Change 2007: Impacts, Adaptation and Vulnerability, Cambridge, UK: CambridgeUniversity Press, 2007: 7～22.

［228］Keck A, Low P. Special and Differential Treatment in the WTO: Why, When and How［R］. WTO Staff Working Paper ERSD-2004-03, 2004.

［229］Kho S, Janzen B G, Smith H M. Akin Gump: Border Adjustment Measures in Proposed U. S. Climate Change Legislation: A New Chapter in America's Leadership on Climate Change? ［J］. Sustainable Development Law & Policy, 2009, 9(3): 16～28.

［230］Khor M. Challenges of the Green Economy Concept and Policies in the Context of Sustainable Development, Poverty and Equity, the Transition to a Green Economy: Benefits, Challenges and Risks from a Sustainable Development Perspective ［R］. Report by a Panel of Experts to Second Preparatory Committee Meeting for United Nations Conference on Sustainable Development, 2011.

［231］Kuik O, Verbruggen H. The Kyoto Regime, Changing Patterns of International Trade and Carbon Leakage ［J］. Environmental Economics and the International Economy, 2003(25): 239～257.

［232］Lamy P. Introductory remarks to the High-Level Panel on Mutual Supportiveness of Trade, Climate Change and Development Objectives and Policies ［EB/OL］. WTO Public Forum, September 24, 2008, http: //www. wto. org/ english/news_ e/news08_ e/remarks_ lamy_ forum08_ 24sept_ e. pdf, last visited at 2010-12-25.

［233］Mandelson P. Is climate change policy incompatible with free trade? ［EB/OL］ Speech by Peter Mandelson at the Seminar on Climate Change, Oslo （2008-09-18） ［2011-03-02］. http: //trade. ec. europa. eu/doclib/docs/ 2008/september/tradoc_ 140670. pdf.

［234］McCarthy J E. Clean Air Issues in the 110th Congress: Climate Change, Air Quality Standards, and Oversight ［R］. CRS Report for Congress, 2008-11-03.

［235］McGinnis J O, Mark L Movsesian. The World Trade Constitution ［J］. Harvard Law Review, 2000, 114 (2): 512.

［236］McKenzie M. Climate Change and the Generalized System of Preferences ［J］. Journal of International Economic Law, 2008, 11(3): 157～179.

［237］McKibbin W J, Morris A, Wilcoxen P. Achieving comparable effort through carbon price agreements ［R］. The Harvard Project on International Climate Agreement, Belfer Center （Cambridge, M. A., Kennedy School, Harvard University）, 2009.

［238］McKibbin W J, Wilcoxen P J. The Economic and Environmental Effects of Border Tax Adjustments for Climate Policy［R］. Brookings Working Paper, 2008.

［239］Metcalf G, Weisbach D. The Design of a Carbon Tax ［J］. Harvard Environmental Law Review, 2009, (33): 499～556.

［240］Milner-White G R. Kyoto v WTO: Carbon Tariffs-Addressing Conflicts between the Kyoto Protocol and International Trade Rules ［J］. New Zealand Journal of Environmental Law, 2009(13): 37～71.

［241］Nair S. Unilateral Carbon Border Measures: Effectiveness and Alternatives, Rising Non-tariff Protectionism and Crisis Recovery ［M］. United Nations publication, 2010.

［242］Nordhaus W D. After Kyoto: Alternative Mechanisms to Control Global Warming ［J］. American Economic Review, 2006, 96(2): 31～34.

［243］OECD. Environmentally Related Taxes in OECD Countries: Issues and Strategies ［R］. OECD Publishing ［2001-10-

08]. 116~117.

[244] OECD. Trade-Related Measures Based on Processes and Production Methods in the Context of Climate-Change Mitigation [R]. Trade and Environment Working Papers, OECD Publishing, 2011: 12.

[245] Ottavio Quirico. EU Border Tax Adjustments and Climate Change: Reaching Consensus within the International Legal Context [J]. European Energy and Environmental Law Review, 2010, 19(5): 33~49.

[246] O'Brien J. The Equity of Levelling the Playing Field in the Climate Change Context [J]. Journal of World Trade, 2009, 43(5): 1093~1114.

[247] Panel Report. Argentina-Measures Affecting the Export of Bovine Hides and the Imported of Finished Leather [R]. WT/DS155/R, 2001-02-16.

[248] Panel Report. Canada-Certain Measures Affecting the Automotive Industry [R]. WT/DS139/R, WT/DS142/R, 2000-06-19.

[249] Panel Report. United States-Import Prohibition of Certain Shrimp Products [R]. WT/DS58/R, 1998-05-15.

[250] Panel Report. United States-Standards for Conventional and Reformulated Gasoline [R]. WT/DS2/R, 1996-05-20.

[251] Pauwelyn J. U. S. Federal Climate Policy and Competitiveness Concerns: The Limits and Options of International Trade Law [EB/OL]. Working Paper, Nicolas Institute for Environmental Policy Solutions, Duke University [2010-07-29]. http://www.nicholas.duke.edu/institute/internationaltradelaw.pdf.

[252] Pauwelyn J. U. S. Federal Climate Policy and Competitiveness Concerns-The Limits and Options of International Trade Law [R]. Working Paper, Nicolas Institute for Environmental Policy Solutions, Duke University, 2007-04.

[253] Persson S, Sabelstrom A, Hoick A. Practical Aspects of Border Carbon Adjustment Measures-Using a Trade Facilitation Perspective to Assess Trade Cost [R]. National Board of Trade, 2010-12.

[254] Quick R. Border Tax Adjustment to Combat Carbon Leakage: A Myth [J]. Global Trade and Customs Journal, 2009, 4(11/12): 352~357.

[255] Quick R. Border Tax Adjustment 'in the Context of Emission Trading Climate Protection or Naked 'Protectionism [J]. Global Trade and Customs Journal, 2008, 3(5): 167~168.

[256] Reuters. French Plan Would Tax Imports From Non-Signers of Kyoto Pact [N]. New York Times, 2006-11-14.

[257] Schoenbaum T J. International Trade and Protection of the Environment: the Continuing Search for Reconciliation [J]. The American Journal of International Law, 1997, 91(2): 268~313.

[258] Siqueira K. International Externalities, Strategic Interaction, and Domestic Politics [J]. Journal of Environmental Economics and Management, 2003(45): 674~691.

[259] Stiglitz J. A New Agenda for Global Warming [J/OL]. Economists' Voice, July 2006 [2010-12-25]. http://www.bepress.corn/ev.

[260] Switzer S. Environmental Protection and the Generalized System of Preferences: A Legal and Appropriate Linkage? [J]. International and Comparative Law Quarterly, 2008(57): 146.

[261] Tamiotti L, Kula o lu V, National Climate Change Mitigation Measures and Their Implications for the Multilateral Trading System: Key Findings of the WTO/UNEP Report on trade and climate change [J]. Journal of World Trade, 2009, 43(5): 1140.

[262] Veel P E. Carbon Tariffs and the WTO: An Evaluation of Feasible Policies [J]. Journal of International Economic Law, 2009, 12(3): 1~37.

[263] Westin R A. Environmental Tax Initiatives and Multilateral Trade Agreements: Dangerous Collisions [M]. The Hague; Boston: Kluwer Law International, 1997.

[264] WTO-UNEP Report. Trade and Climate Change [EB/OL]. [2009-07-27]. http://www. unep. org/pdf/pressreleases/Trade_ Climate_ Publication_ 2289_ 09_ E%20Final. pdf.

[265] Zane S N. Leveling the Playing Field: The International Legality of Carbon Tariffs in the EU [J]. Boston College International and Comparative Law Review, 2011, 34(1): 209.

[266] ZhongXiang Zhang, Andrea Baranzini. What do we know about carbon taxes? An inquiry into their impacts on competitiveness and distribution of income [J]. Energy Policy, 2004, 32(4): 507~518.

[267] Zhu Zhu, Eun-sup Lee, Sun-ok Kim. A Discussion on the Legitimacy of Carbon Tariffs under the WTO [C]. 2011 International Conference on Sociality and Economics Development, IPEDR vol. 10, 2011.